Petits Classiques
LAROUSSE

Collection fondée par Félix Guir[illegible]
Agrégé des Lettres

Les Trois Mousquetaires

Alexandre
Dumas

extraits

Roman

Édition présentée,
annotée et commentée
par Évelyne Amon,
certifiée de lettres modernes

et Yves Bomati,
docteur ès lettres et sciences humaines

Direction de la collection : Carine GIRAC-MARINIER
Direction éditoriale : Claude Nimmo
Édition : Marie-Hélène CHRISTENSEN
Lecture-correction : service lecture-correction LAROUSSE
Direction artistique : Uli MEINDL
Couverture et maquette intérieure : Serge CORTESI,
Sophie RIVOIRE , Uli MEINDL
Mise en page : JOUVE
Responsable de fabrication : Marlène DELBEKEN

ISBN : 978-2-03-585084-3

SOMMAIRE

AVANT D'ABORDER L'ŒUVRE

Fiche d'identité de l'auteur

Alexandre Dumas

Nom : Dumas.

Prénom : Alexandre.

Naissance : le 24 juillet 1802 à Villers-Cotterêts.

Famille : fils d'un noble mulâtre de Saint-Domingue devenu général de la Grande Armée sous le premier Empire et d'une mère issue d'une famille d'aubergistes.

Formation : études au collège privé de l'abbé Grégoire. Refus d'entrée au séminaire pour devenir prêtre. Engagé par le notaire de la ville dont il devient second clerc en 1822.

Début de carrière : rencontre avec l'acteur Talma. Passion pour le théâtre. Écriture de récits et nouvelles, de pièces de théâtre avec divers collaborateurs. Rencontre avec la jeunesse romantique : Nodier, Hugo, Vigny, Musset…

Premiers succès (1829-1839) : accueil triomphal de *Henri III et sa cour* à la Comédie-Française, puis d'*Antony*, drame en cinq actes. Production de *La Tour de Nesle*, réécrit par Dumas sur un manuscrit de Gallardet sans que le nom de ce dernier apparaisse. Premiers procès. Triomphe de *Kean*, comédie en cinq actes. Publication des premiers romans *(Le Capitaine Paul)*.

Années de succès (1839-1853) : début de la collaboration avec Auguste Maquet. Publication des *Trois Mousquetaires* (1844), de *Vingt Ans après*, du *Comte de Monte-Cristo*, de *La Reine Margot*, du *Vicomte de Bragelonne*, du *Collier de la reine*, de *La Tulipe noire*, de *Mes Mémoires* (1852).

Dernière partie de carrière : démêlés nombreux avec la justice pour impayés. À partir de 1857, procédure de Maquet contre Dumas sur la propriété des livres écrits en collaboration. 1865 : publication de l'intégrale des œuvres de Dumas écrites depuis 1847 chez Michel Lévy.

Mort : le 5 décembre 1870 à Puys près de Dieppe.

Pour ou contre Alexandre Dumas ?

Pour

Simone BERTIÈRE :

« Il a [...] une forme d'imagination bien à lui : celle du détail concret, de l'anecdote plaisante qui donnera du piment au récit. »

Propos recueillis par Violaine de Montclos, *Le Point* du 1er janvier 2010.

Alain DECAUX :

« Tes héros, Alexandre, sont devenus les nôtres. Sais-tu combien ils furent ? On en a fait le compte : 37 267. Tantôt ils ont existé et tu les as transfigurés. Tantôt, issus de ta fabuleuse imagination, ils sont devenus des êtres de chair et de sang. »

Discours du samedi 30 novembre 2002.

Victor HUGO :

« Alexandre Dumas est un de ces hommes qu'on peut appeler les semeurs de civilisation ; il assainit et améliore les esprits par on ne sait quelle clarté gaie et forte ; il féconde les âmes, les cerveaux, les intelligences ; il crée la soif de lire ; il creuse le génie humain, et il l'ensemence. »

Lettre à Alexandre Dumas fils, le 15 avril 1872.

Contre

Michel TOURNIER :

« L'histoire de Dumas est noire, cruelle, sombre. »

Entretien avec François Busnel, *L'Express* du 1er juillet 2006.

Gilbert SIGAUX :

« À l'effet dramatique, Dumas sacrifie la vérité chronologique et quelquefois la vraisemblance. »

Préface à Alexandre Dumas, *Les Trois Mousquetaires*, Gallimard, 1962.

Repères chronologiques

Vie et œuvre d'Alexandre Dumas	*Événements politiques et culturels*
1802 Naissance le 24 juillet à Villers-Cotterêts (Aisne).	**1802** Chateaubriand, *Génie du christianisme, René*. Bonaparte, consul à vie.
1806 Mort de son père.	**1815** Retour des Bourbons (Louis XVIII) sur le trône **(la Restauration)**.
1817 Clerc de notaire, à Villers-Cotterêts.	**1819** Walter Scott, *Ivanhoé*.
1819 Amitié avec Adolphe de Leuven. Collaborent à plusieurs pièces de théâtre. Passion pour la littérature.	**1820** Lamartine, *Premières Méditations*. Delacroix, *Dante aux enfers*.
1823 Installation à Paris. Employé de bureau chez le duc d'Orléans. Liaison avec Catherine Labay (lingère).	**1823** Beethoven, 9e *Symphonie*.
1824 Naissance d'Alexandre Dumas fils.	**1824** **Mort de Louis XVIII et règne de Charles X.**
1825-26 *Écrit des vaudevilles.*	**1827** Hugo, *Préface de Cromwell*.
1829 Triomphe de *Henri III et sa cour* (drame). Dumas célèbre. Se lie avec Hugo. Bibliothécaire du duc d'Orléans.	**1830** Bataille d'*Hernani*. Lamartine, *Harmonies poétiques et religieuses*. Stendhal, *Le Rouge et le Noir*. **Les Trois Glorieuses (27, 28, 29 juillet). Renversement de Charles X. Louis-Philippe Ier, roi des Français.**
1831 Triomphe d'*Antony* (drame). Quitte son poste de bibliothécaire. Naissance de Marie-Alexandrine Dumas.	**1831** Hugo, *Notre-Dame de Paris*. Balzac, *La Peau de chagrin*.
1832 Triomphe de *La Tour de Nesle* (drame).	**1832** George Sand, *Indiana*.
1836-37 Triomphe de *Kean* (drame). Dumas chevalier de la Légion d'honneur.	**1834** Musset, *Lorenzaccio*. Balzac, *Le Père Goriot*.
1838 Mort de sa mère. **Rencontre Auguste Maquet (professeur d'histoire)**.	**1837-38** Début du règne de Victoria en Angleterre. Balzac, *Les Illusions perdues*. Hugo, *Ruy Blas*.

Repères chronologiques

Vie et œuvre d'Alexandre Dumas

1842
Le Chevalier d'Harmental, roman à succès. **Lit *Les Mémoires de d'Artagnan*.**

1844
Les Trois Mousquetaires (Dumas-Maquet), publié d'abord en feuilleton dans *Le Siècle*. Construction du château de Monte-Cristo.

1845
Vingt Ans après, *Le Comte de Monte-Cristo*, *La Reine Margot* (Dumas-Maquet). **Pamphlet d'Eugène de Mirecourt** : *Maison Alexandre Dumas et Cie, fabrique de romans*. Procès.

1846
La Dame de Montsoreau, *Joseph Balsamo*.
Dumas crée le Théâtre-Historique.

1847
Inauguration du château de Monte-Cristo.

1848
Le Vicomte de Bragelonne. **Procès de Maquet contre Dumas.**

1849-50
Dumas ruiné. *Le Collier de la reine*, *Les Mille et Un Fantômes*, *La Tulipe noire*.

1851-53
Dettes et fuite à Bruxelles. *Le Drame de Quatrevingt-treize*, *Ange Pitou*, *Les Mohicans de Paris*. Création du quotidien *Le Mousquetaire*.

1855-59
Nombreux romans dont *Les Compagnons de Jéhu*. Création de l'hebdomadaire *Le Monte-Cristo*.

1870
Mort de Dumas le 5 décembre.

Événements politiques et culturels

1839
Stendhal, *La Chartreuse de Parme*.

1840
Mérimée, *Colomba*.

1842
Eugène Sue, *Les Mystères de Paris*.
Mort du duc d'Orléans.

1845
Mérimée, *Carmen*.
Wagner, *Tannhauser*.
Ministère Guizot.

1846
Berlioz, *La Damnation de Faust*.

1848
Révolution. Chute de Louis-Philippe. Louis-Napoléon président de la République.
Dumas fils, *La Dame aux camélias* (roman).
Mort de Chateaubriand, *Mémoires d'outre-tombe*.

1851
Coup d'État de Louis-Napoléon Bonaparte (2 décembre).
Gautier, *Émaux et camées*.

1852
Second Empire : Napoléon III.

1856-57
Hugo, *Les Contemplations*.
Flaubert, *Madame Bovary*.
Baudelaire, *Les Fleurs du mal*.

1866
Verlaine, *Poèmes saturniens*.

1869
Flaubert, *L'Éducation sentimentale*.

1870-71
Guerre franco-allemande. Chute de l'Empire. Commune de Paris. IIIe République.

Fiche d'identité de l'œuvre

Les Trois Mousquetaires

Auteur : Alexandre Dumas (42 ans). En collaboration avec Auguste Maquet, historien.

Genre : roman historique paru en feuilleton dans le journal *Le Siècle*, puis en volume en 1844.

Forme : prose.

Structure : une préface, 67 chapitres et un épilogue.

Principaux personnages :

Le camp des mousquetaires : d'Artagnan, jeune Gascon fougueux ; les trois mousquetaires : Athos, grand seigneur énigmatique ; Aramis, mystique et galant ; Porthos, géant fanfaron, coureur de jupons.
M. de Tréville, capitaine des mousquetaires du roi ; Anne d'Autriche, reine de France ; Louis XIII, roi de France, son époux ; le duc de Buckingham, son amoureux, Premier ministre de Charles Ier d'Angleterre ; Constance Bonacieux, lingère au service de la reine.

Le camp de Richelieu : le cardinal de Richelieu, ministre tout-puissant, hostile à la reine ; ses agents : Milady, aventurière et femme fatale, et Rochefort, gentilhomme.

Sujet : en 1625, d'Artagnan, fraîchement arrivé à Paris, se lie d'amitié avec Athos, Porthos et Aramis. Entièrement dévoués à la reine, les quatre compagnons mettent leur épée à son service : il leur faut récupérer d'urgence les ferrets de diamant que la reine a donnés, comme gage d'amour, au duc de Buckingham. Franchissant les uns après les autres les multiples pièges que Richelieu, habilement, a semés sur leur route, ils gagnent leur pari : au bal donné par le roi, la reine porte fièrement ses bijoux ! Le cardinal, vengeur, envoie Milady tuer Buckingham qui, déjouant ses plans, la fait emprisonner. Mais le geôlier amoureux d'elle la libère et tue le duc. Milady, en fuite après avoir empoisonné Constance, est rattrapée par les mousquetaires qui la jugent et la condamnent à mort.

Pour ou contre Les Trois Mousquetaires ?

Pour

« Longtemps mésestimée, son œuvre traduit la boulimie dont il fit preuve à l'égard de l'existence, sa fougue, sa façon d'appréhender sans détour le réel. Elle est aujourd'hui réévaluée à la lumière du double intérêt porté au roman populaire et au romantisme. »

Dictionnaire des littératures, Alexandre Dumas, Larousse, 1985, tome I.

André MAUROIS :

« La popularité durable et universelle des *Trois Mousquetaires* montre que Dumas, en exprimant naïvement à travers ses héros sa propre nature, répondait au besoin d'action, de force et de générosité qui est de tous les temps et de tous les pays. »

Les Trois Dumas, 1957.

Hippolyte Louis PARIGOT :

« Le roman de Dumas n'a pas trahi l'histoire. »

Alexandre Dumas père, 1908.

Contre

« [...] le plan est donné par Maquet [...] Dumas fait une amplification : elle est bonne ou non, ceci est une affaire de goût, mais lorsque le plan est donné, l'idée conçue, le développement est chose facile. »

Note de Maquet figurant au procès de 1851.

Gustave SIMON :

« Maquet a conçu et écrit *Les Trois Mousquetaires.* »

Histoire d'une collaboration. Alexandre Dumas et Auguste Maquet, Crès, 1919.

Pour mieux lire l'œuvre

✣ Au temps d'Alexandre Dumas

Une société bouleversée

La première moitié du XIXe siècle où Dumas naît et produit la plus grande partie de son œuvre est d'une richesse politique et artistique étonnante. C'est l'époque post révolutionnaire où les nouvelles structures se mettent en place au prix fort. Bonaparte, nommé consul à vie en 1802, ne tarde pas à proclamer l'empire en 1804 et à affermir son pouvoir par son mariage en 1810 avec Marie-Louise d'Autriche dont il aura un fils, l'Aiglon.

Période d'expansion française, de guerres sanglantes contre toute l'Europe, l'enfance d'Alexandre, fils du général Dumas, connaît surtout les débâcles impériales. À Villers-Cotterêts, en 1814, il voit passer les troupes françaises défaites, talonnées par les Cosaques et les Prussiens. L'Empereur, contraint à l'abdication, est exilé sur l'île d'Elbe. Les Bourbons, descendants de Louis XVI, rentrent d'exil et remontent sur le trône, jetant la France dans un autre type de guerre : les bonapartistes contre les royalistes. Coup de théâtre : Napoléon s'échappe de son île et débarque à Toulon. C'est « les Cent-Jours ». Alexandre voit passer un Napoléon, « tête pâle et maladive », entouré de ses « trente mille géants ». Il le reverra bientôt faire le chemin inverse, « pâle, maladif, impassible » avec la cohorte des survivants de la Grande Armée, rescapés, estropiés, agonisants. Waterloo a sonné le glas du rêve impérial et l'exil de l'Empereur déchu pour la lointaine Sainte-Hélène. Le retour définitif des Bourbons sur le trône français éloigne les canons. La Restauration avec Louis XVIII (1815-1824) puis Charles X (1824-1830) va permettre à un Alexandre devenu adulte de tenter sa chance auprès des puissants. Après plusieurs essais, en 1823, recommandé auprès du duc d'Orléans, il quitte définitivement Villers-Cotterêts pour Paris, où il faut être pour exister.

Il est vrai que tout explose alors : la société certes, mais aussi la façon de penser. À la suite des structures politiques, les repères anciens se sont aussi éloignés à jamais, l'argent a pris le pas sur la morale. Le dandysme est dans l'air du temps, il assure un certain pouvoir sur les autres : choquer et innover, c'est la meilleure façon pour être entendu, sinon écouté.

Le romantisme naissant et le pouvoir monarchique

C'est aussi l'époque de l'éclosion romantique préludée dès 1802 par Chateaubriand avec *René*. Finies les formes strictes du classicisme où l'œuvre s'enfermait dans la règle des trois unités – temps, lieu, action ; finis les larmoiements mélodramatiques des écrivains du XVIIIe siècle. L'heure est à l'innovation, à la création trop longtemps bridée. L'Anglais Walter Scott publie en 1819 *Ivanhoé*, un roman d'aventure marqué par l'histoire qui ouvrira la porte à un genre nouveau : le roman populaire historique, bientôt suivi par le Français Alfred de Vigny, en 1826, avec la publication de *Cinq-Mars*, autre roman historique. Lamartine avec ses *Méditations* en 1820, Beethoven avec sa 9e Symphonie en 1824 en ont montré, pour la poésie et la musique, des chemins, audacieux pour les uns, scandaleux pour les autres. Hugo enfin, avec la *Préface* de son drame *Cromwell*, en a défini les principes fondateurs. Une génération d'artistes différents s'installe. Dumas en fait partie, lui qui découvre grâce à son ami Adolphe de Leuven, féru de théâtre, l'art du grand tragédien Talma, lors d'une représentation de *Sylla* à la Comédie-Française, dont il ressortira « étourdi, ébloui, fasciné ». Les cercles romantiques s'ouvrent à lui : il y côtoie tous ceux qui feront la nouvelle littérature : Hugo, Nodier, Musset, Vigny... « À nous deux, Paris », aurait pu lancer le jeune Alexandre avant le Rastignac de Balzac. C'est là qu'il espère faire fortune, car l'argent l'intéresse.
Son premier grand succès, *Henri III et sa cour* (1829), triomphe à la Comédie-Française à une époque charnière de notre histoire. Le régime de Charles X se fait plus dur, réprimant les libertés

publiques. Le 26 juillet 1830 sont promulguées quatre ordonnances supprimant la liberté de la presse périodique, réformant les modalités électorales. C'en est trop ! Paris se couvre de barricades : ce sont les Trois Glorieuses, du 27 au 29 juillet, la révolution de juillet avec son potentiel d'espoir mais aussi ses lendemains qui déchantent pour toute une génération.

Charles X est renversé ; Louis-Philippe Ier (1830-1848) monte sur le trône : la société des années 1830 a balayé les nobles au profit d'une bourgeoisie d'affaires, désireuse de faire dépendre le politique de l'économique. Une monarchie bourgeoise est née, au grand dam des intellectuels romantiques et de leurs idéaux.

Et le jeune Dumas dans tout cela ? Durant les combats, le voilà dans la rue avec les insurgés. Il écrira : « J'ai eu le bonheur d'y prendre une part assez active pour y avoir été remarqué par La Fayette et le duc d'Orléans. » Son goût de l'action en est comblé : « Une fièvre universelle s'est emparée de la population ; c'était merveilleux à voir [...]. Je trouvais que les révolutions avaient un côté prodigieusement récréatif. » Sans doute, une partie de l'inspiration des *Trois Mousquetaires* s'est-elle forgée durant de tels événements où l'épique le dispute au quotidien, où le théâtral rejoint l'histoire. La suite décevra Dumas : il ne recevra aucune charge officielle pour prix de son engagement. Il lui restera son talent... et sa plume.

Fabrique Alexandre Dumas & Cie

Sa ou ses plumes ? Telle est la question récurrente lorsque l'on aborde l'œuvre de Dumas. En effet, aussi bien pour ses œuvres théâtrales que romanesques, Dumas s'est adjoint – sans jamais le nier – des collaborateurs aux talents complémentaires du sien. Il manque de temps : boulimique de l'écriture, il est aussi tenu par de multiples contrats lui assurant son train de vie luxueux. Il lui faut donc produire toujours plus. Selon ses propres dires, il aurait écrit près de 1 200 œuvres. Pour *Les Trois Mousquetaires*, il a engagé un professeur d'histoire, Auguste Maquet, avec qui il est lié dès

1838. Dumas en effet n'aime guère inventer ; il préfère mettre en scène, ce qui constitue l'essentiel de son génie. Aussi confie-t-il les esquisses des chapitres à Maquet après en avoir tracé soigneusement avec lui les moments clés. Il révise ensuite les travaux remis, transforme les esquisses et donne vie aux personnages dans son style flamboyant. Et il signe seul. Maquet saura le lui reprocher par de retentissants procès, revendiquant la signature de nombreuses œuvres écrites en collaboration, sans succès cependant, puisqu'il sera débouté en 1857. Qu'importe pour nous, leur collaboration a permis aux plus grands romans d'aventure français d'exister et au feuilleton – fondé sur le rythme de l'action, ses surprises, la force de caractère des personnages et un style soutenu – de triompher.

L'essentiel

À une époque de grands bouleversements politiques et culturels, Dumas s'inscrit avec originalité dans le paysage littéraire. Il crée le genre du roman d'aventure, aux personnages saisis par l'action, au rythme haletant. Véritable homme d'affaires, il s'adjoint des collaborateurs dont le plus célèbre est Auguste Maquet, avec qui il compose ses œuvres majeures, lui laissant souvent la documentation et le premier jet pour se réserver la réécriture et le style.

L'œuvre aujourd'hui

Un cadre historique foisonnant

D'où vient cet engouement pour l'œuvre de Dumas aujourd'hui ? Longtemps méprisée – en France plus qu'à l'étranger d'ailleurs –, elle connaît une nouvelle jeunesse, sert de base à de multiples scénarios, films, etc. Un succès qui dépasse le phénomène de mode et

sur lequel on ne saurait trop se pencher. Après des décennies où le roman psychologique – un roman où l'intérieur des personnages, leurs sentiments les plus intimes étaient analysés – a triomphé, on semble retrouver le goût des vastes espaces, des décors plongeant leurs racines dans l'histoire, des personnages engagés dans une course aux émotions et à l'action.
Serait-ce l'influence des mangas japonais, des films chinois ou indiens où les états d'âme des héros, s'ils sont importants, ne constituent plus le cœur vivant des récits ?

L'aventure, l'amour, les guerriers

Certes, l'amour reste important mais il ne donne plus lieu à des développements aussi précis qu'auparavant – dans les romans de Balzac ou d'Hugo – par exemple. Il est au service d'autres choses, de l'aventure principalement. Les héros – tous masculins sauf un – sont des guerriers qui n'hésitent pas à tuer, à mettre leur vie en danger pour une cause qu'ils défendent. Il y a dans ce roman en effet les chevaliers du bien et ceux du mal : d'un côté, le clan des mousquetaires, de l'autre, celui de Richelieu avec l'intrépide Milady de Winter.
L'action va vite. Elle commande la création littéraire. Il s'agit – à l'époque du feuilleton journalistique – de donner envie de lire la suite le lendemain, tout comme aujourd'hui les feuilletons télévisés fondent leurs succès sur leur capacité à tenir en haleine.
Avec Dumas, le trio du suspense est devenu traditionnel : l'aventurier, le guerrier et l'amoureux, incarnés par un ou plusieurs personnages selon les besoins de la dynamique romanesque. Une formule magique que Dumas est le premier à avoir mis au point. Son œuvre s'agite dans de grands espaces : à bride abattue, on parcourt les terres et les mers sous le feu des canons et des mousquets. Ne serait-elle pas aussi l'ancêtre français du western américain, remplacé depuis par les séries de science-fiction ?

Un jeu de stratégie

Car, si l'œuvre de Dumas retrouve sous une de ses formes – roman, film, bandes dessinées – un public nombreux, c'est sans doute parce qu'elle renvoie aussi aux jeux innombrables de stratégie qui fleurissent aujourd'hui sur nos écrans. Qui va sauver l'innocente Constance Bonacieux ? vaincre la perfide Milady ? Du camp des méchants, qui survivra ? Comment la raison d'État, la grande histoire, finiront-elles par s'accommoder avec la petite histoire ?

Le goût de la vulgarisation de l'histoire

Au fond, Dumas a donné ses lettres de noblesse à la vulgarisation historique, c'est-à-dire à sa simplification, à sa mise à la portée de lecteurs qui ne seraient pas allés d'eux-mêmes vers un ouvrage académique comme *Les Mémoires de d'Artagnan*, publiés en 1700 par Courtilz de Sandraz. Qui parmi les plus jeunes connaîtrait aujourd'hui Louis XIII et Richelieu, Anne d'Autriche, les coutumes du XVIIe siècle ou s'en préoccuperait, qui citerait de mémoire les noms des « trois mousquetaires qui étaient quatre », si Dumas ne les avait mis sur scène, n'avait immortalisé leurs noms et leurs actions supposées ? L'histoire ne se dévoilerait-elle pas mieux par le roman historique pour les générations d'aujourd'hui ? Le coup de génie de Dumas pourrait le faire penser.

L'essentiel

Comment mieux saisir le XVIIe siècle que par la lecture des *Trois Mousquetaires* ? Devenus des mythes, les personnages de Dumas restent jeunes, car ils vivent dans l'action, dans l'insécurité de ce qui bouge. Chevaliers des temps anciens, ils se posent comme des défenseurs du bien contre les forces du mal, ce qui les rend tout à fait compatibles avec les œuvres populaires de notre temps, d'où leur succès durable.

ALEXANDRE DUMAS

LES TROIS

MOUSQUETAIRES

[illegible]

ÉDITION ILLUSTRÉE PAR J.-A. BEAUCÉ, PHILIPPOTEAUX, ETC.

PREMIÈRE PARTIE

PARIS — 1852

CHEZ MARESCQ ET Cie, LIBRAIRES

5, RUE DU PONT-DE-LODI, 5.

Lithographie de Jean-Adolphe Beaucé (1818-1875).

Les Trois Mousquetaires

Alexandre
Dumas

extraits

Roman (1844)

L'ŒUVRE L'ŒUVRE

Préface

Dans laquelle il est établi que, malgré leurs noms en *os* et en *is*, les héros de l'histoire que nous allons avoir l'honneur de raconter à nos lecteurs n'ont rien de mythologique[1].

Il y a un an à peu près qu'en faisant à la Bibliothèque royale des recherches pour mon histoire de Louis XIV[2] je tombai par hasard sur les *Mémoires de M. d'Artagnan*, imprimés – comme la plus grande partie des ouvrages de cette époque, où les auteurs tenaient à dire la vérité sans aller faire un tour plus ou moins long à la Bastille – à Amsterdam, chez Pierre Rougé. Le titre me séduisit : je les emportai chez moi, avec la permission de M. le conservateur, bien entendu, et je les dévorai.

Mon intention n'est pas de faire ici une analyse de ce curieux ouvrage, et je me contenterai d'y renvoyer ceux de mes lecteurs qui apprécient les tableaux d'époque. Ils y trouveront des portraits crayonnés de main de maître ; et, quoique ces esquisses soient, pour la plupart du temps, tracées sur des portes de caserne et sur des murs de cabaret, ils n'y reconnaîtront pas moins, aussi ressemblants que dans l'histoire de M. Anquetil[3], les images de Louis XIII[4], d'Anne d'Autriche[5], de Richelieu[6], de Mazarin[7] et de la plupart des courtisans de l'époque.

Mais, comme on le sait, ce qui frappe l'esprit capricieux du poète n'est pas toujours ce qui impressionne la masse des lecteurs. Or,

1. **Mythologique :** qui se rapporte à l'histoire fabuleuse des dieux, des demi-dieux, des héros de l'Antiquité païenne.
2. **Mon histoire de Louis XIV :** publication en 1844-1845 de *Louis XIV et son siècle,* en deux volumes.
3. **M. Anquetil :** Louis-Pierre Anquetil (1723-1806) est l'auteur d'une *Histoire de France* en quatre volumes.
4. **Louis XIII :** roi de France de 1610 à 1643. Né en 1601, mort en 1643.
5. **Anne d'Autriche :** infante d'Espagne (1601-1666), reine de France et de Navarre de 1615 à 1643, épouse de Louis XIII. À la mort du roi, elle sera régente du royaume jusqu'à la majorité de son fils Louis XIV.
6. **Richelieu :** Armand Jean du Plessis, cardinal duc de Richelieu (1585-1642), puissant ministre de Louis XIII (1624-1642).
7. **Mazarin :** cardinal d'origine italienne (1602-1661). Puissant ministre qui succédera à Richelieu (1643-1661).

tout en admirant, comme les autres admireront sans doute, les détails que nous avons signalés, la chose qui nous préoccupa le plus est une chose à laquelle bien certainement personne avant nous n'avait fait la moindre attention.

D'Artagnan raconte qu'à sa première visite à M. de Tréville[1], le capitaine des mousquetaires du roi[2], il rencontra dans son antichambre[3] trois jeunes gens servant dans l'illustre corps où il sollicitait l'honneur d'être reçu, et ayant nom Athos, Porthos et Aramis.

Nous l'avouons, ces trois noms étrangers nous frappèrent, et il nous vint aussitôt à l'esprit qu'ils n'étaient que des pseudonymes[4] à l'aide desquels d'Artagnan avait déguisé des noms peut-être illustres, si toutefois les porteurs de ces noms d'emprunt ne les avaient pas choisis eux-mêmes le jour où, par caprice, par mécontentement ou par défaut de fortune[5], ils avaient endossé la simple casaque[6] de mousquetaire.

Dès lors nous n'eûmes pas de repos que nous n'eussions retrouvé, dans les ouvrages contemporains, une trace quelconque de ces noms extraordinaires qui avaient si fort éveillé notre curiosité.

Le seul catalogue des livres que nous lûmes pour arriver à ce but remplirait un chapitre tout entier, ce qui serait peut-être fort instructif, mais à coup sûr peu amusant pour nos lecteurs. Nous nous contenterons donc de leur dire qu'au moment où, découragé de tant d'investigations infructueuses[7], nous allions abandonner notre recherche, nous trouvâmes enfin, guidé par les conseils de notre illustre et savant ami Paulin Paris[8], un manuscrit in-folio[9],

---

1. **M. de Tréville :** capitaine des mousquetaires du roi, comme le précise le texte un peu plus loin.
2. **Mousquetaires du roi :** le corps des mousquetaires a été créé en 1622. Il appartenait à la maison militaire du roi Louis XIII.
3. **Antichambre :** vestibule, salle d'attente.
4. **Pseudonymes :** noms inventés pour dissimuler une identité.
5. **Par défaut de fortune :** par manque d'opportunités.
6. **Casaque :** sorte de veste, de jaquette.
7. **Investigations infructueuses :** vaines recherches.
8. **Paulin Paris :** historien (1800-1881) attaché au département des manuscrits de la Bibliothèque royale.
9. **In-folio :** se dit d'une feuille de papier qui a été pliée une seule fois pour former quatre pages.

coté sous le n° 4772 ou 4773, nous ne nous le rappelons plus bien, ayant pour titre :

« Mémoire de M. le comte de La Fère[1], concernant quelques-uns des événements qui se passèrent en France vers la fin du règne du roi Louis XIII et le commencement du règne du roi Louis XIV. »

On devine si notre joie fut grande lorsqu'en feuilletant ce manuscrit, notre dernier espoir, nous trouvâmes à la vingtième page le nom d'Athos, à la vingt-septième le nom de Porthos, et à la trente et unième le nom d'Aramis.

La découverte d'un manuscrit complètement inconnu, dans une époque où la science historique est poussée à un si haut degré, nous parut presque miraculeuse. Aussi nous hâtâmes-nous de solliciter la permission de le faire imprimer, dans le but de nous présenter un jour avec le bagage des autres à l'Académie des inscriptions et belles-lettres[2], si nous n'arrivions, chose fort probable, à entrer à l'Académie française avec notre propre bagage. Cette permission, nous devons le dire, nous fut gracieusement accordée ; ce que nous consignons ici pour donner un démenti public aux malveillants qui prétendent que nous vivons sous un gouvernement assez médiocrement disposé à l'endroit des gens de lettres.

Or, c'est la première partie de ce précieux manuscrit que nous offrons aujourd'hui à nos lecteurs, en lui restituant le titre qui lui convient, prenant l'engagement, si, comme nous n'en doutons pas, cette première partie obtient le succès qu'elle mérite, de publier incessamment la seconde.

En attendant, comme le parrain est un second père, nous invitons le lecteur à s'en prendre à nous, et non au comte de La Fère, de son plaisir ou de son ennui.

Cela posé, passons à notre histoire.

ALEXANDRE DUMAS

1. **M. le comte de La Fère :** personnage inventé par Dumas.
2. **Académie des inscriptions et belles-lettres :** cette Académie fait partie des cinq Académies qui composent l'Institut. La plus célèbre des Académies est l'Académie française.

I
Les trois présents de M. d'Artagnan père

Le premier lundi du mois d'avril 1625, le bourg de Meung, où naquit l'auteur du *Roman de la Rose*[1], semblait être dans une révolution aussi entière que si les huguenots[2] en fussent venus faire une seconde Rochelle[3]. Plusieurs bourgeois, voyant s'enfuir les
5 femmes du côté de la Grande-Rue, entendant les enfants crier sur le seuil des portes, se hâtaient d'endosser la cuirasse et, appuyant leur contenance quelque peu incertaine d'un mousquet[4] ou d'une pertuisane[5], se dirigeaient vers l'hôtellerie du *Franc Meunier*, devant laquelle s'empressait, en grossissant de minute en minute,
10 un groupe compact, bruyant et plein de curiosité.

En ce temps-là les paniques étaient fréquentes, et peu de jours se passaient sans qu'une ville ou l'autre enregistrât sur ses archives quelque événement de ce genre. Il y avait les seigneurs qui guerroyaient entre eux ; il y avait le roi qui faisait la guerre au cardi-
15 nal[6] ; il y avait l'Espagnol qui faisait la guerre au roi[7]. Puis, outre ces guerres sourdes ou publiques, secrètes ou patentes[8], il y avait encore les voleurs, les mendiants, les huguenots, les loups et les laquais, qui faisaient la guerre à tout le monde. Les bourgeois s'armaient toujours contre les voleurs, contre les loups, contre les
20 laquais – souvent contre les seigneurs et les huguenots – quelquefois contre le roi, mais jamais contre le cardinal et l'Espagnol.

---

1. **Roman de la Rose :** ce roman comprend deux parties, la première écrite par Guillaume de Lorris (vers 1230), la seconde par Jean de Meung (1270).
2. **Huguenots :** protestants calvinistes.
3. **Une seconde Rochelle :** La Rochelle était un fief protestant.
4. **Mousquet :** les bourgeois essaient de se rassurer en portant une arme, ici un mousquet, c'est-à-dire une arme à feu portative.
5. **Pertuisane :** arme à fer pointu et tranchant.
6. **Cardinal :** le cardinal de Richelieu. Voir note 6, p. 20.
7. **L'Espagnol qui faisait la guerre au roi :** ceci est un anachronisme. L'action des *Trois Mousquetaires* s'engage en 1625 alors que Louis XIII déclarera la guerre à l'Espagne en 1635. « L'Espagnol » désigne Philippe IV de Habsbourg.
8. **Patentes :** évidentes, manifestes.

Il résulta donc de cette habitude prise, que, ce susdit[1] premier lundi du mois d'avril 1625, les bourgeois, entendant du bruit, et ne voyant ni le guidon jaune et rouge[2] ni la livrée[3] du duc de
25 Richelieu, se précipitèrent du côté de l'hôtel du *Franc Meunier*.

Arrivé là, chacun put voir et reconnaître la cause de cette rumeur.

Un jeune homme... traçons son portrait d'un seul trait de plume : figurez-vous don Quichotte[4] à dix-huit ans, don Quichotte
30 décorcelé[5], sans haubert[6] et sans cuissards[7], don Quichotte revêtu d'un pourpoint[8] de laine dont la couleur bleue s'était transformée en une nuance insaisissable de lie de vin[9] et d'azur céleste. Visage long et brun ; la pommette des joues saillante, signe d'astuce ; les muscles maxillaires énormément développés, indice infaillible
35 auquel on reconnaît le Gascon, même sans béret, et notre jeune homme portait un béret orné d'une espèce de plume ; l'œil ouvert et intelligent ; le nez crochu, mais finement dessiné ; trop grand pour un adolescent, trop petit pour un homme fait, et qu'un œil peu exercé eût pris pour un fils de fermier en voyage, sans sa lon-
40 gue épée qui, pendue à un baudrier[10] de peau, battait les mollets de son propriétaire quand il était à pied, et le poil hérissé de sa monture quand il était à cheval.

[...]

– Mon fils, avait dit [son père] – dans ce pur patois de Béarn[11]
45 dont Henri IV n'avait jamais pu parvenir à se défaire[12] – mon fils,

---

1. **Susdit :** mentionné plus haut.
2. **Le guidon jaune et rouge :** étendard des gens d'armes au XVIIe siècle.
3. **Livrée :** costume porté par tous les serviteurs d'un grand personnage, ici du duc de Richelieu.
4. **Don Quichotte :** personnage extravagant créé par l'écrivain espagnol Cervantès dans *Don Quichotte de la Manche* (écrit entre 1605 et 1615).
5. **Décorcelé :** sans corset.
6. **Haubert :** cotte de mailles portée par les chevaliers du Moyen Âge.
7. **Cuissards :** partie de l'armure qui recouvre les cuisses.
8. **Pourpoint :** sorte de tunique couvrant le buste.
9. **Lie de vin :** couleur tirant sur le bordeaux.
10. **Baudrier :** bande de cuir ou de tissu qui, portée en bandoulière, soutient une arme.
11. **Béarn :** région du sud-ouest de la France, aujourd'hui l'Aquitaine.
12. **Dont Henri IV [...] se défaire :** le roi Henri IV est né à Pau, dans le Béarn.

ce cheval est né dans la maison de votre père, il y a tantôt treize ans, et y est resté depuis ce temps-là, ce qui doit vous porter à l'aimer. Ne le vendez jamais, laissez-le mourir tranquillement et honorablement de vieillesse ; et si vous faites campagne avec 50 lui, ménagez-le comme vous ménageriez un vieux serviteur. À la cour, continua M. d'Artagnan père, si toutefois vous avez l'honneur d'y aller, honneur auquel, du reste, votre vieille noblesse vous donne des droits, soutenez dignement votre nom de gentilhomme, qui a été porté dignement par vos ancêtres depuis plus 55 de cinq cents ans. Pour vous et pour les vôtres – par les vôtres, j'entends vos parents et vos amis – ne supportez jamais rien que de M. le cardinal et du roi. C'est par son courage, entendez-vous bien, par son courage seul, qu'un gentilhomme fait son chemin aujourd'hui. Quiconque tremble une seconde laisse peut-être 60 échapper l'appât que, pendant cette seconde justement, la fortune[1] lui tendait. Vous êtes jeune, vous devez être brave par deux raisons : la première, c'est que vous êtes gascon, et la seconde, c'est que vous êtes mon fils. Ne craignez pas les occasions et cherchez les aventures. Je vous ai fait apprendre à manier l'épée ; vous avez 65 un jarret de fer, un poignet d'acier ; battez-vous à tout propos ; battez-vous, d'autant plus que les duels sont défendus[2], et que, par conséquent, il y a deux fois du courage à se battre. Je n'ai, mon fils, à vous donner que quinze écus, mon cheval et les conseils que vous venez d'entendre. Votre mère y ajoutera la recette d'un 70 certain baume[3] qu'elle tient d'une bohémienne, et qui a une vertu miraculeuse pour guérir toute blessure qui n'atteint pas le cœur. Faites votre profit du tout, et vivez heureusement et longtemps. Je n'ai plus qu'un mot à ajouter, et c'est un exemple que je vous propose, non pas le mien, car je n'ai, moi, jamais paru à la cour 75 et n'ai fait que les guerres de Religion en volontaire ; je veux parler de M. de Tréville, qui était mon voisin autrefois, et qui a eu l'honneur de jouer tout enfant avec notre roi Louis XIII, que Dieu conserve ! Quelquefois leurs jeux dégénéraient en bataille, et dans

---

1. **La fortune :** le destin.
2. **Les duels sont défendus :** en 1617, Louis XIII renouvelle des édits interdisant les duels.
3. **Baume :** pommade ou médicament fabriqué à l'aide de végétaux.

ces batailles le roi n'était pas toujours le plus fort. Les coups qu'il en reçut lui donnèrent beaucoup d'estime et d'amitié pour M. de Tréville. Plus tard, M. de Tréville se battit contre d'autres dans son premier voyage à Paris, cinq fois ; depuis la mort du feu roi jusqu'à la majorité du jeune[1], sans compter les guerres et les sièges, sept fois ; et depuis cette majorité jusqu'aujourd'hui, cent fois peut-être ! Aussi, malgré les édits, les ordonnances et les arrêts[2], le voilà capitaine des mousquetaires, c'est-à-dire d'une légion de Césars[3] dont le roi fait un très grand cas, et que M. le cardinal redoute, lui qui ne redoute pas grand-chose, comme chacun sait. De plus, M. de Tréville gagne dix mille écus par an ; c'est donc un fort grand seigneur. Il a commencé comme vous ; allez le voir avec cette lettre, et réglez-vous sur lui, afin de faire comme lui.

Sur quoi, M. d'Artagnan père ceignit[4] à son fils sa propre épée, l'embrassa tendrement sur les deux joues et lui donna sa bénédiction.

En sortant de la chambre paternelle, le jeune homme trouva sa mère qui l'attendait avec la fameuse recette dont les conseils que nous venons de rapporter devaient nécessiter un assez fréquent emploi. Les adieux furent de ce côté plus longs et plus tendres qu'ils ne l'avaient été de l'autre, non pas que M. d'Artagnan n'aimât son fils, qui était sa seule progéniture, mais M. d'Artagnan était un homme, et il eût regardé comme indigne d'un homme de se laisser aller à son émotion, tandis que Mme d'Artagnan était femme et, de plus, était mère. Elle pleura abondamment, et, disons-le à la louange de M. d'Artagnan fils, quelques efforts qu'il tentât pour rester ferme comme le devait être un futur mousquetaire, la nature l'emporta, et il versa force larmes, dont il parvint à grand-peine à cacher la moitié.

Le même jour le jeune homme se mit en route, muni des trois présents paternels et qui se composaient, comme nous l'avons

---

1. **Depuis [...] jeune :** après la mort de son père le roi Henri IV assassiné par Ravaillac, Louis XIII est monté sur le trône à l'âge de neuf ans.
2. **Malgré [...] arrêts :** en dépit de tous les obstacles administratifs et judiciaires destinés à arrêter ou ralentir son ascension.
3. **Une légion de Césars :** allusion au général romain César. Chaque mousquetaire est un César à lui seul !
4. **Ceignit :** du verbe « ceindre », attacher autour de la taille.

110 dit, de quinze écus, du cheval et de la lettre pour M. de Tréville ; comme on le pense bien, les conseils avaient été donnés par-dessus le marché.

[...] Comme il descendait de cheval à la porte du *Franc Meunier* sans que personne, hôte[1], garçon ou palefrenier[2], fût venu prendre 115 l'étrier au montoir[3], d'Artagnan avisa à une fenêtre entrouverte du rez-de-chaussée un gentilhomme de belle taille et de haute mine, quoique au visage légèrement renfrogné, lequel causait avec deux personnes qui paraissaient l'écouter avec déférence[4]. D'Artagnan crut tout naturellement, selon son habitude, être l'objet de la 120 conversation et écouta. Cette fois, d'Artagnan ne s'était trompé qu'à moitié : ce n'était pas de lui qu'il était question, mais de son cheval. Le gentilhomme paraissait énumérer à ses auditeurs toutes ses qualités, et comme, ainsi que je l'ai dit, les auditeurs paraissaient avoir une grande déférence pour le narrateur, ils éclataient 125 de rire à tout moment. Or, comme un demi-sourire suffisait pour éveiller l'irascibilité[5] du jeune homme, on comprend quel effet produisit sur lui tant de bruyante hilarité[6].

Cependant d'Artagnan voulut d'abord se rendre compte de la physionomie de l'impertinent qui se moquait de lui. Il fixa son 130 regard fier sur l'étranger et reconnut un homme de quarante à quarante-cinq ans, aux yeux noirs et perçants, au teint pâle, au nez fortement accentué, à la moustache noire et parfaitement taillée ; il était vêtu d'un pourpoint et d'un haut-de-chausses[7] violet avec des aiguillettes[8] de même couleur, sans aucun ornement que les cre-135 vés[9] habituels par lesquels passait la chemise. Ce haut-de-chausses et ce pourpoint, quoique neufs, paraissaient froissés comme des

1. **Hôte :** hôtelier.
2. **Palefrenier :** domestique chargé de s'occuper des chevaux.
3. **Montoir :** borne de pierre ou billot de bois qui permet de monter à cheval aisément.
4. **Déférence :** respect.
5. **Irascibilité :** susceptibilité.
6. **Hilarité :** gaieté.
7. **Haut-de-chausses :** culotte d'autrefois ; pantalons.
8. **Aiguillettes :** cordons en fil ou en soie, ferrés par les deux bouts, qui, outre leur qualité décorative, servaient à attacher le haut-de-chausses au pourpoint.
9. **Crevés :** entailles pratiquées dans un vêtement, une chaussure, etc., et laissant apparaître la chemise ou une doublure.

habits de voyage longtemps renfermés dans un portemanteau[1]. D'Artagnan fit toutes ces remarques avec la rapidité de l'observateur le plus minutieux, et sans doute par un sentiment instinctif
140 qui lui disait que cet inconnu devait avoir une grande influence sur sa vie à venir.

Or, comme au moment où d'Artagnan fixait son regard sur le gentilhomme au pourpoint violet, le gentilhomme faisait à l'endroit du bidet[2] béarnais une de ses plus savantes et de ses plus
145 profondes démonstrations, ses deux auditeurs éclatèrent de rire, et lui-même laissa visiblement, contre son habitude, errer, si l'on peut parler ainsi, un pâle sourire sur son visage. Cette fois, il n'y avait plus de doute, d'Artagnan était réellement insulté. Aussi, plein de cette conviction, enfonça-t-il son béret sur ses yeux, et,
150 tâchant de copier quelques-uns des airs de cour qu'il avait surpris en Gascogne chez des seigneurs en voyage, il s'avança, une main sur la garde[3] de son épée et l'autre appuyée sur la hanche. Malheureusement, au fur et à mesure qu'il avançait, la colère l'aveuglant de plus en plus, au lieu du discours digne et hautain
155 qu'il avait préparé pour formuler sa provocation, il ne trouva plus au bout de sa langue qu'une personnalité grossière[4] qu'il accompagna d'un geste furieux.

– Eh ! monsieur, s'écria-t-il, monsieur, qui vous cachez derrière ce volet ! oui, vous, dites-moi donc un peu de quoi vous riez, et
160 nous rirons ensemble.

Le gentilhomme ramena lentement les yeux de la monture au cavalier, comme s'il lui eût fallu un certain temps pour comprendre que c'était à lui que s'adressaient de si étranges reproches ; puis, lorsqu'il ne put plus conserver aucun doute,
165 ses sourcils se froncèrent légèrement, et après une assez longue pause, avec un accent d'ironie et d'insolence impossible à décrire, il répondit à d'Artagnan :

– Je ne vous parle pas, monsieur.

---

1. **Portemanteau :** étui en drap renfermant le paquetage de campagne des cavaliers.
2. **Bidet :** petit cheval trapu.
3. **Garde :** partie de l'épée située entre la lame et la poignée, destinée à protéger la main.
4. **Une personnalité grossière :** des paroles offensantes.

– Mais je vous parle, moi ! s'écria le jeune homme exaspéré de ce
170 mélange d'insolence et de bonnes manières, de convenances et de dédain.

La dispute dégénère entre les deux hommes qui dégainent leur épée. D'Artagnan, légèrement blessé, tombe presque évanoui. L'aubergiste apprend à l'inconnu que le jeune garçon a en poche une
175 *lettre pour M. de Tréville. Lorsque d'Artagnan reprend ses esprits, il voit son « provocateur »près d'un carrosse, en conversation avec une femme.*

Son interlocutrice, dont la tête apparaissait encadrée par la portière, était une femme de vingt à vingt-deux ans. Nous avons déjà
180 dit avec quelle rapidité d'investigation d'Artagnan embrassait toute une physionomie ; il vit donc du premier coup d'œil que la femme était jeune et belle. Or cette beauté le frappa d'autant plus qu'elle était parfaitement étrangère aux pays méridionaux que jusque-là d'Artagnan avait habités. C'était une pâle et blonde personne, aux
185 longs cheveux bouclés tombant sur ses épaules, aux grands yeux bleus languissants, aux lèvres rosées et aux mains d'albâtre. Elle causait très vivement avec l'inconnu.

– Ainsi, Son Éminence[1] m'ordonne…, disait la dame.

– De retourner à l'instant même en Angleterre, et de la prévenir
190 directement si le duc[2] quittait Londres.

– Et quant à mes autres instructions ? demanda la belle voyageuse.

– Elles sont renfermées dans cette boîte, que vous n'ouvrirez que de l'autre côté de la Manche.

195 – Très bien ; et vous, que faites-vous ?

– Moi, je retourne à Paris.

– Sans châtier[3] cet insolent petit garçon ? demanda la dame.

L'inconnu allait répondre : mais, au moment où il ouvrait la bouche, d'Artagnan, qui avait tout entendu, s'élança sur le seuil de
200 la porte.

---

1. **Son Éminence :** le cardinal de Richelieu.
2. **Le duc :** le duc de Buckingham, Premier ministre de Charles Ier d'Angleterre.
3. **Châtier :** punir.

– C'est cet insolent petit garçon qui châtie les autres, s'écria-t-il, et j'espère bien que cette fois-ci celui qu'il doit châtier ne lui échappera pas comme la première.

– Ne lui échappera pas ? reprit l'inconnu en fronçant le sourcil.

205 – Non, devant une femme, vous n'oseriez pas fuir, je présume.

– Songez, s'écria Milady en voyant le gentilhomme porter la main à son épée, songez que le moindre retard peut tout perdre.

– Vous avez raison, s'écria le gentilhomme ; partez donc de votre côté, moi, je pars du mien.

210 Et, saluant la dame d'un signe de tête, il s'élança sur son cheval, tandis que le cocher du carrosse fouettait vigoureusement son attelage. Les deux interlocuteurs partirent donc au galop, s'éloignant chacun par un côté opposé de la rue.

– Eh ! Votre dépense, vociféra[1] l'hôte, dont l'affection pour son 215 voyageur se changeait en un profond dédain en voyant qu'il s'éloignait sans solder ses comptes[2].

– Paye, maroufle[3], s'écria le voyageur toujours galopant à son laquais, lequel jeta aux pieds de l'hôte deux ou trois pièces d'argent et se mit à galoper après son maître.

220 – Ah ! lâche, ah ! misérable, ah ! faux gentilhomme ! cria d'Artagnan s'élançant à son tour après le laquais.

Mais le blessé était trop faible encore pour supporter une pareille secousse. À peine eut-il fait dix pas que ses oreilles tintèrent, qu'un éblouissement le prit, qu'un nuage de sang passa sur 225 ses yeux et qu'il tomba au milieu de la rue, en criant encore :

– Lâche ! lâche ! lâche !

– Il est en effet bien lâche, murmura l'hôte en s'approchant de d'Artagnan, et essayant par cette flatterie de se raccommoder avec le pauvre garçon, comme le héron de la fable avec son limaçon du 230 soir[4].

– Oui, bien lâche, murmura d'Artagnan ; mais elle, bien belle !

– Qui, elle ? demanda l'hôte.

– Milady, balbutia d'Artagnan.

---

1. **Vociféra :** parla en criant et en manifestant de la colère.
2. **Solder ses comptes :** payer l'argent que l'on doit.
3. **Maroufle :** rustre.
4. **Comme [...] du soir :** allusion à la fable de La Fontaine intitulée *Le Héron*.

Et il s'évanouit une seconde fois.

235 *À son réveil, d'Artagnan cherche sa lettre de recommandation. L'aubergiste lui apprend que l'inconnu la lui a dérobée. Arrivé à Paris, d'Artagnan, après une nuit de sommeil confiant, se présente chez M. de Tréville, troisième personnage du royaume.*

II
L'antichambre de M. de Tréville

M. de Tréville, capitaine des mousquetaires de Louis XIII, est un homme très populaire : il prend systématiquement la défense de ses hommes, notamment dans leurs conflits avec les gardes de Richelieu. D'Artagnan, arrivé à Paris, se présente chez cet important person-
5 *nage. Parmi la foule des courtisans, en attendant d'être reçu, il observe avec curiosité autour de lui.*

D'Artagnan, un peu revenu de sa surprise première, eut donc le loisir d'étudier un peu les costumes et les physionomies.

Au centre du groupe le plus animé était un mousquetaire de
10 grande taille, d'une figure hautaine et d'une bizarrerie de costume qui attirait sur lui l'attention générale. Il ne portait pas, pour le moment, la casaque d'uniforme, qui, au reste, n'était pas absolument obligatoire dans cette époque de liberté moindre mais d'indépendance plus grande, mais un justaucorps[1] bleu de ciel,
15 tant soit peu fané et râpé, et sur cet habit un baudrier magnifique, en broderies d'or, et qui reluisait comme les écailles dont l'eau se couvre au grand soleil. Un manteau long de velours cramoisi[2] tombait avec grâce sur ses épaules, découvrant par-devant seulement le splendide baudrier, auquel pendait une gigantesque rapière[3].
20 Ce mousquetaire venait de descendre de garde à l'instant même, se plaignait d'être enrhumé et toussait de temps en temps avec

1. **Justaucorps :** sorte de tunique serrée à la taille.
2. **Cramoisi :** rouge foncé.
3. **Rapière :** épée à lame longue et fine utilisée pour les duels.

affectation[1]. Aussi avait-il pris le manteau, à ce qu'il disait autour de lui, et tandis qu'il parlait du haut de sa tête, en frisant dédaigneusement sa moustache, on admirait avec enthousiasme le baudrier brodé, et d'Artagnan plus que tout autre.

– Que voulez-vous, disait le mousquetaire, la mode en vient ; c'est une folie, je le sais bien, mais c'est la mode. D'ailleurs, il faut bien employer à quelque chose l'argent de sa légitime[2].

– Ah ! *Porthos* ! s'écria un des assistants, n'essaye pas de nous faire croire que ce baudrier te vient de la générosité paternelle ; il t'aura été donné par la dame voilée avec laquelle je t'ai rencontré l'autre dimanche vers la porte Saint-Honoré.

– Non, sur mon honneur et foi de gentilhomme, je l'ai acheté moi-même, et de mes propres deniers[3], répondit celui qu'on venait de désigner sous le nom de Porthos.

– Oui, comme j'ai acheté, moi, dit un autre mousquetaire, cette bourse neuve avec ce que ma maîtresse avait mis dans la vieille.

– Vrai, dit Porthos, et la preuve c'est que je l'ai payé douze pistoles.

L'admiration redoubla, quoique le doute continuât d'exister.

– N'est-ce pas, *Aramis ?* dit Porthos se tournant vers un autre mousquetaire.

Cet autre mousquetaire formait un contraste parfait avec celui qui l'interrogeait et qui venait de le désigner sous le nom d'Aramis : c'était un jeune homme de vingt-deux à vingt-trois ans à peine, à la figure naïve et doucereuse, à l'œil noir et doux et aux joues roses et veloutées comme une pêche en automne ; sa moustache fine dessinait sur sa lèvre supérieure une ligne d'une rectitude parfaite ; ses mains semblaient craindre de s'abaisser, de peur que leurs veines ne se gonflassent, et de temps en temps il se pinçait le bout des oreilles pour les maintenir d'un incarnat[4] tendre et transparent. D'habitude il parlait peu et lentement, saluait beaucoup, riait sans bruit en montrant ses dents, qu'il avait belles et dont, comme du reste de sa personne, il semblait prendre le plus

---

1. **Avec affectation :** en faisant des manières.
2. **Sa légitime :** son héritage.
3. **De mes propres deniers :** avec mon propre argent.
4. **Incarnat :** couleur rouge de la chair.

grand soin. Il répondit par un signe de tête affirmatif à l'interpellation de son ami.

Cette affirmation parut avoir fixé tous les doutes à l'endroit du[1] baudrier ; on continua donc de l'admirer, mais on n'en parla plus ; et, par un de ces revirements rapides de la pensée, la conversation passa tout à coup à un autre sujet.

– Que pensez-vous de ce que raconte l'écuyer[2] de Chalais ? demanda un autre mousquetaire sans interpeller directement personne mais s'adressant au contraire à tout le monde.

– Et que raconte-t-il ? demanda Porthos d'un ton suffisant.

– Il raconte qu'il a trouvé à Bruxelles Rochefort, l'âme damnée du cardinal[3], déguisé en capucin[4] ; ce Rochefort maudit, grâce à ce déguisement, avait joué M. de Laigues comme un niais qu'il est.

– Comme un vrai niais, dit Porthos ; mais la chose est-elle sûre ?

– Je la tiens d'Aramis, répondit le mousquetaire.

– Vraiment ?

– Eh ! vous le savez bien, Porthos, dit Aramis ; je vous l'ai racontée à vous-même hier, n'en parlons donc plus.

– N'en parlons plus, voilà votre opinion à vous, reprit Porthos. N'en parlons plus ! peste ! comme vous concluez vite. Comment ! Le cardinal fait espionner un gentilhomme, fait voler sa correspondance par un traître, un brigand, un pendard ; fait, avec l'aide de cet espion et grâce à cette correspondance, couper le cou à Chalais, sous le stupide prétexte qu'il a voulu tuer le roi et marier Monsieur[5] avec la reine ! Personne ne savait un mot de cette énigme, vous nous l'apprenez hier, à la grande satisfaction de tous, et quand nous sommes encore tout ébahis de cette nouvelle, vous venez nous dire aujourd'hui : N'en parlons plus !

– Parlons-en donc, voyons, puisque vous le désirez, reprit Aramis avec patience.

– Ce Rochefort, s'écria Porthos, si j'étais l'écuyer du pauvre Chalais, passerait avec moi un vilain moment.

---

1. **À l'endroit du :** concernant le.
2. **Écuyer :** gentilhomme qui accompagne le chevalier et qui porte son écu.
3. **L'âme damnée du cardinal :** homme attaché au service du cardinal pour accomplir les tâches les plus secrètes.
4. **Capucin :** religieux de l'ordre de saint François d'Assise.
5. **Monsieur :** il s'agit du frère du roi.

– Et vous, vous passeriez un triste quart d'heure avec le duc Rouge[1], reprit Aramis.

– Ah ! le duc Rouge ! bravo, bravo, le duc Rouge ! répondit Porthos en battant des mains et en approuvant de la tête. Le « duc Rouge » est charmant. Je répandrai le mot, mon cher, soyez tranquille. A-t-il de l'esprit, cet Aramis ! Quel malheur que vous n'ayez pas pu suivre votre vocation, mon cher ! quel délicieux abbé vous eussiez fait !

– Oh ! ce n'est qu'un retard momentané, reprit Aramis ; un jour je le serai. Vous savez bien, Porthos, que je continue d'étudier la théologie[2] pour cela.

– Il le fera comme il le dit, reprit Porthos, il le fera tôt ou tard.

– Tôt, dit Aramis.

– Il n'attend qu'une chose pour le décider tout à fait et pour reprendre sa soutane, qui est pendue derrière son uniforme, reprit un mousquetaire.

– Et quelle chose attend-il ? demanda un autre.

– Il attend que la reine ait donné un héritier à la couronne de France[3].

– Ne plaisantons pas là-dessus, messieurs, dit Porthos ; grâce à Dieu, la reine est encore d'âge à le donner.

– On dit que M. de Buckingham[4] est en France, reprit Aramis avec un rire narquois qui donnait à cette phrase, si simple en apparence, une signification passablement scandaleuse.

– Aramis, mon ami, pour cette fois vous avez tort, interrompit Porthos, et votre manie d'esprit vous entraîne toujours au-delà des bornes ; si M. de Tréville vous entendait, vous seriez malvenu de parler ainsi.

– Allez-vous me faire une leçon, Porthos ? s'écria Aramis, dans l'œil duquel on vit passer comme un éclair.

– Mon cher, soyez mousquetaire ou abbé. Soyez l'un ou l'autre, mais pas l'un et l'autre, reprit Porthos. Tenez, Athos vous l'a dit

1. **Le duc Rouge :** Richelieu, qui portait l'habit rouge des cardinaux depuis 1622 et qui fut fait duc en 1631.
2. **Théologie :** étude des questions religieuses à partir des textes sacrés.
3. **La reine [...] de France :** en 1625, Anne d'Autriche avait 24 ans. Elle donnera un héritier à la couronne de France en 1638, le futur Louis XIV.
4. **M. de Buckingham :** voir note 2, p. 29.

encore l'autre jour : vous mangez à tous les râteliers. Ah ! ne nous
120 fâchons pas, je vous prie, ce serait inutile, vous savez bien ce qui est convenu entre vous, Athos et moi. Vous allez chez Mme d'Aiguillon, et vous lui faites la cour ; vous allez chez Mme de Bois-Tracy, la cousine de Mme de Chevreuse, et vous passez pour être fort en avance dans les bonnes grâces de la dame. Oh ! mon
125 Dieu, n'avouez pas votre bonheur, on ne vous demande pas votre secret, on connaît votre discrétion. Mais puisque vous possédez cette vertu, que diable ! faites-en usage à l'endroit de[1] Sa Majesté. S'occupe qui voudra et comme on voudra du roi et du cardinal ; mais la reine est sacrée, et si l'on en parle, que ce soit en bien.

130 – Porthos, vous êtes prétentieux comme Narcisse[2], je vous en préviens, répondit Aramis, vous savez que je hais la morale, excepté quand elle est faite par Athos. Quant à vous, mon cher, vous avez un trop magnifique baudrier pour être bien fort là-dessus. Je serai abbé s'il me convient ; en attendant, je suis mousque-
135 taire : en cette qualité, je dis ce qu'il me plaît, et en ce moment il me plaît de vous dire que vous m'impatientez.

– Aramis !

– Porthos !

– Eh ! Messieurs ! Messieurs ! s'écria-t-on autour d'eux.

140 – M. de Tréville attend monsieur d'Artagnan, interrompit le laquais en ouvrant la porte du cabinet.

À cette annonce, pendant laquelle la porte demeurait ouverte, chacun se tut, et au milieu du silence général le jeune Gascon traversa l'antichambre dans une partie de sa longueur et entra
145 chez le capitaine des mousquetaires, se félicitant de tout son cœur d'échapper aussi à point à la fin de cette bizarre querelle.

1. **À l'endroit de :** pour.
2. **Narcisse :** héros mythologique qui tomba amoureux de sa propre image.

III
L'audience

D'Artagnan est le témoin des reproches que M. de Tréville adresse à trois de ses mousquetaires : Athos, Aramis et Porthos. Leurs récents démêlés avec les gardes de Richelieu ont déplu au roi. Les mousquetaires expliquent à leur capitaine que, pris en traîtres, ils se sont vaillamment défendus : Athos est même grièvement blessé. M. de Tréville, touché par ces arguments, confie Athos au chirurgien du roi.

Resté seul avec d'Artagnan, il lui propose une lettre de recommandation pour le directeur de l'Académie royale auprès de qui il apprendra le manège[1] du cheval, l'escrime et la danse. Cet accueil mesuré s'explique par la méfiance de M. de Tréville à l'égard du jeune homme : « Je sais bien qu'il est gascon [...] ; mais il peut l'être aussi bien pour le cardinal que pour moi. » Néanmoins, M. de Tréville rédige sa lettre. Soudain, d'Artagnan aperçoit, en regardant par la fenêtre, l'homme de Meung, celui qui lui a volé le message de son père. Il se précipite à sa poursuite.

IV
L'épaule d'Athos, le baudrier de Porthos et le mouchoir d'Aramis

D'Artagnan, furieux, avait traversé l'antichambre en trois bonds et s'élançait sur l'escalier, dont il comptait descendre les degrés[2] quatre à quatre, lorsque, emporté par sa course, il alla donner tête baissée dans un mousquetaire qui sortait de chez M. de Tréville par une porte de dégagement, et, le heurtant du front à l'épaule, lui fit pousser un cri ou plutôt un hurlement.

– Excusez-moi, dit d'Artagnan essayant de reprendre sa course, excusez-moi, mais je suis pressé.

1. **Le manège :** le dressage des chevaux et l'équitation.
2. **Degrés :** marches.

À peine avait-il descendu le premier escalier qu'un poignet de fer le saisit par son écharpe et l'arrêta.

– Vous êtes pressé ! s'écria le mousquetaire, pâle comme un linceul[1] ; sous ce prétexte, vous me heurtez, vous dites : « Excusez-moi », et vous croyez que cela suffit ? Pas tout à fait, mon jeune homme. Croyez-vous, parce que vous avez entendu M. de Tréville nous parler un peu cavalièrement aujourd'hui, que l'on peut nous traiter comme il nous parle ? Détrompez-vous, compagnon ; vous n'êtes pas M. de Tréville, vous.

– Ma foi, répliqua d'Artagnan, qui reconnut Athos, lequel, après le pansement opéré par le docteur, regagnait son appartement, ma foi, je ne l'ai pas fait exprès, j'ai dit : « Excusez-moi. » Il me semble donc que c'est assez. Je vous répète cependant, et cette fois c'est trop peut-être, parole d'honneur ! je suis pressé, très pressé. Lâchez-moi donc, je vous prie, et laissez-moi aller où j'ai affaire.

– Monsieur, dit Athos en le lâchant, vous n'êtes pas poli. On voit que vous venez de loin.

D'Artagnan avait déjà enjambé trois ou quatre degrés, mais à la remarque d'Athos il s'arrêta court.

– Morbleu, monsieur ! dit-il, de si loin que je vienne, ce n'est pas vous qui me donnerez une leçon de belles manières, je vous préviens.

– Peut-être, dit Athos.

– Ah ! si je n'étais pas si pressé, s'écria d'Artagnan, et si je ne courais pas après quelqu'un...

– Monsieur l'homme pressé, vous me trouverez sans courir, moi, entendez-vous ?

– Et où cela, s'il vous plaît ?

– Près des Carmes-Deschaux[2].

– À quelle heure ?

– Vers midi.

– Vers midi, c'est bien, j'y serai.

---

1. **Linceul :** drap blanc dont on enveloppe les morts.
2. **Carmes-Deschaux :** le couvent des Carmes déchaux qui se trouvait entre la rue de Vaugirard et la rue du Cherche-Midi à Paris.

– Tâchez de ne pas me faire attendre, car à midi un quart je vous préviens que c'est moi qui courrai après vous et vous couperai les oreilles à la course.

– Bon ! lui cria d'Artagnan ; on y sera à midi moins dix minutes.

45 Et il se mit à courir comme si le diable l'emportait, espérant retrouver encore son inconnu, que son pas tranquille ne devait pas avoir conduit bien loin.

Mais, à la porte de la rue, causait Porthos avec un soldat aux gardes. Entre les deux causeurs, il y avait juste l'espace d'un 50 homme. D'Artagnan crut que cet espace lui suffirait, et il s'élança pour passer comme une flèche entre eux deux. Mais d'Artagnan avait compté sans le vent. Comme il allait passer, le vent s'engouffra dans le long manteau de Porthos, et d'Artagnan vint donner droit dans le manteau. Sans doute, Porthos avait des raisons de ne 55 pas abandonner cette partie essentielle de son vêtement car, au lieu de laisser aller le pan qu'il tenait, il tira à lui, de sorte que d'Artagnan s'enroula dans le velours par un mouvement de rotation qu'explique la résistance de l'obstiné Porthos.

D'Artagnan, entendant jurer le mousquetaire, voulut sortir de 60 dessous le manteau qui l'aveuglait, et chercha son chemin dans le pli. Il redoutait surtout d'avoir porté atteinte à la fraîcheur du magnifique baudrier que nous connaissons ; mais, en ouvrant timidement les yeux, il se trouva le nez collé entre les deux épaules de Porthos, c'est-à-dire précisément sur le baudrier.

65 Hélas ! comme la plupart des choses de ce monde qui n'ont pour elles que l'apparence, le baudrier était d'or par-devant et de simple buffle par-derrière. Porthos, en vrai glorieux[1] qu'il était, ne pouvant avoir un baudrier d'or tout entier, en avait au moins la moitié ; on comprenait dès lors la nécessité du rhume et l'urgence 70 du manteau.

– Vertubleu ![2] cria Porthos faisant tous ses efforts pour se débarrasser de d'Artagnan qui lui grouillait dans le dos, vous êtes donc enragé de vous jeter comme cela sur les gens !

– Excusez-moi, dit d'Artagnan reparaissant sous l'épaule du 75 géant, mais je suis très pressé, je cours après quelqu'un, et...

---

1. **Glorieux :** Porthos aime l'apparence, l'éclat ; il est orgueilleux.
2. **Vertubleu ! :** juron exprimant la colère.

– Est-ce que vous oubliez vos yeux quand vous courez, par hasard ? demanda Porthos.

– Non, répondit d'Artagnan piqué, non, et grâce à mes yeux je vois même ce que ne voient pas les autres.

80 Porthos comprit ou ne comprit pas, toujours est-il que, se laissant aller à sa colère :

– Monsieur, dit-il, vous vous ferez étriller[1], je vous en préviens, si vous vous frottez[2] ainsi aux mousquetaires.

– Étriller, monsieur ! dit d'Artagnan, le mot est dur.

85 – C'est celui qui convient à un homme habitué à regarder en face ses ennemis.

– Ah ! pardieu ! je sais bien que vous ne tournez pas le dos aux vôtres, vous.

Et le jeune homme, enchanté de son espièglerie, s'éloigna en 90 riant à gorge déployée.

Porthos écuma de rage et fit un mouvement pour se précipiter sur d'Artagnan.

– Plus tard, plus tard, lui cria celui-ci, quand vous n'aurez plus votre manteau.

95 – À une heure donc, derrière le Luxembourg.

– Très bien, à une heure, répondit d'Artagnan en tournant l'angle de la rue.

Mais ni dans la rue qu'il venait de parcourir, ni dans celle qu'il embrassait maintenant du regard, il ne vit personne. Si doucement 100 qu'eût marché l'inconnu, il avait gagné du chemin ; peut-être aussi était-il entré dans quelque maison. D'Artagnan s'informa de lui à tous ceux qu'il rencontra, descendit jusqu'au bac, remonta par la rue de Seine et la Croix-Rouge ; mais rien, absolument rien. Cependant cette course lui fut profitable en ce sens qu'à mesure 105 que la sueur inondait son front, son cœur se refroidissait.

[...]

D'Artagnan, tout en marchant et en monologuant, était arrivé à quelques pas de l'hôtel d'Aiguillon[3] et devant cet hôtel il avait

---

1. **Étriller :** ici, « malmener ».
2. **Vous vous frottez :** vous vous mesurez à.
3. **L'hôtel d'Aiguillon :** hôtel particulier (grande et luxueuse demeure d'une famille noble).

aperçu Aramis causant gaiement avec trois gentilshommes des gardes du roi. De son côté, Aramis aperçut d'Artagnan ; mais comme il n'oubliait point que c'était devant ce jeune homme que M. de Tréville s'était si fort emporté[1] le matin, et qu'un témoin des reproches que les mousquetaires avaient reçus ne lui était d'aucune façon agréable, il fit semblant de ne pas le voir. D'Artagnan, tout entier au contraire à ses plans de conciliation et de courtoisie, s'approcha des quatre jeunes gens en leur faisant un grand salut accompagné du plus gracieux sourire. Aramis inclina légèrement la tête, mais ne sourit point. Tous quatre, au reste, interrompirent à l'instant même leur conversation.

D'Artagnan n'était pas assez niais pour ne point s'apercevoir qu'il était de trop ; mais il n'était pas encore assez rompu aux façons du beau monde[2] pour se tirer galamment d'une situation fausse comme l'est, en général, celle d'un homme qui est venu se mêler à des gens qu'il connaît à peine et à une conversation qui ne le regarde pas. Il cherchait donc en lui-même un moyen de faire sa retraite le moins gauchement possible, lorsqu'il remarqua qu'Aramis avait laissé tomber son mouchoir et, par mégarde sans doute, avec mis le pied dessus ; le moment lui parut arrivé de réparer son inconvenance : il se baissa, et, de l'air le plus gracieux qu'il pût trouver, il tira le mouchoir de dessous le pied du mousquetaire, quelques efforts que celui-ci fît pour le retenir, et lui dit en le lui remettant :

– Je crois, monsieur, que voici un mouchoir que vous seriez fâché de perdre.

Le mouchoir était en effet richement brodé et portait une couronne et des armes[3] à l'un de ses coins. Aramis rougit excessivement et arracha plutôt qu'il ne prit le mouchoir des mains du Gascon.

– Ah ! Ah ! s'écria un des gardes, diras-tu encore, discret Aramis, que tu es mal avec Mme de Bois-Tracy, quand cette gracieuse dame a l'obligeance de te prêter ses mouchoirs ?

---

1. **S'était [...] emporté :** s'était mis en colère.
2. **Pas encore [...] beau monde :** d'Artagnan ne connaît pas les belles manières parisiennes; il ne sait rien des intrigues de l'aristocratie.
3. **Armes :** l'écusson, l'emblème des grandes familles.

Aramis lança à d'Artagnan un de ces regards qui font comprendre à un homme qu'il vient de s'acquérir un ennemi mortel ; puis, reprenant son air doucereux :

145 – Vous vous trompez, messieurs, dit-il, ce mouchoir n'est pas à moi, et je ne sais pourquoi monsieur a eu la fantaisie de me le remettre plutôt qu'à l'un de vous, et la preuve de ce que je dis, c'est que voici le mien dans ma poche.

À ces mots, il tira son propre mouchoir, mouchoir fort élé-
150 gant aussi, et de fine batiste, quoique la batiste[1] fût chère à cette époque, mais mouchoir sans broderie, sans armes et orné d'un seul chiffre[2], celui de son propriétaire.

Cette fois d'Artagnan ne souffla pas mot, il avait reconnu sa bévue[3] ; mais les amis d'Aramis ne se laissèrent pas convaincre par
155 ses dénégations[4], et l'un d'eux, s'adressant au jeune mousquetaire avec un sérieux affecté :

– Si cela était, dit-il, ainsi que tu le prétends, je serais forcé, mon cher Aramis, de te le redemander ; car, comme tu le sais, Bois-Tracy est de mes intimes, et je ne veux pas qu'on fasse trophée[5]
160 des effets de sa femme.

– Tu demandes cela mal, répondit Aramis ; et tout en reconnaissant la justesse de ta réclamation quant au fond, je refuserais à cause de la forme.

– Le fait est, hasarda timidement d'Artagnan, que je n'ai pas vu
165 sortir le mouchoir de la poche de M. Aramis. Il avait le pied dessus, voilà tout, et j'ai pensé que, puisqu'il avait le pied dessus, le mouchoir était à lui.

– Et vous vous êtes trompé, mon cher monsieur, répondit froidement Aramis, peu sensible à la réparation.

170 Puis, se retournant vers celui des gardes qui s'était déclaré l'ami de Bois-Tracy :

– D'ailleurs, continua-t-il, je réfléchis, mon cher intime de Bois-Tracy, que je suis son ami non moins tendre que tu peux l'être toi-

---

1. **Batiste :** toile de lin très fine et très luxueuse.
2. **Chiffre :** entrelacement des initiales d'un nom.
3. **Bévue :** faute de comportement.
4. **Dénégations :** arguments de contestation.
5. **Qu'on fasse trophée :** qu'on tire gloire.

même ; de sorte qu'à la rigueur ce mouchoir peut aussi bien être sorti de ta poche que de la mienne.

– Non, sur mon honneur ! s'écria le garde de Sa Majesté.

– Tu vas jurer sur ton honneur et moi sur ma parole, et alors il y aura évidemment un de nous deux qui mentira. Tiens, faisons mieux, Montaran, prenons-en chacun la moitié.

– Du mouchoir ?

– Oui.

– Parfaitement, s'écrièrent les deux autres gardes, le jugement du roi Salomon[1]. Décidément, Aramis, tu es plein de sagesse.

Les jeunes gens éclatèrent de rire et, comme on le pense bien, l'affaire n'eut pas d'autre suite. Au bout d'un instant, la conversation cessa, et les trois gardes et le mousquetaire, après s'être cordialement serré la main, tirèrent, les trois gardes de leur côté et Aramis du sien.

– Voilà le moment de faire ma paix avec ce galant homme, se dit à part lui d'Artagnan, qui s'était tenu un peu à l'écart pendant toute la dernière partie de cette conversation. Et, sur ce bon sentiment, se rapprochant d'Aramis, qui s'éloignait sans faire autrement attention à lui :

– Monsieur, lui dit-il, vous m'excuserez, je l'espère.

– Ah ! monsieur, interrompit Aramis, permettez-moi de vous faire observer que vous n'avez point agi en cette circonstance comme un galant homme le devait faire.

– Quoi, monsieur ! s'écria d'Artagnan, vous supposez…

– Je suppose, monsieur, que vous n'êtes pas un sot, et que vous savez bien, quoique arrivant de Gascogne, qu'on ne marche pas sans cause sur les mouchoirs de poche. Que diable ! Paris n'est point pavé en batiste.

– Monsieur, vous avez tort de chercher à m'humilier, dit d'Artagnan, chez qui le naturel querelleur commençait à parler plus haut que les résolutions pacifiques. Je suis de Gascogne, c'est vrai, et puisque vous le savez, je n'aurai pas besoin de vous dire que les Gascons sont peu endurants ; de sorte que lorsqu'ils se sont excu-

1. **Roi Salomon :** fils de David et roi d'Israël de 970 à 931 av. J.-C. Sa sagesse était légendaire et ses jugements cités en exemple.

sés une fois, fût-ce d'une sottise, ils sont convaincus qu'ils ont déjà fait moitié plus qu'ils ne devaient faire.

210 – Monsieur, ce que je vous en dis, répondit Aramis, n'est point pour vous chercher une querelle. Dieu merci ! je ne suis pas un spadassin[1], et n'étant mousquetaire que par intérim[2], je ne me bats que lorsque j'y suis forcé, et toujours avec une grande répugnance ; mais cette fois l'affaire est grave, car voici une dame compromise par vous. 215

– Par nous, c'est-à-dire, s'écria d'Artagnan.

– Pourquoi avez-vous eu la maladresse de me rendre le mouchoir ?

– Pourquoi avez-vous eu celle de le laisser tomber ?

220 – J'ai dit et je répète, monsieur, que ce mouchoir n'est point sorti de ma poche.

– Eh bien ! vous en avez menti deux fois, monsieur, car je l'en ai vu sortir, moi !

– Ah ! vous le prenez sur ce ton, monsieur le Gascon ! eh bien ! 225 je vous apprendrai à vivre.

– Et moi je vous renverrai à votre messe, monsieur l'abbé ! Dégainez, s'il vous plaît, et à l'instant même.

– Non pas, s'il vous plaît, mon bel ami ; non, pas ici, du moins. Ne voyez-vous pas que nous sommes en face de l'hôtel d'Ai- 230 guillon, lequel est plein de créatures du cardinal ? Qui me dit que ce n'est pas Son Éminence qui vous a chargé de lui procurer ma tête ? Or j'y tiens ridiculement, à ma tête, attendu qu'elle me semble aller assez correctement à mes épaules. Je veux donc vous tuer, soyez tranquille, mais vous tuer tout doucement, dans un 235 endroit clos et couvert, là où vous ne puissiez vous vanter de votre mort à personne.

– Je le veux bien, mais ne vous y fiez pas, et emportez votre mouchoir, qu'il vous appartienne ou non ; peut-être aurez-vous l'occasion de vous en servir.

240 – Monsieur est gascon ? demanda Aramis.

– Oui. Monsieur ne remet pas un rendez-vous par prudence.

---

1. **Spadassin :** amateur de duels.
2. **Par intérim :** de façon temporaire.

– La prudence, monsieur, est une vertu assez inutile aux mousquetaires, je le sais, mais indispensable aux gens d'Église ; et comme je ne suis mousquetaire que provisoirement, je tiens à
245 rester prudent. À deux heures, j'aurai l'honneur de vous attendre à l'hôtel de M. de Tréville. Là je vous indiquerai les bons endroits.

Les deux jeunes gens se saluèrent, puis Aramis s'éloigna en remontant la rue qui remontait au Luxembourg, tandis que d'Artagnan, voyant que l'heure s'avançait, prenait le chemin des Carmes-
250 Deschaux, tout en disant à part soi :

– Décidément, je n'en puis pas revenir ; mais au moins, si je suis tué, je serai tué par un mousquetaire.

V
Les mousquetaires du roi et les gardes de M. le Cardinal

[...]

Lorsque d'Artagnan arriva en vue du petit terrain vague qui s'étendait au pied de ce monastère[1], Athos attendait depuis cinq minutes seulement, et midi sonnait. Il était donc ponctuel comme
5 la Samaritaine[2], et le plus rigoureux casuiste[3] à l'égard des duels n'avait rien à dire.

Athos, qui souffrait toujours cruellement de sa blessure, quoiqu'elle eût été pansée à neuf par le chirurgien de M. de Tréville, s'était assis sur une borne et attendait son adversaire avec
10 cette contenance paisible et cet air digne qui ne l'abandonnaient jamais. À l'aspect de d'Artagnan, il se leva et fit poliment quelques pas au-devant de lui. Celui-ci, de son côté, n'aborda son adversaire que le chapeau à la main et sa plume traînant jusqu'à terre.

---

1. **Ce monastère :** voir note 2, p. 37.
2. **Ponctuel comme la Samaritaine :** la pompe à eau de la Samaritaine fut construite en 1505 sur le Pont-Neuf. Elle était couronnée d'un carillon de vingt-cinq cloches qui marquait chaque heure du jour et de la nuit.
3. **Casuiste :** personnage qui fait le métier d'analyser et de résoudre tous les problèmes compliqués (cas de consciences, disputes...).

– Monsieur, dit Athos, j'ai fait prévenir deux de mes amis qui me
15 serviront de seconds, mais ces deux amis ne sont point encore arrivés. Je m'étonne qu'ils tardent : ce n'est pas leur habitude.

– Je n'ai pas de seconds, moi, monsieur, dit d'Artagnan, car, arrivé d'hier seulement à Paris, je n'y connais encore personne que M. de Tréville, auquel j'ai été recommandé par mon père qui a
20 l'honneur d'être quelque peu de ses amis.

Athos réfléchit un instant.

– Vous ne connaissez que M. de Tréville ? demanda-t-il.

– Oui, monsieur, je ne connais que lui.

– Ah çà, mais..., continua Athos parlant moitié à lui-même, moi-
25 tié à d'Artagnan, ah çà, mais si je vous tue, j'aurai l'air d'un mangeur d'enfants, moi !

– Pas trop, monsieur, répondit d'Artagnan avec un salut qui ne manquait pas de dignité ; pas trop, puisque vous me faites l'honneur de tirer l'épée contre moi avec une blessure dont vous devez
30 être fort incommodé.

– Très incommodé, sur ma parole, et vous m'avez fait un mal du diable, je dois le dire ; mais je prendrai la main gauche, c'est mon habitude en pareille circonstance. Ne croyez donc pas que je vous fasse une grâce, je tire proprement des deux mains ; et il y aura
35 même désavantage pour vous : un gaucher est très gênant pour les gens qui ne sont pas prévenus. Je regrette de ne pas vous avoir fait part plus tôt de cette circonstance.

– Vous êtes vraiment, monsieur, dit d'Artagnan en s'inclinant de nouveau, d'une courtoisie dont je vous suis on ne peut plus
40 reconnaissant.

– Vous me rendez confus, répondit Athos avec son air de gentilhomme ; causons donc d'autre chose, je vous prie, à moins que cela ne vous soit désagréable. Ah ! sangbleu ! que vous m'avez fait mal ! L'épaule me brûle.

45 – Si vous vouliez permettre..., dit d'Artagnan avec timidité.

– Quoi, monsieur ?

– J'ai un baume miraculeux pour les blessures, un baume qui me vient de ma mère, et dont j'ai fait l'épreuve sur moi-même.

– Eh bien ?

50 – Eh bien ! je suis sûr qu'en moins de trois jours ce baume vous guérirait, et au bout de trois jours, quand vous seriez guéri, eh bien ! monsieur, ce me serait toujours un grand honneur d'être votre homme.

D'Artagnan dit ces mots avec une simplicité qui faisait honneur 55 à sa courtoisie, sans porter aucunement atteinte à son courage.

– Pardieu, monsieur, dit Athos, voici une proposition qui me plaît, non pas que je l'accepte, mais elle sent son gentilhomme d'une lieue. C'est ainsi que parlaient et faisaient ces preux[1] du temps de Charlemagne, sur lesquels tout cavalier doit chercher à 60 se modeler. Malheureusement, nous ne sommes plus au temps du grand empereur. Nous sommes au temps de M. le cardinal, et d'ici à trois jours on saurait, si bien gardé que soit le secret, on saurait, dis-je, que nous devons nous battre, et l'on s'opposerait à notre combat. Ah çà, mais ! ces flâneurs ne viendront donc pas ?

65 – Si vous êtes pressé, monsieur, dit d'Artagnan à Athos avec la même simplicité qu'un instant auparavant il lui avait proposé de remettre le duel à trois jours, si vous êtes pressé et qu'il vous plaise de m'expédier tout de suite, ne vous gênez pas, je vous en prie.

– Voilà encore un mot qui me plaît, dit Athos en faisant un gra-70 cieux signe de tête à d'Artagnan, il n'est point d'un homme sans cervelle, et il est à coup sûr d'un homme de cœur. Monsieur, j'aime les hommes de votre trempe, et je vois que si nous ne nous tuons pas l'un l'autre, j'aurai plus tard un vrai plaisir dans votre conversation. Attendons ces messieurs, je vous prie, j'ai tout le temps, et 75 cela sera plus correct. Ah ! en voici un, je crois.

En effet, au bout de la rue de Vaugirard commençait à apparaître le gigantesque Porthos.

– Quoi ! s'écria d'Artagnan, votre premier témoin est M. Porthos ?

80 – Oui, cela vous contrarie-t-il ?

– Non, aucunement.

– Et voici le second.

D'Artagnan se retourna du côté indiqué par Athos, et reconnut Aramis.

---

1. **Preux :** héros, chevaliers du Moyen Âge.

85 – Quoi ! s'écria-t-il d'un accent plus étonné que la première fois, votre second témoin est M. Aramis ?

– Sans doute, ne savez-vous pas qu'on ne nous voit jamais l'un sans l'autre, et qu'on nous appelle, dans les mousquetaires et dans les gardes, à la cour et à la ville, Athos, Porthos et Aramis ou les 90 trois inséparables ? Après cela, comme vous arrivez de Dax ou de Pau…

– De Tarbes, dit d'Artagnan.

– … il vous est permis d'ignorer ce détail, dit Athos.

– Ma foi, dit d'Artagnan, vous êtes bien nommés, messieurs, et 95 mon aventure, si elle fait quelque bruit, prouvera du moins que votre union n'est point fondée sur les contrastes.

Pendant ce temps, Porthos s'était rapproché, avait salué de la main Athos ; puis, se retournant vers d'Artagnan, il était resté tout étonné.

100 Disons, en passant, qu'il avait changé de baudrier et quitté son manteau.

– Ah ! ah ! fit-il, qu'est-ce que cela ?

– C'est avec monsieur que je me bats, dit Athos en montrant de la main d'Artagnan, et en le saluant du même geste.

105 – C'est avec lui que je me bats aussi, dit Porthos.

– Mais à une heure seulement, répondit d'Artagnan.

– Et moi aussi, c'est avec monsieur que je me bats, dit Aramis en arrivant à son tour sur le terrain.

– Mais à deux heures seulement, fit d'Artagnan avec le même 110 calme.

– Mais à propos de quoi te bats-tu, toi, Athos ? demanda Aramis.

– Ma foi, je ne sais pas trop, il m'a fait mal à l'épaule ; et toi, Porthos ?

– Ma foi, je me bats parce que je me bats, répondit Porthos en 115 rougissant.

Athos, qui ne perdait rien, vit passer un fin sourire sur les lèvres du Gascon.

– Nous avons eu une discussion sur la toilette, dit le jeune homme.

120 – Et toi, Aramis ? demanda Athos.

– Moi, je me bats pour cause de théologie, répondit Aramis tout en faisant signe à d'Artagnan qu'il le priait de tenir secrète la cause de son duel.

Athos vit passer un second sourire sur les lèvres de d'Artagnan.

125 – Vraiment, dit Athos.

– Oui, un point de saint Augustin[1] sur lequel nous ne sommes pas d'accord, dit le Gascon.

– Décidément c'est un homme d'esprit, murmura Athos.

– Et maintenant que vous êtes rassemblés, messieurs, dit d'Arta-
130 gnan, permettez-moi de vous faire mes excuses.

À ce mot d'*excuses*, un nuage passa sur le front d'Athos, un sourire hautain glissa sur les lèvres de Porthos, et un signe négatif fut la réponse d'Aramis.

– Vous ne me comprenez pas, messieurs, dit d'Artagnan en rele-
135 vant sa tête, sur laquelle jouait en ce moment un rayon de soleil qui en dorait les lignes fines et hardies : je vous demande excuse dans le cas où je ne pourrais vous payer ma dette à tous trois, car M. Athos a le droit de me tuer le premier, ce qui ôte beaucoup de sa valeur à votre créance[2], monsieur Porthos, et ce qui rend
140 la vôtre à peu près nulle, monsieur Aramis. Et maintenant, messieurs, je vous le répète, excusez-moi, mais de cela seulement, et en garde !

À ces mots, du geste le plus cavalier qui se puisse voir, d'Artagnan tira son épée.

145 Le sang était monté à la tête de d'Artagnan, et dans ce moment il eût tiré son épée contre tous les mousquetaires du royaume, comme il venait de faire contre Athos, Porthos et Aramis.

Il était midi et un quart. Le soleil était à son zénith, et l'emplacement choisi pour être le théâtre du duel se trouvait exposé à toute
150 son ardeur.

– Il fait très chaud, dit Athos en tirant son épée à son tour, et cependant je ne saurais ôter mon pourpoint ; car, tout à l'heure encore, j'ai senti que ma blessure saignait, et je craindrais de

---

1. **Saint Augustin :** premier grand philosophe chrétien (354-430), dont les chrétiens étudient les ouvrages, les sermons et les lettres.
2. **Créance :** droit d'obtenir réparation ou remboursement auprès de quelqu'un.

gêner monsieur en lui montrant du sang qu'il ne m'aurait pas tiré
155 lui-même.

– C'est vrai, monsieur, dit d'Artagnan, et tiré par un autre ou par moi, je vous assure que je verrai toujours avec bien du regret le sang d'un aussi brave gentilhomme ; je me battrai donc en pourpoint comme vous.

160 – Voyons, voyons, dit Porthos, assez de compliments comme cela, et songez que nous attendons notre tour.

– Parlez pour vous seul, Porthos, quand vous aurez à dire de pareilles incongruités[1], interrompit Aramis. Quant à moi, je trouve les choses que ces messieurs se disent fort bien dites et tout à fait
165 dignes de deux gentilshommes.

– Quand vous voudrez, monsieur, dit Athos en se mettant en garde.

– J'attendais vos ordres, dit d'Artagnan en croisant le fer.

Mais les deux rapières avaient à peine résonné en se touchant
170 qu'une escouade[2] des gardes de Son Éminence, commandée par M. de Jussac, se montra à l'angle du couvent.

– Les gardes du cardinal ! s'écrièrent à la fois Porthos et Aramis. L'épée au fourreau, messieurs ! l'épée au fourreau !

Mais il était trop tard.

175 *Jussac, l'un des agresseurs de l'avant-veille, ordonne aux mousquetaires de le suivre : la loi interdit les duels. Les mousquetaires, ne tenant aucun compte de ses consignes, décident d'affronter les gardes. D'Artagnan se range aux côtés des gentilshommes. Jussac, tenu en échec par le jeune homme, finit par tomber « comme une*
180 *masse » : d'Artagnan lui a passé « son épée au travers du corps ». Les trois mousquetaires, vainqueurs eux aussi, expriment bruyamment leur joie et se dirigent vers l'hôtel de M. de Tréville. D'Artagnan semble avoir gagné de nouveaux amis.*

1. **Incongruités :** paroles déplacées.
2. **Escouade :** troupe.

Clefs d'analyse

Chapitres I-V

Action et personnages

1. Dans la scène d'adieux (chap. I), qu'apprenons-nous du héros et de sa famille : origine sociale, principes et valeurs, sentiments... ?
2. Qui est M. de Tréville ? Quels sont ses rapports avec le roi ? avec le cardinal ? avec les mousquetaires (chap. I et II) ?
3. Selon quel point de vue Milady et l'homme de Meung sont-ils présentés ? Montrez que ces personnages sont fascinants mais inquiétants.
4. Comparez les personnages de Porthos et d'Aramis dans le chapitre II.
5. Du point de vue dramatique, que signale la présence du duc de Buckingham en France (chap. II) ? Quand a-t-on parlé pour la première fois de ce personnage et qu'en savons-nous ?
6. Dans quelles circonstances d'Artagnan fait-il connaissance d'Athos ? de Porthos ? d'Aramis ?
7. Quels traits dominent chez les trois mousquetaires ?
8. L'épisode du mouchoir (chap. IV) : que nous fait-il deviner d'Aramis ? Pourquoi est-il comique ?
9. Quelles erreurs de conduite le jeune provincial d'Artagnan commet-il (chap. IV) ? Quels usages devra-t-il apprendre s'il veut être admis dans la société parisienne ?
10. Relevez les expressions montrant l'intérêt d'Athos pour d'Artagnan (chap. V). Pourquoi le mousquetaire s'assombrit-il quand d'Artagnan prétend s'excuser ?
11. Pourquoi les trois duels de d'Artagnan n'ont-ils pas lieu ? Quelle relation les trois mousquetaires établissent-ils finalement avec le jeune homme ?

Langue

12. Sur quel trait insistent les expressions « le duc Rouge » (chap. II, l. 87-88) et « Rochefort, l'âme damnée du cardinal, déguisé en capucin » (chap. II, l. 65-66) ?
13. Que signifient les mots « courtoisie », « gentilhomme » et « honneur » qui apparaissent dans le chapitre V ? Quel idéal définissent-ils ?

Genre ou thèmes

14. Montrez que les chapitres I à V fonctionnent comme les scènes d'exposition d'une pièce de théâtre classique.
15. Comment est composé le portrait d'Aramis dans le chapitre II ? À partir de quel point de vue est-il développé ? Quels sont les traits les plus marquants du physique de ce personnage ?
16. Athos et d'Artagnan sont des gentilshommes : en quoi leurs manières l'attestent-elles ?

Écriture

17. Que pensez-vous du conseil du père à son fils : « Ne craignez pas les occasions et cherchez les aventures » (chap. I, l. 63-64) ? Pesez le pour et le contre d'une telle conduite dans le métier qu'on exerce et dans la vie privée.
18. Rédigez la lettre de recommandation qu'adresse le père de d'Artagnan à M. de Tréville, capitaine des mousquetaires du roi.

Pour aller plus loin

19. Qu'appelle-t-on le « duel d'honneur » au XVIIe siècle ? Pourquoi Louis XIII l'interdit-il strictement ? Faites une recherche sur Internet.

* *À retenir*

Les **premiers chapitres** d'un roman présentent les **personnages principaux**, posent le **cadre de l'intrigue** et lancent **l'action**. Ici, d'Artagnan et les trois mousquetaires, Athos, Porthos, Aramis, s'imposent d'emblée comme les **héros** du roman. S'ils ont des personnalités bien marquées, tous ont en commun leur dévouement au roi et leur noblesse de caractère. Mais c'est autour du duc de Buckingham, de la mystérieuse Milady et de l'impressionnant « homme de Meung » que s'amorce une action ancrée dans la France de Louis XIII.

VI
Sa Majesté le roi Louis treizième

M. de Tréville apprend au roi que d'Artagnan a blessé Jussac, une des meilleures lames du royaume, au cours d'un affrontement avec les gardes du cardinal. Le roi[1]*, malgré l'interdiction qui pèse sur les duels, décide de récompenser le dévouement de ses mousquetaires. Il convoque Athos, Porthos, Aramis et le jeune d'Artagnan pour le lendemain, à douze heures, au Louvre. Dans la matinée qui précède le rendez-vous, d'Artagnan, au jeu de paume, s'accroche avec Bernajoux, un garde du cardinal. Au cours du duel, Bernajoux, blessé, se replie insensiblement vers l'hôtel de La Trémouille où il a des alliés. Les amis de d'Artagnan, venus à la rescousse, livrent bataille aux amis de Bernajoux, qui se réfugient dans l'hôtel. Les mousquetaires rentrent chez M. de Tréville qui les accompagne au Louvre. Mais le roi est à la chasse. M. de Tréville, désireux de couvrir ses mousquetaires, demande à M. de La Trémouille d'interroger Bernajoux : le garde admet sa responsabilité. M. de Tréville pourra justifier aisément ses mousquetaires.*

Vers six heures, M. de Tréville annonça qu'il était tenu d'aller au Louvre[2] ; mais comme l'heure de l'audience accordée par Sa Majesté était passée, au lieu de réclamer l'entrée par le petit escalier, il se plaça avec les quatre jeunes gens dans l'antichambre. Le roi n'était pas encore revenu de la chasse. Nos jeunes gens attendaient depuis une demi-heure à peine, mêlés à la foule des courtisans, lorsque toutes les portes s'ouvrirent et qu'on annonça Sa Majesté.

À cette annonce, d'Artagnan se sentit frémir jusqu'à la moelle des os. L'instant qui allait suivre devait, selon toute probabilité, décider du reste de sa vie. Aussi ses yeux se fixèrent-ils avec angoisse sur la porte par laquelle devait entrer le roi.

---

1. **Le roi :** Louis XIII, âgé de 24 ans en 1625.
2. **Louvre :** le palais du Louvre à Paris, résidence royale jusqu'au déménagement de la cour à Versailles sous Louis XIV.

Louis XIII parut, marchant le premier ; il était en costume de chasse, encore tout poudreux[1], ayant de grandes bottes et tenant un fouet à la main. Au premier coup d'œil, d'Artagnan jugea que l'esprit du roi était à l'orage.

Cette disposition, toute visible qu'elle était chez Sa Majesté, n'empêcha pas les courtisans de se ranger sur son passage : dans les antichambres royales, mieux vaut encore être vu d'un œil irrité que de n'être pas vu du tout. Les trois mousquetaires n'hésitèrent donc pas, et firent un pas en avant, tandis que d'Artagnan au contraire restait caché derrière eux ; mais quoique le roi connût personnellement Athos, Porthos et Aramis, il passa devant eux sans les regarder, sans leur parler et comme s'il ne les avait jamais vus. Quant à M. de Tréville, lorsque les yeux du roi s'arrêtèrent un instant sur lui, il soutint ce regard avec tant de fermeté que ce fut le roi qui détourna la vue ; après quoi, tout en grommelant, Sa Majesté rentra dans son appartement.

– Les affaires vont mal, dit Athos en souriant, et nous ne serons pas encore faits chevaliers de l'ordre[2] cette fois-ci.

– Attendez ici dix minutes, dit M. de Tréville ; et si au bout de dix minutes vous ne me voyez pas sortir, retournez à mon hôtel, car il sera inutile que vous m'attendiez plus longtemps.

Les quatre jeunes gens attendirent dix minutes, un quart d'heure, vingt minutes ; et voyant que M. de Tréville ne reparaissait point, ils sortirent fort inquiets de ce qui allait arriver.

M. de Tréville était entré hardiment dans le cabinet du roi, et avait trouvé Sa Majesté de très méchante humeur, assise sur un fauteuil et battant ses bottes du manche de son fouet, ce qui ne l'avait pas empêché de lui demander avec le plus grand flegme[3] des nouvelles de sa santé.

– Mauvaise, monsieur, mauvaise, répondit le roi, je m'ennuie.

C'était en effet la pire maladie de Louis XIII, qui souvent prenait un de ses courtisans, l'attirait à une fenêtre et lui disait : Monsieur un tel, ennuyons-nous ensemble.

---

1. **Poudreux :** poussiéreux.
2. **Chevaliers de l'ordre :** distinction prestigieuse accordée aux serviteurs du roi qui ont particulièrement bien servi ses intérêts.
3. **Flegme :** attitude de quelqu'un qui garde son sang-froid dans toutes les situations.

– Comment ! Votre Majesté s'ennuie ! dit M. de Tréville. N'a-t-elle donc pas pris aujourd'hui le plaisir de la chasse ?

– Beau plaisir, monsieur ! Tout dégénère, sur mon âme, et je ne sais si c'est le gibier qui n'a plus de voie ou les chiens qui n'ont plus de nez. Nous lançons un cerf dix-cors[1], nous le courons[2] six heures, et quand il est prêt à tenir, quand Saint-Simon[3] met déjà le cor à sa bouche pour sonner l'hallali[4], crac ! toute la meute prend le change et s'emporte sur un daguet[5]. Vous verrez que je serai obligé de renoncer à la chasse à courre comme j'ai renoncé à la chasse au vol[6]. Ah ! je suis un roi bien malheureux, monsieur de Tréville ! je n'avais plus qu'un gerfaut[7], et il est mort avant-hier.

– En effet, sire, je comprends votre désespoir, et le malheur est grand ; mais il vous reste encore, ce me semble, bon nombre de faucons, d'éperviers et de tiercelets[8].

– Et pas un homme pour les instruire ; les fauconniers[9] s'en vont, il n'y a plus que moi qui connaisse l'art de la vénerie[10]. Après moi tout sera dit, et l'on chassera avec des traquenards, des pièges, des trappes. Si j'avais le temps encore de former des élèves ! Mais oui, M. le cardinal est là qui ne me laisse pas un instant de repos, qui me parle de l'Espagne, qui me parle de l'Autriche, qui me parle de l'Angleterre ! Ah ! à propos de M. le cardinal, monsieur de Tréville, je suis mécontent de vous.

---

1. **Cerf dix-cors :** cerf qui atteint sa septième année.
2. **Nous le courons :** nous le poursuivons à la course.
3. **Saint-Simon :** père de l'écrivain célèbre. Il fut le premier écuyer de Louis XIII et son favori.
4. **Hallali :** cri poussé par les veneurs (chasseurs qui pratiquent la chasse à courre) lorsque l'animal va être pris.
5. **Daguet :** jeune cerf âgé de un à deux ans.
6. **Chasse au vol :** chasse qui consiste à prendre un gibier sauvage avec un oiseau de proie.
7. **Gerfaut :** oiseau de proie (le mâle est plus petit d'un tiers que sa femelle).
8. **Faucons [...] éperviers [...] tiercelets :** oiseaux servant à la chasse au vol.
9. **Fauconniers :** personnes qui élèvent certains rapaces pour la chasse.
10. **Vénerie :** chasse à courre qui consiste, pour des cavaliers chasseurs, à poursuivre un animal avec une meute de chiens.

M. de Tréville attendait le roi à cette chute[1]. Il connaissait le roi
85 de longue main[2] ; il avait compris que toutes ses plaintes n'étaient qu'une préface, une espèce d'excitation pour s'encourager lui-même, et que c'était où il était arrivé enfin qu'il en voulait venir.

– Et en quoi ai-je été assez malheureux pour déplaire à Votre Majesté ? demanda M. de Tréville en feignant le plus profond
90 étonnement.

– Est-ce ainsi que vous faites votre charge, monsieur ? continua le roi sans répondre directement à la question de M. de Tréville ; est-ce pour cela que je vous ai nommé capitaine de mes mousquetaires, que ceux-ci assassinent un homme, émeuvent tout un
95 quartier et veulent brûler Paris sans que vous en disiez un mot ? Mais, au reste, continua le roi, sans doute que je me hâte de vous accuser, sans doute que les perturbateurs sont en prison et que vous venez m'annoncer que justice est faite.

– Sire, répondit tranquillement M. de Tréville, je viens vous la
100 demander au contraire.

– Et contre qui ? s'écria le roi.

– Contre les calomniateurs, dit M. de Tréville.

– Ah ! voilà qui est nouveau, reprit le roi. N'allez-vous pas dire que vos trois mousquetaires damnés, Athos, Porthos et Aramis, et
105 votre cadet de Béarn ne se sont pas jetés comme des furieux sur le pauvre Bernajoux, et ne l'ont pas maltraité de telle façon qu'il est probable qu'il est en train de trépasser à cette heure ! N'allez-vous pas dire qu'ensuite ils n'ont pas fait le siège de l'hôtel du duc de La Trémouille, et qu'ils n'ont point voulu le brûler ! Ce qui n'aurait
110 peut-être pas été un très grand malheur en temps de guerre, vu que c'est un nid de huguenots, mais ce qui, en temps de paix, est un fâcheux exemple. Dites, n'allez-vous pas nier tout cela ?

– Et qui vous a fait ce beau récit, sire ? demanda tranquillement M. de Tréville.

115 – Qui m'a fait ce beau récit, monsieur ! et qui voulez-vous que ce soit, si ce n'est celui qui veille quand je dors, qui travaille quand je m'amuse, qui mène tout au-dedans et au-dehors du royaume, en France comme en Europe ?

---

1. **Chute :** phrase brève et puissante, trait final dans une conversation.
2. **De longue main :** depuis longtemps.

– Sa Majesté veut parler de Dieu, sans doute, dit M. de Tréville, car je ne connais que Dieu qui soit si fort au-dessus de Sa Majesté.

– Non, monsieur ; je veux parler du soutien de l'État, de mon seul serviteur, de mon seul ami, de M. le cardinal.

– Son Éminence n'est pas Sa Sainteté, sire.

– Qu'entendez-vous par là, monsieur ?

– Qu'il n'y a que le pape qui soit infaillible[1], et que cette infaillibilité ne s'étend pas aux cardinaux.

– Vous voulez dire qu'il me trompe, vous voulez dire qu'il me trahit. Vous l'accusez alors. Voyons, dites, avouez franchement que vous l'accusez.

– Non, sire ; mais je dis qu'il se trompe lui-même ; je dis qu'il a été mal renseigné ; je dis qu'il a eu hâte d'accuser les mousquetaires de Votre Majesté, pour lesquels il est injuste, et qu'il n'a pas été puiser ses renseignements aux bonnes sources.

– L'accusation vient de M. de La Trémouille, du duc lui-même. Que répondrez-vous à cela ?

– Je pourrais répondre, sire, qu'il est trop intéressé dans la question pour être un témoin bien impartial ; mais loin de là, sire, je connais le duc pour un loyal gentilhomme, et je m'en rapporterai à lui, mais à une condition, sire.

– Laquelle ?

– C'est que Votre Majesté le fera venir, l'interrogera, mais elle-même, en tête à tête, sans témoins, et que je reverrai Votre Majesté aussitôt qu'elle aura reçu le duc.

– Oui-da ![2] fit le roi, et vous vous en rapporterez à ce que dira M. de La Trémouille ?

– Oui, sire.

– Vous accepterez son jugement ?

– Sans doute[3].

– Et vous vous soumettrez aux réparations[4] qu'il exigera ?

– Parfaitement.

---

1. **Il n'y a que le pape qui soit infaillible :** l'infaillibilité du pape est un dogme établissant que le pape ne peut se tromper, sa foi et sa morale étant au-dessus de tout soupçon.
2. **Oui-da ! :** certes.
3. **Sans doute :** sans aucun doute, absolument.
4. **Réparations :** compensations pour réparer un tort.

– La Chesnaye ! fit le roi. La Chesnaye !

Le valet de chambre de confiance de Louis XIII, qui se tenait toujours à la porte, entra.

– La Chesnaye, dit le roi, qu'on aille à l'instant même me quérir 155 M. de La Trémouille ; je veux lui parler ce soir.

– Votre Majesté me donne sa parole qu'elle ne verra personne entre M. de La Trémouille et moi ?

– Personne, foi de gentilhomme.

– À demain, sire, alors.

160 – À demain, monsieur.

– À quelle heure, s'il plaît à Votre Majesté ?

– À l'heure que vous voudrez.

– Mais, en venant par trop matin, je crains de réveiller Votre Majesté.

165 – Me réveiller ? Est-ce que je dors ? Je ne dors plus, monsieur ; je rêve quelquefois, voilà tout. Venez donc d'aussi bon matin que vous voudrez, à sept heures ; mais gare à vous, si vos mousquetaires sont coupables !

– Si mes mousquetaires sont coupables, sire, les coupables 170 seront remis aux mains de Votre Majesté, qui ordonnera d'eux selon son bon plaisir. Votre Majesté exige-t-elle quelque chose de plus ? Qu'elle parle, je suis prêt à lui obéir.

– Non, monsieur, non, et ce n'est pas sans raison qu'on m'a appelé Louis le Juste. À demain donc, monsieur, à demain.

175 – Dieu garde jusque-là Votre Majesté !

Le lendemain, M. de Tréville se présente chez le roi, accompagné des trois mousquetaires et de d'Artagnan. M. de La Trémouille, interrogé par Louis XIII, reconnaît sa responsabilité dans les événements de la veille. Le roi sermonne ses mousquetaires pour la forme et 180 *d'Artagnan est récompensé de sa bravoure : en attendant qu'un poste se libère chez les mousquetaires, il entrera dans la compagnie des gardes de M. des Essarts. De plus, le roi lui accorde une somme de quarante pistoles.*

VII
L'intérieur des mousquetaires

Lorsque d'Artagnan fut hors du Louvre, et qu'il consulta ses amis sur l'emploi qu'il devait faire de sa part des quarante pistoles, Athos lui conseilla de commander un bon repas à *La Pomme de Pin*, Porthos de prendre un laquais, et Aramis de se faire une maîtresse convenable.

Le repas fut exécuté le jour même, et le laquais y servit à table. Le repas avait été commandé par Athos, et le laquais fourni par Porthos. C'était un Picard[1] que le glorieux mousquetaire avait embauché le jour même et à cette occasion sur le pont de la Tournelle, pendant qu'il faisait des ronds en crachant dans l'eau.

Porthos avait prétendu que cette occupation était la preuve d'une organisation réfléchie et contemplative[2], et il l'avait emmené sans autre recommandation. La grande mine de ce gentilhomme, pour le compte duquel il se crut engagé, avait séduit Planchet – c'était le nom du Picard ; il y eut chez lui un léger désappointement[3] lorsqu'il vit que la place était déjà prise par un confrère nommé Mousqueton, et lorsque Porthos lui eut signifié que son état de maison, quoique grand, ne comportait pas deux domestiques, et qu'il lui fallait entrer au service de d'Artagnan. Cependant, lorsqu'il assista au dîner que donnait son maître et qu'il vit celui-ci tirer en payant une poignée d'or de sa poche, il crut sa fortune faite et remercia le ciel d'être tombé en la possession d'un pareil Crésus[4] ; il persévéra dans cette opinion jusqu'après le festin, des reliefs[5] duquel il répara de longues absti-

1. **Un Picard :** originaire de Picardie, région du nord de la France.
2. **Organisation réfléchie et contemplative :** disposition d'esprit de celui qui aime observer et réfléchir.
3. **Désappointement :** déception.
4. **Crésus :** dernier roi de Lydie au VIe siècle av. J.-C. Il devait son immense fortune à l'or qu'il trouva dans le fleuve Pactole.
5. **Reliefs :** restes.

25 nences[1]. Mais en faisant, le soir, le lit de son maître, les chimères[2] de Planchet s'évanouirent. Le lit était le seul de l'appartement, qui se composait d'une antichambre[3] et d'une chambre à coucher. Planchet coucha dans l'antichambre sur une couverture tirée du lit de d'Artagnan, et dont d'Artagnan se passa depuis.

30 Athos, de son côté, avait un valet qu'il avait dressé à son service d'une façon toute particulière, et que l'on appelait Grimaud. Il était fort silencieux, ce digne seigneur. Nous parlons d'Athos, bien entendu. Depuis cinq ou six ans qu'il vivait dans la plus profonde intimité avec ses compagnons Porthos et Aramis, ceux-ci se 35 rappelaient l'avoir vu sourire souvent, mais jamais ils ne l'avaient entendu rire. Ses paroles étaient brèves et expressives, disant toujours ce qu'elles voulaient dire, rien de plus : pas d'enjolivements, pas de broderies, pas d'arabesques[4]. Sa conversation était un fait sans aucun épisode.

40 Quoique Athos eût à peine trente ans et fût d'une grande beauté de corps et d'esprit, personne ne lui connaissait de maîtresse. Jamais il ne parlait de femmes. Seulement il n'empêchait pas qu'on en parlât devant lui, quoiqu'il fût facile de voir que ce genre de conversation, auquel il ne se mêlait que par des mots amers et 45 des aperçus misanthropiques[5], lui était parfaitement désagréable. Sa réserve, sa sauvagerie et son mutisme en faisaient presque un vieillard ; il avait donc, pour ne point déroger à[6] ses habitudes, habitué Grimaud à lui obéir sur un simple geste ou sur un simple mouvement des lèvres. Il ne lui parlait que dans des circonstances 50 suprêmes.

Quelquefois Grimaud, qui craignait son maître comme le feu, tout en ayant pour sa personne un grand attachement et pour son génie une grande vénération[7], croyait avoir parfaitement compris

---

1. **Abstinences :** jeûnes forcés. Le pauvre Planchet est affamé et il se régale des restes du dîner de son nouveau maître.
2. **Chimères :** rêves de richesse et de confort de Planchet chez son nouveau maître.
3. **Antichambre :** entrée, vestibule.
4. **Pas d'arabesques :** pas d'ornements. La parole d'Athos est toujours sobre.
5. **Des aperçus misanthropiques :** des propos signifiant qu'Athos n'aime pas le genre humain.
6. **Déroger à :** changer.
7. **Vénération :** admiration et respect absolus.

ce qu'il désirait, s'élançait pour exécuter l'ordre reçu, et faisait pré-
55 cisément le contraire. Alors Athos haussait les épaules et, sans se mettre en colère, rossait[1] Grimaud. Ces jours-là, il parlait un peu.

Porthos, comme on a pu le voir, avait un caractère tout opposé à celui d'Athos : non seulement il parlait beaucoup, mais il parlait haut ; peu lui importait au reste, il faut lui rendre cette justice,
60 qu'on l'écoutât ou non ; il parlait pour le plaisir de parler et pour le plaisir de s'entendre ; il parlait de toutes choses excepté de sciences, excipant à cet endroit[2] de la haine invétérée[3] que depuis son enfance il portait, disait-il, aux savants. Il avait moins grand air qu'Athos, et le sentiment de son infériorité à ce sujet l'avait, dans
65 le commencement de leur liaison, rendu souvent injuste pour ce gentilhomme, qu'il s'était alors efforcé de dépasser par ses splendides toilettes. Mais, avec sa simple casaque de mousquetaire et rien que par la façon dont il rejetait la tête en arrière et avançait le pied, Athos prenait à l'instant même la place qui lui était due et
70 reléguait[4] le fastueux Porthos au second rang. Porthos s'en consolait en remplissant l'antichambre de M. de Tréville et les corps de garde du Louvre du bruit de ses bonnes fortunes[5], dont Athos ne parlait jamais ; et pour le moment, après avoir passé de la noblesse de robe à la noblesse d'épée[6], de la robine à la baronne[7], il n'était
75 question de rien moins pour Porthos que d'une princesse étrangère qui lui voulait un bien énorme.

Un vieux proverbe dit : « Tel maître, tel valet. » Passons donc du valet d'Athos au valet de Porthos, de Grimaud à Mousqueton.

Mousqueton était un Normand dont son maître avait changé le
80 nom pacifique de Boniface en celui infiniment plus sonore et plus

---

1. **Rossait :** corrigeait.
2. **Excipant à cet endroit :** invoquant pour se défendre sur ce point.
3. **Invétérée :** indéracinable.
4. **Reléguait :** repoussait.
5. **Ses bonnes fortunes :** ses conquêtes amoureuses. Porthos plaît aux femmes !
6. **La noblesse de robe à la noblesse d'épée :** sous l'Ancien Régime, la noblesse de robe désigne les aristocrates qui occupent des fonctions élevées dans la justice et dans les finances. La noblesse d'épée est celle qui a gagné son statut par des prouesses guerrières.
7. **De la robine à la baronne :** un robin est une personne qui appartient à la noblesse de robe. La robine désigne sans doute l'épouse d'un robin. La baronne est également une ancienne conquête de Porthos !

belliqueux de Mousqueton[1]. Il était entré au service de Porthos à la condition qu'il serait habillé et logé seulement, mais d'une façon magnifique ; il ne réclamait que deux heures par jour pour les consacrer à une industrie[2] qui devait suffire à pourvoir à ses autres
85 besoins. Porthos avait accepté le marché ; la chose lui allait à merveille. Il faisait tailler à Mousqueton des pourpoints dans ses vieux habits et dans ses manteaux de rechange, et, grâce à un tailleur fort intelligent qui lui remettait ses hardes[3] à neuf en les retournant, et dont la femme était soupçonnée de vouloir faire descendre
90 Porthos de ses habitudes aristocratiques, Mousqueton faisait à la suite de son maître fort bonne figure.

Quant à Aramis, dont nous croyons avoir suffisamment exposé le caractère, caractère du reste que, comme celui de ses compagnons, nous pourrons suivre dans son développement, son laquais
95 s'appelait Bazin. Grâce à l'espérance qu'avait son maître d'entrer un jour dans les ordres[4], il était toujours vêtu de noir, comme doit l'être le serviteur d'un homme d'Église. C'était un Berrichon[5] de trente-cinq à quarante ans, doux, paisible, grassouillet, occupant à lire de pieux ouvrages les loisirs que lui laissait son maître, faisant
100 à la rigueur pour deux un dîner de peu de plats, mais excellent. Au reste, muet, aveugle, sourd et d'une fidélité à toute épreuve.

Maintenant que nous connaissons, superficiellement du moins, les maîtres et les valets, passons aux demeures occupées par chacun d'eux.

105 Athos habitait rue Férou, à deux pas du Luxembourg ; son appartement se composait de deux petites chambres, fort proprement meublées, dans une maison garnie[6] dont l'hôtesse encore jeune et véritablement encore belle lui faisait inutilement les doux yeux. Quelques fragments d'une grande splendeur passée écla-
110 taient çà et là aux murailles de ce modeste logement : c'était une

---

1. **Le nom pacifique [...] Mousqueton :** jeu de mots. Un mousqueton est une arme à feu individuelle, plus légère et plus courte que le fusil.
2. **Industrie :** activité.
3. **Hardes :** vêtements usagés.
4. **Ordres :** les ordres religieux (Aramis veut servir Dieu).
5. **Berrichon :** originaire du Berry, région du centre de la France.
6. **Maison garnie :** pension.

épée, par exemple, richement damasquinée[1], qui remontait pour la façon à l'époque de François Ier, et dont la poignée seule, incrustée de pierres précieuses, pouvait valoir deux cents pistoles, et que cependant, dans ses moments de plus grande détresse, Athos
115 n'avait jamais consenti à engager[2] ni à vendre. Cette épée avait longtemps fait l'ambition de Porthos. Porthos aurait donné dix années de sa vie pour posséder cette épée.

Un jour qu'il avait rendez-vous avec une duchesse, il essaya même de l'emprunter à Athos. Athos, sans rien dire, vida ses
120 poches, ramassa tous ses bijoux : bourses, aiguillettes[3] et chaînes d'or, il offrit tout à Porthos ; mais quant à l'épée, lui dit-il, elle était scellée à sa place et ne devait la quitter que lorsque son maître quitterait lui-même son logement. Outre son épée, il y avait encore un portrait représentant un seigneur du temps de Henri III[4], vêtu
125 avec la plus grande élégance, et qui portait l'ordre du Saint-Esprit[5], et ce portrait avait avec Athos certaines ressemblances de lignes, certaines similitudes de famille, qui indiquaient que ce grand seigneur, chevalier des ordres du roi, était son ancêtre.

Enfin, un coffre de magnifique orfèvrerie, aux mêmes armes[6]
130 que l'épée et le portrait, faisait un milieu de cheminée qui jurait effroyablement avec le reste de la garniture. Athos portait toujours la clef de ce coffre sur lui. Mais un jour il l'avait ouvert devant Porthos, et Porthos avait pu s'assurer que ce coffre ne contenait que des lettres et des papiers : des lettres d'amour et des papiers de
135 famille, sans doute.

Porthos habitait un appartement très vaste et d'une très somptueuse apparence, rue du Vieux-Colombier. Chaque fois qu'il passait avec quelque ami devant ses fenêtres, à l'une desquelles

1. **Damasquinée :** incrustée de fils d'or et d'argent.
2. **Engager :** mettre en gage, c'est-à-dire déposer un objet de valeur comme garantie d'une dette qui sera payée plus tard.
3. **Aiguillettes :** cordons en fil ou en soie, ferrés par les deux bouts, qui, outre leur qualité décorative, servaient à attacher le haut-de-chausses au pourpoint.
4. **Henri III :** roi de France de 1574 à 1589. Né en 1551, mort en 1589.
5. **L'ordre du Saint-Esprit :** institué par Henri III en 1578, cet ordre militaire était une compagnie prestigieuse qui comptait 100 membres.
6. **Armes :** amoiries, c'est-à-dire signes symboliques qui désignent les grandes familles de la noblesse.

Mousqueton se tenait toujours en grande livrée, Porthos levait la
140 tête et la main, et disait : *Voilà ma demeure !* Mais jamais on ne le trouvait chez lui, jamais il n'invitait personne à y monter, et nul ne pouvait se faire une idée de ce que cette somptueuse apparence renfermait de richesses réelles.

Quant à Aramis, il habitait un petit logement composé d'un bou-
145 doir[1], d'une salle à manger et d'une chambre à coucher, laquelle chambre, située comme le reste de l'appartement au rez-de-chaussée, donnait sur un petit jardin frais, vert, ombreux et impénétrable aux yeux du voisinage.

Quant à d'Artagnan, nous savons comment il était logé, et nous
150 avons déjà fait connaissance avec son laquais, maître Planchet.

D'Artagnan, qui était fort curieux de sa nature, comme sont les gens, du reste, qui ont le génie de l'intrigue, fit tous ses efforts pour savoir ce qu'étaient au juste Athos, Porthos et Aramis ; car, sous ces noms de guerre, chacun des jeunes gens cachait son nom
155 de gentilhomme, Athos surtout, qui sentait son grand seigneur d'une lieue[2]. Il s'adressa donc à Porthos pour avoir des renseignements sur Athos et Aramis, et à Aramis pour connaître Porthos.

Malheureusement, Porthos lui-même ne savait de la vie de son silencieux camarade que ce qui en avait transpiré. On disait
160 qu'il avait eu de grands malheurs dans ses affaires amoureuses, et qu'une affreuse trahison avait empoisonné à jamais la vie de ce galant homme. Quelle était cette trahison ? Tout le monde l'ignorait.

Quant à Porthos, excepté son véritable nom, que M. de Tréville
165 savait seul, ainsi que celui de ses deux camarades, sa vie était facile à connaître. Vaniteux et indiscret, on voyait à travers lui comme à travers un cristal. La seule chose qui eût pu égarer l'investigateur[3] eût été que l'on eût cru tout le bien qu'il disait de lui.

Quant à Aramis, tout en ayant l'air de n'avoir aucun secret,
170 c'était un garçon tout confit de[4] mystères, répondant peu aux

---

1. **Boudoir :** petit salon où les femmes se parent et où elles reçoivent leurs intimes.
2. **Qui sentait son grand seigneur d'une lieue :** tout dénote chez Athos un grand seigneur.
3. **L'investigateur :** celui qui fait une enquête, qui veut connaître des détails.
4. **Confit de :** plein de.

questions qu'on lui faisait sur les autres, et éludant[1] celles que l'on faisait sur lui-même.

[...]

La vie des quatre jeunes gens était devenue commune ; d'Artagnan, qui n'avait aucune habitude, puisqu'il arrivait de sa province et tombait au milieu d'un monde tout nouveau pour lui, prit aussitôt les habitudes de ses amis.

On se levait vers huit heures en hiver, vers six heures en été, et l'on allait prendre le mot d'ordre et l'air des affaires chez M. de Tréville. D'Artagnan, bien qu'il ne fût pas mousquetaire, en faisait le service avec une ponctualité touchante : il était toujours de garde, parce qu'il tenait toujours compagnie à celui de ses trois amis qui montait la sienne. On le connaissait à l'hôtel des Mousquetaires et chacun le tenait pour un bon camarade ; M. de Tréville, qui l'avait apprécié du premier coup d'œil, et qui lui portait une véritable affection, ne cessait de le recommander au roi.

De leur côté, les trois mousquetaires aimaient fort leur jeune camarade. L'amitié qui unissait ces quatre hommes, et le besoin de se voir trois ou quatre fois par jour, soit pour duel, soit pour affaires, soit pour plaisir, les faisaient sans cesse courir l'un après l'autre comme des ombres ; et l'on rencontrait toujours les inséparables se cherchant du Luxembourg à la place Saint-Sulpice, ou de la rue du Vieux-Colombier au Luxembourg.

En attendant, les promesses de M. de Tréville allaient leur train. Un beau jour, le roi commanda à M. le chevalier des Essarts[2] de prendre d'Artagnan comme cadet[3] dans sa compagnie des gardes. D'Artagnan endossa en soupirant cet habit, qu'il eût voulu, au prix de dix années de son existence, troquer contre la casaque de mousquetaire. Mais M. de Tréville promit cette faveur après un noviciat[4] de deux ans, noviciat qui pouvait être abrégé, au reste, si l'occasion se présentait pour d'Artagnan de rendre quelque service

1. **Éludant :** évitant adroitement.
2. **M. le chevalier des Essarts :** beau-frère de M. de Tréville. Il fut l'ennemi de Richelieu et complota ensuite contre Mazarin.
3. **Cadet :** jeune recrue.
4. **Noviciat :** apprentissage.

au roi ou de faire quelque action d'éclat. D'Artagnan se retira sur cette promesse et, dès le lendemain, commença son service.

Alors ce fut le tour d'Athos, de Porthos et d'Aramis de monter la garde avec d'Artagnan quand il était de garde. La compagnie de M. le chevalier des Essarts prit ainsi quatre hommes au lieu d'un, le jour où elle prit d'Artagnan.

VIII
Une intrigue de cour

Les quarante pistoles du roi ont été dépensées. Comment faire pour trouver de l'argent ? Tandis que d'Artagnan « se creuse la cervelle », un visiteur demande à être reçu.

Un homme fut introduit, de mine assez simple et qui avait l'air d'un bourgeois.

Planchet, pour son dessert, eût bien voulu entendre la conversation ; mais le bourgeois déclara à d'Artagnan que ce qu'il avait à lui dire étant important et confidentiel, il désirait demeurer en tête à tête avec lui.

D'Artagnan congédia Planchet et fit asseoir son visiteur.

Il y eut un moment de silence pendant lequel les deux hommes se regardèrent comme pour faire une connaissance préalable, après quoi d'Artagnan s'inclina en signe qu'il écoutait.

– J'ai entendu parler de M. d'Artagnan comme d'un jeune homme fort brave, dit le bourgeois, et cette réputation dont il jouit à juste titre m'a décidé à lui confier un secret.

– Parlez, monsieur, parlez, dit d'Artagnan, qui d'instinct flaira quelque chose d'avantageux.

Le bourgeois fit une nouvelle pause et continua :

– J'ai ma femme qui est lingère[1] chez la reine, monsieur, et qui ne manque ni de sagesse ni de beauté. On me l'a fait épouser voilà bientôt trois ans, quoiqu'elle n'eût qu'un petit avoir[2], parce que

1. **Lingère :** personne chargée de l'entretien du linge dans les grandes maisons.
2. **Un petit avoir :** des biens très modestes.

M. de La Porte, le portemanteau[1] de la reine, est son parrain et la protège…

25 – Eh bien ! monsieur ? demanda d'Artagnan.

– Eh bien ! reprit le bourgeois, eh bien ! monsieur, ma femme a été enlevée hier matin, comme elle sortait de sa chambre de travail.

– Et par qui votre femme a-t-elle été enlevée ?

30 – Je n'en sais rien sûrement, monsieur, mais je soupçonne quelqu'un.

– Et quelle est cette personne que vous soupçonnez ?

– Un homme qui la poursuivait depuis longtemps.

– Diable !

35 – Mais voulez-vous que je vous dise, monsieur, continua le bourgeois, je suis convaincu, moi, qu'il y a moins d'amour que de politique dans tout cela.

– Moins d'amour que de politique, reprit d'Artagnan d'un air fort réfléchi, et que soupçonnez-vous ?

40 – Je ne sais pas si je devrais vous dire ce que je soupçonne…

– Monsieur, je vous ferai observer que je ne vous demande absolument rien, moi. C'est vous qui êtes venu. C'est vous qui m'avez dit que vous aviez un secret à me confier. Faites donc à votre guise, il est encore temps de vous retirer.

45 – Non, monsieur, non ; vous m'avez l'air d'un honnête jeune homme, et j'aurai confiance en vous. Je crois donc que ce n'est pas à cause de ses amours que ma femme a été arrêtée, mais à cause de celles d'une plus grande dame qu'elle.

– Ah ! ah ! serait-ce à cause des amours de Mme de Bois-Tracy ?
50 fit d'Artagnan, qui voulut avoir l'air, vis-à-vis de son bourgeois, d'être au courant des affaires de la cour.

– Plus haut, monsieur, plus haut.

– De Mme d'Aiguillon ?

– Plus haut encore.

55 – De Mme de Chevreuse ?

– Plus haut, beaucoup plus haut !

– De la… D'Artagnan s'arrêta.

---

1. **Portemanteau :** officier qui portait la traîne du manteau de la reine.

– Oui, monsieur, répondit si bas, qu'à peine si on put l'entendre, le bourgeois épouvanté.

60 – Et avec qui ?

– Avec qui cela peut-il être, si ce n'est avec le duc de[1]...

– Le duc de...

– Oui, monsieur ! répondit le bourgeois, en donnant à sa voix une intonation plus sourde encore.

65 – Mais comment savez-vous tout cela, vous ?

– Ah ! comment je le sais ?

– Oui, comment le savez-vous ? Pas de demi-confidence, ou... vous comprenez.

– Je le sais par ma femme, monsieur, par ma femme elle-même.

70 – Qui le sait, elle... par qui ?

– Par M. de La Porte. Ne vous ai-je pas dit qu'elle était la filleule de M. de La Porte, l'homme de confiance de la reine ? Eh bien, M. de La Porte l'avait mise près de Sa Majesté pour que notre pauvre reine au moins eût quelqu'un à qui se fier, abandonnée 75 comme elle l'est par le roi, espionnée comme elle l'est par le cardinal, trahie comme elle l'est par tous.

– Ah ! ah ! voilà qui se dessine, dit d'Artagnan.

– Or ma femme est venue il y a quatre jours, monsieur ; une de ses conditions était qu'elle devait me venir voir deux fois 80 la semaine ; car, ainsi que j'ai eu l'honneur de vous le dire, ma femme m'aime beaucoup ; ma femme est donc venue, et m'a confié que la reine, en ce moment-ci, avait de grandes craintes.

– Vraiment ?

– Oui. M. le cardinal, à ce qu'il paraît, la poursuit et la persécute 85 plus que jamais. Il ne peut pas lui pardonner l'histoire de la sarabande[2]. Vous savez l'histoire de la sarabande ?

– Pardieu, si je la sais ! répondit d'Artagnan, qui ne savait rien du tout, mais qui voulait avoir l'air d'être au courant.

---

1. **Le duc de :** il s'agit du duc de Buckingham, Premier ministre de Charles Ier d'Angleterre.
2. **L'histoire de la sarabande :** Richelieu, amoureux de la reine, dansa la sarabande devant elle habillé en bouffon. Dumas rapporte cette histoire dans le chapitre I de *Louis XIV et son siècle*.

– De sorte que, maintenant, ce n'est plus de la haine, c'est de la vengeance.

– Vraiment ?

– Et la reine croit...

– Eh bien, que croit la reine ?

– Elle croit qu'on a écrit à M. le duc de Buckingham en son nom.

– Au nom de la reine ?

– Oui, pour le faire venir à Paris, et une fois venu à Paris, pour l'attirer dans quelque piège.

– Diable ! mais votre femme, mon cher monsieur, qu'a-t-elle à faire dans tout cela ?

– On connaît son dévouement pour la reine, et l'on veut ou l'éloigner de sa maîtresse, ou l'intimider pour avoir les secrets de Sa Majesté, ou la séduire pour se servir d'elle comme d'un espion.

– C'est probable, dit d'Artagnan ; mais l'homme qui l'a enlevée, le connaissez-vous ?

– Je vous ai dit que je croyais le connaître.

– Son nom ?

– Je ne le sais pas ; ce que je sais seulement, c'est que c'est une créature du cardinal, son âme damnée[1].

– Mais vous l'avez vu ?

– Oui, ma femme me l'a montré un jour.

– A-t-il un signalement auquel on puisse le reconnaître ?

– Oh ! certainement, c'est un seigneur de haute mine[2], poil noir[3], teint basané, œil perçant, dents blanches, et une cicatrice à la tempe.

– Une cicatrice à la tempe ! s'écria d'Artagnan, et avec cela dents blanches, œil perçant, teint basané, poil noir, et haute mine ; c'est mon homme de Meung !

La conversation est brusquement interrompue par l'apparition de l'homme de Meung, en face du domicile de d'Artagnan. Le jeune homme s'élance à sa poursuite.

---

1. **Âme damnée :** homme entièrement dévoué au cardinal, inspirateur et exécuteur de ses basses besognes.
2. **Haute mine :** belle allure.
3. **Poil noir :** cheveux noirs.

IX
D'Artagnan se dessine

Une fois de plus, d'Artagnan laisse échapper l'homme de Meung. De retour chez lui, il confie à ses trois amis réunis ce qu'il vient d'apprendre de M. Bonacieux, un riche mercier qui se trouve être son logeur. À ce moment, des gardes du cardinal pénètrent dans la maison : ils arrêtent M. Bonacieux. Restés seuls, les mousquetaires et d'Artagnan prêtent un serment d'assistance mutuelle.

« Tous pour un, un pour tous, c'est notre devise. »

X
Une souricière[1] au XVIIe siècle

Les hommes du cardinal organisent un guet-apens dans l'appartement de maître Bonacieux. Quiconque s'y présente est arrêté. Sans doute le cardinal veut-il savoir si le duc de Buckingham est à Paris et s'il a rendez-vous avec la reine. D'Artagnan, de sa chambre, surveille de près ces opérations.

Le soir du lendemain de l'arrestation du pauvre Bonacieux, comme Athos venait de quitter d'Artagnan pour se rendre chez M. de Tréville, comme neuf heures venaient de sonner, et comme Planchet, qui n'avait pas encore fait le lit, commençait sa besogne, on entendit frapper à la porte de la rue ; aussitôt cette porte s'ouvrit et se referma : quelqu'un venait de se prendre à la souricière.

D'Artagnan s'élança vers l'endroit décarrelé[2], se coucha ventre à terre et écouta.

Des cris retentirent bientôt, puis des gémissements qu'on cherchait à étouffer. D'interrogatoire, il n'en était pas question.

---

1. **Souricière :** guet-apens, piège.
2. **Décarrelé :** dont on a enlevé le carrelage.

– Diable ! se dit d'Artagnan, il me semble que c'est une femme : on la fouille, elle résiste ; on la violente – les misérables !

Et d'Artagnan, malgré sa prudence, se tenait à quatre pour ne pas se mêler à la scène qui se passait au-dessous de lui.

20 – Mais je vous dis que je suis la maîtresse de la maison, messieurs ; je vous dis que je suis Mme Bonacieux ; je vous dis que j'appartiens à la reine[1] ! s'écriait la malheureuse femme.

– Mme Bonacieux ! murmura d'Artagnan ; serais-je assez heureux pour avoir trouvé ce que tout le monde cherche ?

25 – C'est justement vous que nous attendions, reprirent les interrogateurs.

La voix devint de plus en plus étouffée : un mouvement tumultueux fit retentir les boiseries. La victime résistait autant qu'une femme peut résister à quatre hommes.

30 – Pardon, messieurs, par..., murmura la voix, qui ne fit plus entendre que des sons inarticulés.

– Ils la bâillonnent, ils vont l'entraîner, s'écria d'Artagnan en se redressant comme par un ressort. Mon épée ; bon, elle est à mon côté. Planchet !

35 – Monsieur ?

– Cours chercher Athos, Porthos et Aramis. L'un des trois sera sûrement chez lui, peut-être tous les trois seront-ils rentrés. Qu'ils prennent des armes, qu'ils viennent, qu'ils accourent. Ah ! je me souviens, Athos est chez M. de Tréville.

40 – Mais où allez-vous, Monsieur, où allez-vous ?

– Je descends par la fenêtre, s'écria d'Artagnan, afin d'être plus tôt arrivé ; toi, remets les carreaux, balaye le plancher, sors par la porte et cours où je te dis.

– Oh ! Monsieur, Monsieur, vous allez vous tuer, s'écria Planchet.

45 – Tais-toi, imbécile, dit d'Artagnan. Et s'accrochant de la main au rebord de sa fenêtre, il se laissa tomber du premier étage, qui heureusement n'était pas élevé, sans se faire une écorchure.

Puis il alla aussitôt frapper à la porte en murmurant :

– Je vais me faire prendre à mon tour dans la souricière, et 50 malheur aux chats qui se frotteront à pareille souris.

---

1. **J'appartiens à la reine :** je travaille pour la reine.

À peine le marteau eut-il résonné sous la main du jeune homme que le tumulte cessa, que des pas s'approchèrent, que la porte s'ouvrit, et que d'Artagnan, l'épée nue, s'élança dans l'appartement de maître Bonacieux, dont la porte, sans doute mue[1] par un ressort, se referma d'elle-même sur lui.

Alors ceux qui habitaient encore la malheureuse maison de Bonacieux et les voisins les plus proches entendirent de grands cris, des trépignements, un cliquetis d'épées et un bruit prolongé de meubles. Puis, un moment après, ceux qui, surpris par ce bruit, s'étaient mis aux fenêtres pour en connaître la cause, purent voir la porte se rouvrir et quatre hommes vêtus de noir non pas en sortir, mais s'envoler comme des corbeaux effarouchés, laissant par terre et aux angles des tables des plumes de leurs ailes, c'est-à-dire des loques[2] de leurs habits et des bribes[3] de leurs manteaux.

D'Artagnan était vainqueur sans beaucoup de peine, il faut le dire, car un seul des alguazils[4] était armé, encore se défendit-il pour la forme. Il est vrai que les trois autres avaient essayé d'assommer le jeune homme avec les chaises, les tabourets et les poteries ; mais deux ou trois égratignures faites par la flamberge[5] du Gascon les avaient épouvantés. Dix minutes avaient suffi à leur défaite, et d'Artagnan était resté maître du champ de bataille.

Les voisins, qui avaient ouvert leurs fenêtres avec le sang-froid particulier aux habitants de Paris dans ces temps d'émeutes et de rixes perpétuelles[6], les refermèrent dès qu'ils eurent vu s'enfuir les quatre hommes noirs : leur instinct leur disait que, pour le moment, tout était fini.

D'ailleurs il se faisait tard, et alors comme aujourd'hui on se couchait de bonne heure dans le quartier du Luxembourg.

D'Artagnan, resté seul avec Mme Bonacieux, se retourna vers elle : la pauvre femme était renversée sur un fauteuil et à demi évanouie. D'Artagnan l'examina d'un coup d'œil rapide.

1. **Mue :** du verbe « mouvoir », propulser, actionner.
2. **Loques :** morceaux.
3. **Bribes :** morceaux, bouts.
4. **Alguazils :** agents de police (terme espagnol).
5. **Flamberge :** longue épée de duel, très légère.
6. **Rixes perpétuelles :** batailles permanentes.

C'était une charmante femme de vingt-cinq à vingt-six ans, brune avec des yeux bleus, ayant un nez légèrement retroussé, des dents admirables, un teint marbré de rose et d'opale[1]. Là cependant s'arrêtaient les signes qui pouvaient la faire confondre avec une grande dame. Les mains étaient blanches, mais sans finesse : les pieds n'annonçaient pas la femme de qualité. Heureusement, d'Artagnan n'en était pas encore à se préoccuper de ces détails.

Tandis que d'Artagnan examinait Mme Bonacieux, et en était aux pieds, comme nous l'avons dit, il vit à terre un fin mouchoir de batiste, qu'il ramassa selon son habitude, et au coin duquel il reconnut le même chiffre[2] qu'il avait vu au mouchoir qui avait failli lui faire couper la gorge avec Aramis.

Depuis ce temps, d'Artagnan se méfiait des mouchoirs armoriés ; il remit donc sans rien dire celui qu'il avait ramassé dans la poche de Mme Bonacieux.

En ce moment, Mme Bonacieux reprenait ses sens. Elle ouvrit les yeux, regarda avec terreur autour d'elle, vit que l'appartement était vide, et qu'elle était seule avec son libérateur. Elle lui tendit aussitôt les mains en souriant. Mme Bonacieux avait le plus charmant sourire du monde.

– Ah ! monsieur ! dit-elle, c'est vous qui m'avez sauvée ; permettez-moi que je vous remercie.

– Madame, dit d'Artagnan, je n'ai fait que ce que tout gentilhomme eût fait à ma place, vous ne me devez donc aucun remerciement.

– Si fait, monsieur, si fait, et j'espère vous prouver que vous n'avez pas rendu service à une ingrate. Mais que me voulaient donc ces hommes, que j'ai pris d'abord pour des voleurs, et pourquoi M. Bonacieux n'est-il point ici ?

D'Artagnan informe Mme Bonacieux de l'arrestation de son mari et elle-même lui apprend comment elle a réussi à échapper à ses ravisseurs. Mais il faut prévenir M. de La Porte, le valet de chambre de la reine, et l'interroger sur les événements survenus au Louvre durant les trois jours précédents. D'Artagnan se charge de cette mis-

1. **Opale :** d'un blanc laiteux.
2. **Chiffre :** voir note 2, p. 41.

sion : Mme Bonacieux lui donne le mot de passe. D'Artagnan, soucieux de protéger la jeune femme, la conduit au domicile d'Athos, où il lui recommande de se cacher.

Tout s'exécuta comme l'avait annoncé Mme Bonacieux. Au mot d'ordre convenu, Germain[1] s'inclina ; dix minutes après, La Porte était dans la loge ; en deux mots, d'Artagnan le mit au fait et lui indiqua où était Mme Bonacieux. La Porte s'assura par deux fois de l'exactitude de l'adresse, et partit en courant. Cependant, à peine eut-il fait dix pas qu'il revint.

– Jeune homme, dit-il à d'Artagnan, un conseil.

– Lequel ?

– Vous pourriez être inquiété[2] pour ce qui vient de se passer.

– Vous croyez ?

– Oui.

– Avez-vous quelque ami dont la pendule retarde ?

– Eh bien ?

– Allez le voir pour qu'il puisse témoigner que vous étiez chez lui à neuf heures et demie. En justice, cela s'appelle un alibi[3].

D'Artagnan trouva le conseil prudent ; il prit ses jambes à son cou, il arriva chez M. de Tréville ; mais, au lieu de passer au salon avec tout le monde, il demanda à entrer dans son cabinet. Comme d'Artagnan était un des habitués de l'hôtel, on ne fit aucune difficulté d'accéder à sa demande ; et l'on alla prévenir M. de Tréville que son jeune compatriote, ayant quelque chose d'important à lui dire, sollicitait une audience particulière. Cinq minutes après, M. de Tréville demandait à d'Artagnan ce qu'il pouvait faire pour son service et ce qui lui valait sa visite à une heure si avancée.

– Pardon, monsieur ! dit d'Artagnan, qui avait profité du moment où il était resté seul pour retarder l'horloge de trois quarts d'heure, j'ai pensé que, comme il n'était que neuf heures vingt-cinq minutes, il était encore temps de me présenter chez vous.

1. **Germain :** le gardien de la porte (appelée aussi le « guichet ») du Louvre, fidèle à la reine.
2. **Être inquiété :** avoir des problèmes.
3. **[...] alibi :** pour ne pas avoir de problèmes avec la police de Richelieu, d'Artagnan doit prouver qu'il était ailleurs cette nuit-là.

– Neuf heures vingt-cinq minutes ! s'écria M. de Tréville en regardant sa pendule, mais c'est impossible !

– Voyez plutôt, monsieur, dit d'Artagnan, voilà qui fait foi[1].

150 – C'est juste, dit M. de Tréville, j'aurais cru qu'il était plus tard. Mais voyons, que me voulez-vous ?

Alors d'Artagnan fit à M. de Tréville une longue histoire sur la reine. Il lui exposa les craintes qu'il avait conçues à l'égard de Sa Majesté ; il lui raconta ce qu'il avait entendu dire des projets du 155 cardinal à l'endroit de Buckingham, et tout cela avec une tranquillité et un aplomb dont M. de Tréville fut d'autant mieux la dupe que lui-même, comme nous l'avons dit, avait remarqué quelque chose de nouveau entre le cardinal, le roi et la reine.

À dix heures sonnantes, d'Artagnan quitta M. de Tréville, qui le 160 remercia de ses renseignements, lui recommanda d'avoir toujours à cœur le service du roi et de la reine, et qui rentra dans le salon. Mais, au bas de l'escalier, d'Artagnan se souvint qu'il avait oublié sa canne ; en conséquence, il remonta précipitamment, rentra dans le cabinet, d'un tour de doigt remit la pendule à son heure, pour 165 qu'on ne pût pas s'apercevoir, le lendemain, qu'elle avait été dérangée, et sûr désormais qu'il y avait un témoin pour prouver son alibi, il descendit l'escalier et se trouva bientôt dans la rue.

XI
L'intrigue se noue

D'Artagnan est amoureux de la femme du mercier. Il abandonne M. Bonacieux à son sort malgré la promesse qu'il lui a faite car « l'amour est la plus égoïste de toutes les passions ».

Un soir, alors qu'il se promène au faubourg Saint-Germain, ses 5 *pas le conduisent jusqu'à la maison d'Aramis. Comme il approche, il aperçoit une inconnue qui frappe trois coups au volet de la maison. Une fois la fenêtre ouverte, cette inconnue remet un mouchoir à une femme avec qui elle échange quelques mots, puis s'éloigne. D'Artagnan a la surprise de reconnaître Mme Bonacieux. Il la suit*

1. **Voilà qui fait foi :** voilà qui prouve ce que je dis.

et l'interroge : que faisait-elle chez Aramis ? La jolie mercière se tait obstinément... mais elle prête une oreille amusée aux propos galants de d'Artagnan. Ils se séparent. Le jeune homme se hâte de rentrer chez lui où Athos doit l'attendre. Mais Planchet lui apprend que le mousquetaire a été arrêté à sa place par les gardes de Richelieu. Il se précipite chez M. de Tréville.

Il fallait arriver jusqu'à M. de Tréville ; il était important qu'il fût prévenu de ce qui se passait. D'Artagnan résolut d'essayer d'entrer au Louvre. Son costume de garde dans la compagnie de M. des Essarts lui devait être un passeport.

Il descendit donc la rue des Petits-Augustins, et remonta le quai pour prendre le Pont-Neuf. Il avait eu un instant l'idée de passer le bac[1] ; mais en arrivant au bord de l'eau, il avait machinalement introduit sa main dans sa poche et s'était aperçu qu'il n'avait pas de quoi payer le passeur.

Comme il arrivait à la hauteur de la rue Guénégaud, il vit déboucher de la rue Dauphine un groupe composé de deux personnes et dont l'allure le frappa.

Les deux personnes qui composaient le groupe étaient : l'un, un homme ; l'autre, une femme.

La femme avait la tournure de Mme Bonacieux, et l'homme ressemblait à s'y méprendre à Aramis.

En outre, la femme avait cette mante[2] noire que d'Artagnan voyait encore se dessiner sur le volet de la rue de Vaugirard et sur la porte de la rue de la Harpe.

De plus, l'homme portait l'uniforme des mousquetaires.

Le capuchon de la femme était rabattu, l'homme tenait son mouchoir sur son visage ; tous deux, cette double précaution l'indiquait, tous deux avaient donc intérêt à n'être point reconnus.

Ils prirent le pont ; c'était le chemin de d'Artagnan, puisque d'Artagnan se rendait au Louvre ; d'Artagnan les suivit.

---

1. **Passer le bac :** à cette époque, il y avait des embarcations sur la Seine qui permettaient de gagner l'autre rive. Les ponts étaient rares.
2. **Mante :** manteau de femme ample et sans manche.

D'Artagnan n'avait pas fait vingt pas qu'il fut convaincu que cette femme, c'était Mme Bonacieux, et que cet homme, c'était Aramis.

Il sentit à l'instant même tous les soupçons de la jalousie qui 45 s'agitaient dans son cœur.

Il était doublement trahi et par son ami et par celle qu'il aimait déjà comme une maîtresse. Mme Bonacieux lui avait juré ses grands dieux qu'elle ne connaissait pas Aramis, et un quart d'heure après qu'elle lui avait fait ce serment, il la retrouvait au 50 bras d'Aramis.

D'Artagnan ne réfléchit pas seulement qu'il connaissait la jolie mercière depuis trois heures seulement, qu'elle ne lui devait rien qu'un peu de reconnaissance pour l'avoir délivrée des hommes noirs qui voulaient l'enlever, et qu'elle ne lui avait rien promis. Il 55 se regarda comme un amant outragé, trahi, bafoué[1] ; le sang et la colère lui montèrent au visage, il résolut de tout éclaircir.

La jeune femme et le jeune homme s'étaient aperçus qu'ils étaient suivis, et ils avaient doublé le pas. D'Artagnan prit sa course, les dépassa, puis revint sur eux au moment où ils se 60 retrouvaient devant la Samaritaine, éclairée par un réverbère qui projetait sa lueur sur toute cette partie du pont.

D'Artagnan s'arrêta devant eux, et ils s'arrêtèrent devant lui.

– Que voulez-vous, monsieur ? demanda le mousquetaire, en reculant d'un pas et avec un accent étranger qui prouvait à d'Arta- 65 gnan qu'il s'était trompé dans une partie de ses conjectures[2].

– Ce n'est pas Aramis ! s'écria-t-il.

– Non, monsieur, ce n'est point Aramis, et à votre exclamation je vois que vous m'avez pris pour un autre, et je vous pardonne.

– Vous me pardonnez ! s'écria d'Artagnan.

70 – Oui, répondit l'inconnu. Laissez-moi donc passer puisque ce n'est pas à moi que vous avez affaire.

– Vous avez raison, monsieur, dit d'Artagnan, ce n'est pas à vous que j'ai affaire, c'est à madame.

– À madame ! Vous ne la connaissez pas, dit l'étranger.

– Vous vous trompez, monsieur, je la connais.

1. **Bafoué :** outragé, humilié.
2. **Conjectures :** suppositions.

– Ah ! fit Mme Bonacieux d'un ton de reproche, ah, monsieur ! j'avais votre parole de militaire et votre foi de gentilhomme ; j'espérais pouvoir compter dessus.

– Et moi, madame, dit d'Artagnan embarrassé, vous m'aviez promis...

– Prenez mon bras, madame, dit l'étranger, et continuons notre chemin.

Cependant d'Artagnan, étourdi, atterré, anéanti par tout ce qui lui arrivait, restait debout et les bras croisés devant le mousquetaire et Mme Bonacieux.

Le mousquetaire fit deux pas en avant et écarta d'Artagnan avec la main.

D'Artagnan fit un bond en arrière et tira son épée.

En même temps et avec la rapidité de l'éclair, l'inconnu tira la sienne.

– Au nom du ciel, milord ! s'écria Mme Bonacieux en se jetant entre les combattants et prenant les épées à pleines mains.

– Milord ! s'écria d'Artagnan illuminé d'une idée subite, milord ! pardon, monsieur ; mais est-ce que vous seriez...

– Milord duc de Buckingham, dit Mme Bonacieux à demi-voix ; et maintenant vous pouvez nous perdre tous.

– Milord, madame, pardon, cent fois pardon ; mais je l'aimais milord, et j'étais jaloux ; vous savez ce que c'est que d'aimer, milord ; pardonnez-moi, et dites-moi comment je puis me faire tuer pour Votre Grâce.

– Vous êtes un brave jeune homme, dit Buckingham en tendant à d'Artagnan une main que celui-ci serra respectueusement ; vous m'offrez vos services, je les accepte ; suivez-nous à vingt pas jusqu'au Louvre ; et si quelqu'un nous épie, tuez-le !

D'Artagnan mit son épée nue sous son bras, laissa prendre à Mme Bonacieux et au duc vingt pas d'avance et les suivit, prêt à exécuter à la lettre les instructions du noble et élégant ministre de Charles Ier.

Mais heureusement le jeune séide[1] n'eut aucune occasion de donner au duc cette preuve de son dévouement ; et la jeune

1. **Séide :** homme d'un dévouement total.

110 femme et le beau mousquetaire rentrèrent au Louvre par le guichet[1] de l'Échelle sans avoir été inquiétés.

Quant à d'Artagnan, il se rendit aussitôt au cabaret de la *Pomme de pin,* où il trouva Porthos et Aramis qui l'attendaient.

Mais, sans leur donner d'autre explication sur le dérangement 115 qu'il leur avait causé, il leur dit qu'il avait terminé seul l'affaire pour laquelle il avait cru un instant avoir besoin de leur intervention.

Et maintenant, emportés que nous sommes par notre récit, laissons nos trois amis rentrer chacun chez soi, et suivons, dans les 120 détours du Louvre, le duc de Buckingham et son guide.

1. **Guichet :** porte servant de passage pour entrer au Louvre.

Clefs d'analyse

Chapitres VI-XI

Action et personnages

1. Quel caractère Louis XIII affiche-t-il dans le chapitre VI ? De quoi se plaint le souverain ? Que suggère le narrateur lorsqu'il dit que les plaintes du roi sont « une préface, une espèce d'excitation pour s'encourager lui-même » (chap. VI, l. 86-87) ?
2. Relevez les paroles du roi sur le cardinal (chap. VI) : quelles qualités lui reconnaît-il ? Quels reproches implicites contiennent ses propos ?
3. De quelle région viennent les valets des quatre amis ? Comment chacun d'eux est-il traité par son maître ?
4. Qu'apprend-on dans le chapitre VIII sur la reine et sur ses amours ? Montez que l'action s'engage véritablement ici et précisez le rôle de M. Bonacieux.
5. Commentez la conduite de d'Artagnan dans l'épisode de la souricière : quels traits de caractère s'y confirment ?
6. Quel mystère entoure le fin mouchoir trouvé aux pieds de Mme Bonacieux (chap. X) ?
7. Pour quelle raison personnelle d'Artagnan contraint-il Constance Bonacieux et son compagnon à s'arrêter (chap. XI) ? Expliquez le quiproquo. En fait, où se rendent Buckingham et Constance ?
8. Que laisse prévoir la présence de Buckingham à Paris ? Qui vient-il voir ? Pourquoi cette arrivée dans le plus grand secret ?

Langue

9. « Quant à Aramis, dont nous croyons avoir suffisamment exposé le caractère » (chap. VII, l. 92-93) : qui s'exprime ici ? dans quelle intention ? Trouvez, dans le même chapitre, une autre interruption du récit et expliquez l'intérêt de ce type d'interventions.

Genre ou thèmes

10. Quelle énigme entoure Athos ? Relevez dans son portrait les éléments les plus mystérieux (chap. VI). Que devine-t-on pourtant de son passé ?

11. En vous appuyant sur le portrait de Porthos, justifiez la phrase : « Porthos [...] avait un caractère tout opposé à celui d'Athos » (chap. VII, l. 57).
12. Montrez, en les comparant, que les logements des quatre hommes sont révélateurs de leur personnalité (chap. VII).
13. Sur quoi se fonde l'amitié des trois mousquetaires et de d'Artagnan ? De quelle manière s'exprime-t-elle (chap. VIII) ? Expliquez la devise des quatre compagnons : « Tous pour un, un pour tous » (chap. IX, l. 7).
14. Dans le portrait de Constance Bonacieux (chap. X, l. 82-87), relevez les préjugés d'époque. Qu'en pensez-vous ?

Écriture

15. Expliquez le proverbe « Tel maître, tel valet », en vous fondant sur les portraits que brosse Dumas dans le chapitre VII mais également sur votre connaissance des comédies de Molière.
16. Vers quel personnage va votre sympathie à ce stade de votre lecture du roman ? Expliquez vos raisons en vous appuyant sur des éléments précis.

Pour aller plus loin

17. En vous aidant d'Internet et d'un livre d'histoire, faites un exposé sur le règne du roi Louis XIII.

✱ *À retenir*

Alexandre Dumas brosse le **portrait** de ses personnages pour les rendre familiers au lecteur : Louis XIII est **saisi sur le vif** dans une scène où il se plaint de ses conditions de vie ; les mousquetaires d'Artagnan, Athos, Porthos et Aramis sont évoqués **à travers leur physique, leur caractère, leur logement et les relations** qu'ils entretiennent avec leur valet. Constance Bonacieux est décrite à partir du **point de vue de d'Artagnan** dans un portrait chargé de préjugés qui révèlent les valeurs esthétiques et sociales de l'époque.

XII
Georges Villiers[1], duc de Buckingham

Mme Bonacieux et le duc entrèrent au Louvre sans difficulté ; Mme Bonacieux était connue pour appartenir à la reine ; le duc portait l'uniforme des mousquetaires de M. de Tréville, qui, comme nous l'avons dit, était de garde ce soir-là. D'ailleurs Germain 5 était dans les intérêts de la reine[2], et si quelque chose arrivait, Mme Bonacieux serait accusée d'avoir introduit son amant au Louvre, voilà tout ; elle prenait sur elle le crime : sa réputation était perdue, il est vrai, mais de quelle valeur était dans le monde la réputation d'une petite mercière ?

10 Une fois entrés dans l'intérieur de la cour, le duc et la jeune femme suivirent le pied de la muraille pendant l'espace d'environ vingt-cinq pas ; cet espace parcouru, Mme Bonacieux poussa une petite porte de service, ouverte le jour, mais ordinairement fermée la nuit ; la porte céda ; tous deux entrèrent et se trouvèrent dans 15 l'obscurité, mais Mme Bonacieux connaissait tous les tours et détours de cette partie du Louvre, destinée aux gens de la suite[3]. Elle referma les portes derrière elle, prit le duc par la main, fit quelques pas en tâtonnant, saisit une rampe, toucha du pied un degré, et commença de monter un escalier ; le duc compta deux 20 étages. Alors elle prit à droite, suivit un long corridor, redescendit un étage, fit quelques pas encore, introduisit une clef dans une serrure, ouvrit une porte et poussa le duc dans un appartement éclairé seulement par une lampe de nuit, en disant : « Restez ici, milord duc, on va venir. » Puis elle sortit par la même porte, 25 qu'elle ferma à la clef, de sorte que le duc se trouva littéralement prisonnier.

Cependant tout isolé qu'il se trouvait, il faut le dire, le duc de Buckingham n'éprouva pas un instant de crainte ; un des côtés

---

1. **Georges Villiers :** ce personnage est historique (1592-1628). Premier ministre de Charles Ier, il aurait rencontré Anne d'Autriche au printemps 1625 chez la duchesse de Chevreuse.
2. **Dans les intérêts de la reine :** servait les intérêts de la reine.
3. **La suite :** la suite de la reine, c'est-à-dire son escorte habituelle.

saillants[1] de son caractère était la recherche de l'aventure et l'amour du romanesque. Brave, hardi, entreprenant, ce n'était pas la première fois qu'il risquait sa vie dans de pareilles tentatives ; il avait appris que ce prétendu message d'Anne d'Autriche, sur la foi duquel il était venu à Paris, était un piège, et, au lieu de regagner l'Angleterre, il avait, abusant de la position qu'on lui avait faite, déclaré à la reine qu'il ne partirait pas sans l'avoir vue. La reine avait positivement refusé d'abord, puis enfin elle avait craint que le duc, exaspéré, ne fît quelque folie. Déjà elle était décidée à le recevoir et à le supplier de partir aussitôt, lorsque, le soir même de cette décision, Mme Bonacieux, qui était chargée d'aller chercher le duc et de le conduire au Louvre, fut enlevée. Pendant deux jours on ignora complètement ce qu'elle était devenue, et tout resta en suspens. Mais une fois libre, une fois remise en rapport avec La Porte, les choses avaient repris leur cours, et elle venait d'accomplir la périlleuse entreprise que, sans son arrestation, elle eût exécutée trois jours plus tôt.

Buckingham, resté seul, s'approcha d'une glace. Cet habit de mousquetaire lui allait à merveille.

À trente-cinq ans qu'il avait alors, il passait à juste titre pour le plus beau gentilhomme et pour le plus élégant cavalier de France et d'Angleterre.

Favori de deux rois[2], riche à millions, tout-puissant dans un royaume qu'il bouleversait à sa fantaisie et calmait à son caprice, Georges Villiers, duc de Buckingham, avait entrepris une de ces existences fabuleuses qui restent dans le cours des siècles comme un étonnement pour la postérité.

Aussi, sûr de lui-même, convaincu de sa puissance, certain que les lois qui régissent les autres hommes ne pouvaient l'atteindre, allait-il droit au but qu'il s'était fixé, ce but fût-il si élevé et si éblouissant que c'eût été folie pour un autre que de l'envisager seulement. C'est ainsi qu'il était arrivé à s'approcher plusieurs fois de la belle et fière Anne d'Autriche et à s'en faire aimer, à force d'éblouissement.

---

1. **Saillants :** frappants.
2. **Favori de deux rois :** favori de Jacques Ier et ami du prince de Galles, devenu Charles Ier.

Georges Villiers se plaça donc devant une glace, comme nous l'avons dit, rendit à sa belle chevelure blonde les ondulations que le poids de son chapeau lui avait fait perdre, retroussa sa moustache, et le cœur tout gonflé de joie, heureux et fier de toucher au moment qu'il avait si longtemps désiré, se sourit à lui-même d'orgueil et d'espoir.

En ce moment, une porte cachée dans la tapisserie s'ouvrit, et une femme apparut. Buckingham vit cette apparition dans la glace ; il jeta un cri, c'était la reine !

Anne d'Autriche avait alors vingt-six ou vingt-sept ans, c'est-à-dire qu'elle se trouvait dans tout l'éclat de sa beauté.

Sa démarche était celle d'une reine ou d'une déesse ; ses yeux, qui jetaient des reflets d'émeraude, étaient parfaitement beaux, et tout à la fois pleins de douceur et de majesté.

Sa bouche était petite et vermeille, et quoique sa lèvre inférieure, comme celle des princes de la maison d'Autriche, avançât légèrement sur l'autre, elle était éminemment gracieuse dans le sourire, mais aussi profondément dédaigneuse dans le mépris.

Sa peau était citée pour sa douceur et son velouté, sa main et ses bras étaient d'une beauté surprenante, et tous les poètes du temps les chantaient comme incomparables.

Enfin ses cheveux, qui, de blonds qu'ils étaient dans sa jeunesse, étaient devenus châtains, et qu'elle portait frisés, très clairs et avec beaucoup de poudre, encadraient admirablement son visage, auquel le censeur[1] le plus rigide n'eût pu souhaiter qu'un peu moins de rouge, et le statuaire[2] le plus exigeant qu'un peu plus de finesse dans le nez.

Buckingham resta un instant ébloui ; jamais Anne d'Autriche ne lui était apparue aussi belle, au milieu des bals, des fêtes, des carrousels[3], qu'elle lui apparut en ce moment, vêtue d'une simple robe de satin blanc et accompagnée de doña Estefania[4], la seule de

1. **Censeur :** personne chargée par une autorité de contrôler les productions artistiques avant d'en permettre la publication ou la représentation.
2. **Statuaire :** sculpteur qui fait des statues.
3. **Carrousels :** parades où les cavaliers évoluent suivant des figures convenues et le plus souvent en musique.
4. **Doña Estefania :** il faut se souvenir qu'Anne d'Autriche est espagnole.

ses femmes espagnoles qui n'eût pas été chassée par la jalousie du roi et par les persécutions de Richelieu.

Anne d'Autriche fit deux pas en avant ; Buckingham se précipita à ses genoux, et avant que la reine eût pu l'en empêcher, il baisa le bas de sa robe.

– Duc, vous savez déjà que ce n'est pas moi qui vous ai fait écrire.

– Oh ! oui, madame, oui, Votre Majesté, s'écria le duc, je sais que j'ai été un fou, un insensé de croire que la neige s'animerait, que le marbre s'échaufferait ; mais, que voulez-vous, quand on aime, on croit facilement à l'amour ; d'ailleurs je n'ai pas tout perdu à ce voyage, puisque je vous vois.

– Oui, répondit Anne, mais vous savez pourquoi et comment je vous vois, milord. Je vous vois par pitié pour vous-même ; je vous vois parce qu'insensible à toutes mes peines, vous vous êtes obstiné à rester dans une ville où, en restant, vous courez risque de la vie et me faites courir risque de mon honneur ; je vous vois pour vous dire que tout nous sépare, les profondeurs de la mer, l'inimitié[1] des royaumes, la sainteté des serments. Il est sacrilège[2] de lutter contre tant de choses, milord. Je vous vois enfin pour vous dire qu'il ne faut plus nous voir.

– Parlez, madame ; parlez, reine, dit Buckingham ; la douceur de votre voix couvre la dureté de vos paroles. Vous parlez de sacrilège ! Mais le sacrilège est dans la séparation des cœurs que Dieu avait formés l'un pour l'autre.

– Milord, s'écria la reine, vous oubliez que je ne vous ai jamais dit que je vous aimais.

– Mais vous ne m'avez jamais dit non plus que vous ne m'aimiez point ; et vraiment, me dire de semblables paroles, ce serait de la part de Votre Majesté une trop grande ingratitude. Car, dites-moi, où trouvez-vous un amour pareil au mien, un amour que ni le temps, ni l'absence, ni le désespoir ne peuvent éteindre ; un amour qui se contente d'un ruban égaré, d'un regard perdu, d'une parole échappée ?

---

1. **Inimitié :** hostilité.
2. **Il est sacrilège :** cela outrage ce qui est sacré.

« Il y a trois ans, madame, que je vous ai vue pour la première fois, et depuis trois ans je vous aime ainsi.

130 « Voulez-vous que je vous dise comment vous étiez vêtue la première fois que je vous vis ? Voulez-vous que je détaille chacun des ornements de votre toilette ? Tenez, je vous vois encore : vous étiez assise sur des carreaux[1], à la mode d'Espagne ; vous aviez une robe de satin vert avec des broderies d'or et d'argent ; des 135 manches pendantes et renouées sur vos beaux bras, sur ces bras admirables, avec de gros diamants ; vous aviez une fraise[2] fermée, un petit bonnet sur votre tête, de la couleur de votre robe, et sur ce bonnet une plume de héron.

« Oh ! tenez, tenez, je ferme les yeux, et je vous vois telle que 140 vous étiez alors ; je les rouvre, et je vous vois telle que vous êtes maintenant, c'est-à-dire cent fois plus belle encore ! »

– Quelle folie ! murmura Anne d'Autriche, qui n'avait pas le courage d'en vouloir au duc d'avoir si bien conservé son portrait dans son cœur ; quelle folie de nourrir une passion inutile avec de 145 pareils souvenirs !

– Et avec quoi voulez-vous donc que je vive ? Je n'ai que des souvenirs, moi. C'est mon bonheur, mon trésor, mon espérance. Chaque fois que je vous vois, c'est un diamant de plus que je renferme dans l'écrin de mon cœur. Celui-ci est le quatrième que 150 vous laissez tomber et que je ramasse ; car en trois ans, madame, je ne vous ai vue que quatre fois : cette première que je viens de vous dire, la seconde chez Mme de Chevreuse, la troisième dans les jardins d'Amiens.

– Duc, dit la reine en rougissant, ne parlez pas de cette soirée.

155 – Oh ! parlons-en, au contraire, madame, parlons-en : c'est la soirée heureuse et rayonnante de ma vie. Vous rappelez-vous la belle nuit qu'il faisait ? Comme l'air était doux et parfumé, comme le ciel était bleu et tout émaillé d'étoiles ! Ah ! cette fois, madame, j'avais pu être un instant seul avec vous ; cette fois, vous étiez 160 prête à tout me dire : l'isolement de votre vie, les chagrins de votre cœur. Vous étiez appuyée à mon bras, tenez, à celui-ci. Je sentais, en inclinant ma tête à votre côté, vos beaux cheveux effleurer

---

1. **Carreaux :** carreaux de céramique peints à la main.
2. **Fraise :** collerette composée de volants de mousseline ou de dentelle.

mon visage, et chaque fois qu'ils l'effleuraient je frissonnais de la tête aux pieds. Oh ! reine, reine ! Oh ! vous ne savez pas tout ce
165 qu'il y a de félicités[1] du ciel, de joies du paradis enfermées dans un moment pareil. Tenez, mes biens, ma fortune, ma gloire, tout ce qu'il me reste de jours à vivre, pour un pareil instant et pour une semblable nuit ! Car cette nuit-là, madame, cette nuit-là vous m'aimiez, je vous le jure.

170 – Milord, il est possible, oui, que l'influence du lieu, que le charme de cette belle soirée, que la fascination de votre regard, que ces mille circonstances enfin qui se réunissent parfois pour perdre une femme se soient groupées autour de moi dans cette fatale soirée ; mais vous l'avez vu, milord, la reine est venue au
175 secours de la femme qui faiblissait : au premier mot que vous avez osé dire, à la première hardiesse à laquelle j'ai eu à répondre, j'ai appelé.

– Oh ! oui, oui, cela est vrai, et un autre amour que le mien aurait succombé à cette épreuve ; mais mon amour, à moi, en est
180 sorti plus ardent et plus éternel. Vous avez cru me fuir en revenant à Paris, vous avez cru que je n'oserais quitter le trésor sur lequel mon maître m'avait chargé de veiller[2]. Ah ! que m'importe à moi tous les trésors du monde et tous les rois de la terre ! Huit jours après, j'étais de retour, madame. Cette fois, vous n'avez rien eu
185 à me dire ; j'avais risqué ma faveur, ma vie, pour vous voir une seconde, je n'ai pas même touché votre main, et vous m'avez pardonné en me voyant si soumis et si repentant.

– Oui, mais la calomnie s'est emparée de toutes ces folies dans lesquelles je n'étais pour rien, vous le savez bien, milord. Le roi,
190 excité par M. le cardinal, a fait un éclat terrible : Mme de Vernet a été chassée, Putange exilé, Mme de Chevreuse est tombée en défaveur, et lorsque vous avez voulu revenir comme ambassadeur en France, le roi lui-même, souvenez-vous-en, milord, le roi lui-même s'y est opposé.

195 – Oui, et la France va payer d'une guerre le refus de son roi. Je ne puis plus vous voir, madame ; eh bien ! je veux chaque jour que vous entendiez parler de moi.

1. **Félicités :** bonheurs.
2. **Veiller :** surveiller.

« Quel but pensez-vous qu'aient eu cette expédition de Ré et cette ligue avec les protestants de La Rochelle que je projette ? Le 200 plaisir de vous voir !

« Je n'ai pas l'espoir de pénétrer à main armée jusqu'à Paris, je le sais bien ; mais cette guerre pourra amener une paix, cette paix nécessitera un négociateur, ce négociateur ce sera moi. On n'osera plus me refuser alors, et je reviendrai à Paris, et je vous reverrai, 205 et je serai heureux un instant. Des milliers d'hommes, il est vrai, auront payé mon bonheur de leur vie ; mais que m'importera, à moi, pourvu que je vous revoie ! Tout cela est peut-être bien fou, peut-être bien insensé ; mais, dites-moi, quelle femme a un amant plus amoureux ? Quelle reine a eu un serviteur plus ardent ?

210 – Milord, milord, vous invoquez pour votre défense des choses qui vous accusent encore ; milord, toutes ces preuves d'amour que vous voulez me donner sont presque des crimes.

– Parce que vous ne m'aimez pas, madame ; si vous m'aimiez, vous verriez tout cela autrement ; si vous m'aimiez, oh ! mais 215 si vous m'aimiez, ce serait trop de bonheur et je deviendrais fou. Ah ! Mme de Chevreuse, dont vous parliez tout à l'heure, Mme de Chevreuse a été moins cruelle que vous ; Holland l'a aimée, et elle a répondu à son amour.

– Mme de Chevreuse n'était pas reine, murmura Anne d'Au- 220 triche, vaincue malgré elle par l'expression d'un amour si profond.

[...]

– Oh ! que vous êtes belle ainsi ! Oh ! que je vous aime ! dit Buckingham.

– Partez ! partez ! je vous en supplie, et revenez plus tard ; 225 revenez comme ambassadeur, revenez comme ministre, revenez entouré de gardes qui vous défendront, de serviteurs qui veilleront sur vous, et alors je ne craindrai plus pour vos jours, et j'aurai du bonheur à vous revoir.

– Oh ! est-ce bien vrai ce que vous me dites ?

230 – Oui…

– Eh bien ! un gage de votre indulgence, un objet qui vienne de vous et qui me rappelle que je n'ai point fait un rêve ; quelque chose que vous ayez porté et que je puisse porter à mon tour, une bague, un collier, une chaîne.

235 – Et partirez-vous, partirez-vous, si je vous donne ce que vous me demandez ?

– Oui.

– À l'instant même ?

– Oui.

240 – Vous quitterez la France, vous retournerez en Angleterre ?

– Oui, je vous le jure !

– Attendez, alors, attendez.

Et Anne d'Autriche rentra dans son appartement et en sortit presque aussitôt, tenant à la main un petit coffret en bois de rose[1] 245 à son chiffre, tout incrusté d'or.

– Tenez, milord duc, tenez, dit-elle, gardez cela en mémoire de moi.

Buckingham prit le coffret et tomba une seconde fois à genoux.

– Vous m'avez promis de partir, dit la reine.

250 – Et je tiens ma parole. Votre main, votre main, madame, et je pars.

Anne d'Autriche tendit sa main en fermant les yeux et en s'appuyant de l'autre sur Estefania, car elle sentait que les forces allaient lui manquer.

255 Buckingham appuya avec passion ses lèvres sur cette belle main, puis se relevant :

– Avant six mois, dit-il, si je ne suis pas mort, je vous aurai revue, madame, dussé-je[2] bouleverser le monde pour cela.

Et fidèle à la promesse qu'il avait faite, il s'élança hors de 260 l'appartement.

Dans le corridor, il rencontra Mme Bonacieux qui l'attendait, et qui, avec les mêmes précautions et le même bonheur, le reconduisit hors du Louvre.

---

1. **Bois de rose :** bois précieux extrait d'un arbre du Brésil qui sent la rose.
2. **Dussé-je :** même si je devais.

XIII
Monsieur Bonacieux

M. Bonacieux, conduit à la Bastille après son arrestation, est accusé de haute trahison. Mis en présence d'Athos, également arrêté, il détrompe le commissaire : le prisonnier n'est pas d'Artagnan. Les deux hommes regagnent leur cachot. Dans la nuit, M. Bonacieux est emmené vers une destination inconnue.

XIV
L'homme de Meung

M. Bonacieux, arrivé à destination, est introduit dans une chambre où on l'attend.

C'était un grand cabinet, aux murailles garnies d'armes offensives et défensives, clos et étouffé, et dans lequel il y avait déjà du feu, quoique l'on fût à peine à la fin du mois de septembre. Une table carrée, couverte de livres et de papiers sur lesquels était déroulé un plan immense de la ville de La Rochelle, tenait le milieu de l'appartement.

Debout devant la cheminée était un homme de moyenne taille, à la mine haute et fière, aux yeux perçants, au front large, à la figure amaigrie qu'allongeait encore une royale[1] surmontée d'une paire de moustaches. Quoique cet homme eût trente-six à trente-sept ans à peine, cheveux, moustache et royale s'en allaient grisonnant. Cet homme, moins l'épée, avait toute la mine d'un homme de guerre, et ses bottes de buffle encore légèrement couvertes de poussière indiquaient qu'il avait monté à cheval dans la journée.

Cet homme, c'était Armand-Jean Duplessis, cardinal de Richelieu, non point tel qu'on nous le représente, cassé comme un vieillard, souffrant comme un martyr, le corps brisé, la voix éteinte,

1. **Royale :** petite touffe de barbe sous la lèvre inférieure.

enterré dans un grand fauteuil comme dans une tombe anticipée, ne vivant plus que par la force de son génie, et ne soutenant plus la lutte avec l'Europe que par l'éternelle application de sa pensée ; mais tel qu'il était réellement à cette époque, c'est-à-dire adroit et galant cavalier, faible de corps déjà, mais soutenu par cette puissance morale qui a fait de lui un des hommes les plus extraordinaires qui aient existé ; se préparant enfin, après avoir soutenu le duc de Nevers dans son duché de Mantoue, après avoir pris Nîmes, Castres et Uzès, à chasser les Anglais de l'île de Ré et à faire le siège de La Rochelle.

À la première vue, rien ne dénotait[1] donc le cardinal, et il était impossible à ceux-là qui ne connaissaient point son visage de deviner devant qui ils se trouvaient.

Le pauvre mercier demeura debout à la porte, tandis que les yeux du personnage que nous venons de décrire se fixaient sur lui et semblaient vouloir pénétrer jusqu'au fond du passé.

– C'est là ce Bonacieux ? demanda-t-il après un moment de silence.

– Oui, monseigneur, reprit l'officier.

– C'est bien, donnez-moi ces papiers et laissez-nous.

L'officier prit sur la table les papiers désignés, les remit à celui qui les demandait, s'inclina jusqu'à terre, et sortit.

Bonacieux reconnut dans ces papiers ses interrogatoires de la Bastille[2]. De temps en temps, l'homme de la cheminée levait les yeux de dessus les écritures, et les plongeait comme deux poignards jusqu'au fond du cœur du pauvre mercier.

Au bout de dix minutes de lecture et dix secondes d'examen, le cardinal était fixé.

« Cette tête-là n'a jamais conspiré, murmura-t-il ; mais n'importe, voyons toujours. »

– Vous êtes accusé de haute trahison, dit lentement le cardinal.

– C'est ce qu'on m'a déjà appris, monseigneur, s'écria Bonacieux, donnant à son interrogateur le titre qu'il avait entendu l'officier lui donner ; mais je vous jure que je n'en savais rien.

---

1. **Dénotait :** révélait.
2. **La Bastille :** la prison de la Bastille, une prison d'État, où Bonacieux a été conduit (voir le résumé du chapitre XIII, p. 89). Forteresse construite en 1656.

Le cardinal réprima un sourire.

55 – Vous avez conspiré avec votre femme, avec Mme de Chevreuse et avec milord duc de Buckingham.

– En effet, monseigneur, répondit le mercier, je l'ai entendue prononcer tous ces noms-là.

– Et à quelle occasion ?

60 – Elle disait que le cardinal de Richelieu avait attiré le duc de Buckingham à Paris pour le perdre et pour perdre la reine avec lui.

– Elle disait cela ? s'écria le cardinal avec violence.

– Oui, monseigneur ; mais moi je lui ai dit qu'elle avait tort de tenir de pareils propos, et que Son Éminence était incapable…

65 – Taisez-vous, vous êtes un imbécile, reprit le cardinal.

– C'est justement ce que ma femme m'a répondu, monseigneur.

– Savez-vous qui a enlevé votre femme ?

– Non, monseigneur.

– Vous avez des soupçons, cependant ?

70 – Oui, monseigneur ; mais ces soupçons ont paru contrarier M. le commissaire, et je ne les ai plus.

– Votre femme s'est échappée, le saviez-vous ?

– Non, monseigneur, je l'ai appris depuis que je suis en prison, et toujours par l'entremise de M. le commissaire, un homme bien 75 aimable !

Le cardinal réprima un second sourire.

– Alors vous ignorez ce que votre femme est devenue depuis sa fuite ?

– Absolument, monseigneur ; mais elle a dû rentrer au Louvre.

80 – À une heure du matin elle n'y était pas rentrée encore.

– Ah ! mon Dieu ! mais qu'est-elle devenue alors ?

– On le saura, soyez tranquille ; on ne cache rien au cardinal ; le cardinal sait tout.

– En ce cas, monseigneur, est-ce que vous croyez que le cardinal 85 consentira à me dire ce qu'est devenue ma femme ?

– Peut-être ; mais il faut d'abord que vous avouiez tout ce que vous savez relativement aux relations de votre femme avec Mme de Chevreuse.

– Mais, monseigneur, je n'en sais rien ; je ne l'ai jamais vue.

90 – Quand vous alliez chercher votre femme au Louvre, revenait-elle directement chez vous ?

– Presque jamais : elle avait affaire à des marchands de toile, chez lesquels je la conduisais.

– Et combien y en avait-il de marchands de toile ?

95 – Deux, monseigneur.

– Où demeurent-ils ?

– Un, rue de Vaugirard ; l'autre, rue de la Harpe.

– Entriez-vous chez eux avec elle ?

– Jamais, monseigneur ; je l'attendais à la porte.

100 – Et quel prétexte vous donnait-elle pour entrer ainsi toute seule ?

– Elle ne m'en donnait pas ; elle me disait d'attendre, et j'attendais.

– Vous êtes un mari complaisant, mon cher monsieur 105 Bonacieux ! dit le cardinal.

– Il m'appelle son cher monsieur ! dit en lui-même le mercier. Peste ! les affaires vont bien !

– Reconnaîtriez-vous ces portes ?

– Oui.

110 – Savez-vous les numéros[1] ?

– Oui.

– Quels sont-ils ?

– Numéro 25, dans la rue de Vaugirard ; numéro 75, dans la rue de la Harpe.

115 – C'est bien, dit le cardinal.

À ces mots, il prit une sonnette d'argent, et sonna ; l'officier rentra.

– Allez, dit-il à demi-voix, me chercher Rochefort ; et qu'il vienne à l'instant même, s'il est rentré.

120 – Le comte est là, dit l'officier, il demande instamment à parler à Votre Éminence !

– À Votre Éminence ! murmura Bonacieux, qui savait que tel était le titre qu'on donnait d'ordinaire à M. le cardinal,... à Votre Éminence !

---

1. **Les numéros :** anachronisme ; les numéros sur les maisons ne se généraliseront qu'au XIXe siècle.

125 – Qu'il vienne alors, qu'il vienne ! dit vivement Richelieu.

L'officier s'élança hors de l'appartement, avec cette rapidité que mettaient d'ordinaire tous les serviteurs du cardinal à lui obéir.

– À Votre Éminence ! murmurait Bonacieux en roulant des yeux égarés.

130 Cinq secondes ne s'étaient pas écoulées depuis la disparition de l'officier, que la porte s'ouvrit et qu'un nouveau personnage entra.

– C'est lui ! s'écria Bonacieux.

– Qui lui ? demanda le cardinal.

– Celui qui m'a enlevé ma femme.

135 Le cardinal sonna une seconde fois. L'officier reparut.

– Remettez cet homme aux mains de ses deux gardes, et qu'il attende que je le rappelle devant moi.

– Non, monseigneur ! non, ce n'est pas lui ! s'écria Bonacieux ; non, je m'étais trompé, c'est un autre qui ne lui ressemble pas du 140 tout ! Monsieur est un honnête homme.

– Emmenez cet imbécile ! dit le cardinal.

L'officier prit Bonacieux sous le bras, et le reconduisit dans l'antichambre où il trouva ses deux gardes.

Le nouveau personnage qu'on venait d'introduire suivit des 145 yeux avec impatience Bonacieux jusqu'à ce qu'il fût sorti, et dès que la porte se fut refermée sur lui :

– Ils se sont vus, dit-il en s'approchant vivement du cardinal.

– Qui ? demanda Son Éminence.

– Elle et lui.

150 – La reine et le duc ? s'écria Richelieu.

– Oui.

– Et où cela ?

– Au Louvre.

– Vous en êtes sûr ?

155 – Parfaitement sûr.

– Qui vous l'a dit ?

– Mme de Lannoy[1], qui est toute à Votre Éminence, comme vous le savez.

– Pourquoi ne l'a-t-elle pas dit plus tôt ?

---

1. **Mme de Lannoy :** dame d'atours de la reine et agent du cardinal.

160 – Soit hasard, soit défiance, la reine a fait coucher Mme de Fargis dans sa chambre, et l'a gardée toute la journée.

– C'est bien, nous sommes battus. Tâchons de prendre notre revanche.

– Je vous y aiderai de toute mon âme, monseigneur, soyez 165 tranquille.

– Comment cela s'est-il passé ?

– À minuit et demie, la reine était avec ses femmes...

– Où cela ?

– Dans sa chambre à coucher...

170 – Bien.

– Lorsqu'on est venu lui remettre un mouchoir de la part de sa dame de lingerie...

– Après ?

– Aussitôt la reine a manifesté une grande émotion, et, malgré le 175 rouge dont elle avait le visage couvert, elle a pâli.

– Après ! après !

– Cependant, elle s'est levée, et d'une voix altérée[1] : « Mesdames, a-t-elle dit, attendez-moi dix minutes, puis je reviens. » Et elle a ouvert la porte de son alcôve[2], puis elle est sortie.

180 – Pourquoi Mme de Lannoy n'est-elle pas venue vous prévenir à l'instant même ?

– Rien n'était bien certain encore ; d'ailleurs, la reine avait dit : « Mesdames, attendez-moi » ; et elle n'osait désobéir à la reine.

– Et combien de temps la reine est-elle restée hors de la 185 chambre ?

– Trois quarts d'heure.

– Aucune de ses femmes ne l'accompagnait ?

– Doña Estefania seulement.

– Et elle est rentrée ensuite ?

190 – Oui, mais pour prendre un petit coffret de bois de rose à son chiffre, et sortir aussitôt.

– Et quand elle est rentrée, plus tard, a-t-elle rapporté le coffret ?

– Non.

– Mme de Lannoy savait-elle ce qu'il y avait dans ce coffret ?

---

1. **Altérée :** affaiblie.
2. **Alcôve :** dans une chambre, renfoncement où l'on place le lit.

195 – Oui : les ferrets[1] en diamants que Sa Majesté a donnés à la reine.

– Et elle est rentrée sans ce coffret ?

– Oui.

– L'opinion de Mme de Lannoy est qu'elle les a remis alors à 200 Buckingham ?

– Elle en est sûre.

– Comment cela ?

– Pendant la journée, Mme de Lannoy, en sa qualité de dame d'atours de la reine, a cherché ce coffret, a paru inquiète de ne pas 205 le trouver et a fini par en demander des nouvelles à la reine.

– Et alors, la reine... ?

– La reine est devenue fort rouge et a répondu qu'ayant brisé la veille un de ses ferrets, elle l'avait envoyé raccommoder chez son orfèvre.

210 – Il faut y passer et s'assurer si la chose est vraie ou non.

– J'y suis passé.

– Eh bien ! l'orfèvre ?

– L'orfèvre n'a entendu parler de rien.

– Bien ! bien ! Rochefort, tout n'est pas perdu, et peut-être... 215 peut-être tout est-il pour le mieux !

– Le fait est que je ne doute pas que le génie de Votre Éminence...

– Ne répare les bêtises de mon agent, n'est-ce pas ?

– C'est justement ce que j'allais dire, si Votre Éminence m'avait 220 laissé achever ma phrase.

– Maintenant, savez-vous où se cachaient la duchesse de Chevreuse et le duc de Buckingham ?

– Non, monseigneur, mes gens n'ont pu rien me dire de positif là-dessus.

225 – Je le sais, moi.

– Vous, monseigneur ?

– Oui, ou du moins je m'en doute. Ils se tenaient, l'un rue de Vaugirard, numéro 25, et l'autre rue de la Harpe, numéro 75.

– Votre Éminence veut-elle que je les fasse arrêter tous deux ?

230 – Il sera trop tard, ils seront partis.

1. **Ferrets :** petits objets de métal ornés de diamants.

– N'importe, on peut s'en assurer.

– Prenez dix hommes de mes gardes, et fouillez les deux maisons.

– J'y vais, monseigneur.

235 Et Rochefort s'élança hors de l'appartement.

Le cardinal fait entrer M. Bonacieux dont il veut s'attacher les services : le mercier, qui sera chargé d'espionner sa femme, s'en va au cri de « Vive le grand cardinal ! » Puis Rochefort vient confirmer à Richelieu le passage, à Paris, du duc de Buckingham et de la 240 *duchesse de Chevreuse. La reine, quant à elle, doit continuer d'ignorer que son secret est connu de ses ennemis. Enfin Richelieu adresse un message à Milady :*

« Milady,

Trouvez-vous au premier bal où se trouvera le duc de 245 Buckingham. Il aura à son pourpoint douze ferrets de diamants, approchez-vous de lui et coupez-en deux.

Aussitôt que ces ferrets seront en votre possession, prévenez-moi. »

XV
Gens de robe et gens d'épée

M. de Tréville plaide la cause d'Athos auprès du roi et du cardinal. Il obtient la libération du mousquetaire. Sitôt M. de Tréville sorti, Richelieu informe Louis XIII : « Sire, M. de Buckingham était à Paris depuis cinq jours et n'en est parti que ce matin. »

XVI
Où M. le Garde des sceaux Séguier chercha plus d'une fois la cloche pour la sonner, comme il le faisait autrefois

Richelieu donne des détails supplémentaires au roi : la reine pleure en cachette et elle écrit des lettres. Le roi, persuadé qu'Anne d'Autriche aime Buckingham et qu'elle correspond avec lui, ordonne de faire venir Séguier, le garde des Sceaux, qui aura la mission officielle de récupérer les lettres. Il entre chez la reine.

Et Louis XIII, ouvrant la porte de communication, s'engagea dans le corridor qui conduisait de chez lui chez Anne d'Autriche.

La reine était au milieu de ses femmes, Mme de Guitaut, Mme de Sablé, Mme de Montbazon et Mme de Guéménée. Dans un coin était cette camériste[1] espagnole, doña Estefania, qui l'avait suivie de Madrid. Mme de Guéménée faisait la lecture, et tout le monde écoutait avec attention la lectrice, à l'exception de la reine, qui, au contraire, avait provoqué cette lecture afin de pouvoir, tout en feignant d'écouter, suivre le fil de ses propres pensées.

Ces pensées, toutes dorées qu'elles étaient par un dernier reflet d'amour, n'en étaient pas moins tristes. Anne d'Autriche, privée de la confiance de son mari, poursuivie par la haine du cardinal, qui ne pouvait lui pardonner d'avoir repoussé un sentiment plus doux, ayant sous les yeux l'exemple de la reine mère, que cette haine avait tourmentée toute sa vie – quoique Marie de Médicis, s'il faut en croire les Mémoires du temps, eût commencé par accorder au cardinal le sentiment qu'Anne d'Autriche finit toujours par lui refuser – Anne d'Autriche avait vu tomber autour d'elle ses serviteurs les plus dévoués, ses confidents les plus intimes, ses favoris les plus chers. Comme ces malheureux doués d'un don funeste, elle portait malheur à tout ce qu'elle touchait ; son amitié était un signe fatal qui appelait la persécution. Mme de Chevreuse et

1. **Camériste :** femme de chambre d'une dame de qualité.

Mme de Vernet étaient exilées ; enfin La Porte ne cachait pas à sa maîtresse qu'il s'attendait à être arrêté d'un instant à l'autre.

30 C'est au moment où elle était plongée au plus profond et au plus sombre de ces réflexions que la porte de la chambre s'ouvrit et que le roi entra.

La lectrice se tut à l'instant même, toutes les dames se levèrent, et il se fit un profond silence.

35 Quant au roi, il ne fit aucune démonstration de politesse ; seulement, s'arrêtant devant la reine :

– Madame, dit-il d'une voix altérée, vous allez recevoir la visite de M. le chancelier[1], qui vous communiquera certaines affaires dont je l'ai chargé.

40 La malheureuse reine, qu'on menaçait sans cesse de divorce, d'exil et de jugement même, pâlit sous son rouge et ne put s'empêcher de dire :

– Mais pourquoi cette visite, sire ? Que me dira M. le chancelier que Votre Majesté ne puisse me dire elle-même ?

45 Le roi tourna sur ses talons sans répondre, et presque au même instant le capitaine des gardes, M. de Guitaut, annonça la visite de M. le chancelier.

Le chancelier Séguier annonce à la reine qu'il doit récupérer la lettre qu'elle a écrite, le jour même. La reine, après quelques résis-
50 *tances et protestations, lui remet le document.*

Le chancelier alla porter la lettre au roi sans en avoir lu un seul mot. Le roi la prit d'une main tremblante, chercha l'adresse, qui manquait, devint très pâle, l'ouvrit lentement, puis, voyant par les premiers mots qu'elle était adressée au roi d'Espagne[2], il lut très
55 rapidement.

C'était tout un plan d'attaque contre le cardinal. La reine invitait son frère et l'empereur d'Autriche à faire semblant, blessés qu'ils étaient par la politique de Richelieu, dont l'éternelle préoccupation fut l'abaissement de la maison d'Autriche, de déclarer la guerre à

1. **M. le chancelier :** il s'agit de Séguier, garde des Sceaux puis chancelier (ministre chargé de l'administration et de la justice) de Louis XIII.
2. **Roi d'Espagne :** Anne d'Autriche est la fille du roi d'Espagne, Philippe III.

60 la France et d'imposer comme condition de la paix le renvoi du cardinal ; mais d'amour, il n'y en avait pas un seul mot dans toute cette lettre.

Le roi, tout joyeux, s'informa si le cardinal était encore au Louvre. On lui dit que Son Éminence attendait, dans le cabinet de 65 travail, les ordres de Sa Majesté.

Le roi se rendit aussitôt près de lui.

– Tenez, duc, lui dit-il, vous aviez raison, et c'est moi qui avais tort ; toute l'intrigue est politique, et il n'était aucunement question d'amour dans cette lettre, que voici. En échange, il y est fort 70 question de vous.

Le cardinal prit la lettre et la lut avec la plus grande attention ; puis, lorsqu'il fut arrivé au bout, il la relut une seconde fois.

– Eh bien ! Votre Majesté, dit-il, vous voyez jusqu'où vont mes ennemis : on vous menace de deux guerres, si vous ne me ren-75 voyez pas. À votre place, en vérité, sire, je céderais à de si puissantes instances[1], et ce serait de mon côté avec un véritable honneur que je me retirerais des affaires.

– Que dites-vous là, duc ?

– Je dis, sire, que ma santé se perd dans ces luttes excessives 80 et dans ces travaux éternels. Je dis que, selon toute probabilité, je ne pourrai pas soutenir les fatigues du siège de La Rochelle, et que mieux vaut que vous nommiez là ou M. de Condé, ou M. de Bassompierre, ou enfin quelque vaillant homme dont c'est l'état de mener la guerre, et non pas moi qui suis homme d'Église et qu'on 85 détourne sans cesse de ma vocation pour m'appliquer à des choses auxquelles je n'ai aucune aptitude. Vous en serez plus heureux à l'intérieur[2], sire, et je ne doute pas que vous n'en soyez plus grand à l'étranger.

– Monsieur le duc, dit le roi, je comprends, soyez tranquille ; 90 tous ceux qui sont nommés dans cette lettre seront punis comme ils le méritent, et la reine elle-même.

– Que dites-vous là, sire ? Dieu me garde que, pour moi, la reine éprouve la moindre contrariété ! Elle m'a toujours cru son ennemi, sire, quoique Votre Majesté puisse attester que j'ai toujours pris

1. **Instances :** sollicitations, pressions.
2. **Vous en serez plus heureux à l'intérieur :** on vous en saura gré en France.

95 chaudement son parti, même contre vous. Oh ! si elle trahissait Votre Majesté à l'endroit de son honneur, ce serait autre chose, et je serais le premier à dire : « Pas de grâce, sire, pas de grâce pour la coupable ! » Heureusement il n'en est rien, et Votre Majesté vient d'en acquérir une nouvelle preuve.

100 – C'est vrai, monsieur le cardinal, dit le roi, et vous aviez raison, comme toujours ; mais la reine n'en mérite pas moins toute ma colère.

– C'est vous, sire, qui avez encouru[1] la sienne ; et véritablement, quand elle bouderait sérieusement Votre Majesté, je la compren-
105 drais ; Votre Majesté l'a traitée avec une sévérité !...

– C'est ainsi que je traiterai toujours mes ennemis et les vôtres, duc, si haut placés qu'ils soient et quelque péril que je coure à agir sévèrement avec eux.

– La reine est mon ennemie, mais n'est pas la vôtre, sire ; au
110 contraire, elle est épouse dévouée, soumise et irréprochable ; laissez-moi donc, sire, intercéder[2] pour elle près de Votre Majesté.

– Qu'elle s'humilie alors, et qu'elle revienne à moi la première !

– Au contraire, sire, donnez l'exemple ; vous avez eu le premier tort, puisque c'est vous qui avez soupçonné la reine.

115 – Moi, revenir le premier ? dit le roi ; jamais !

– Sire, je vous en supplie.

– D'ailleurs, comment reviendrais-je le premier ?

– En faisant une chose que vous sauriez lui être agréable.

– Laquelle ?

120 – Donnez un bal ; vous savez combien la reine aime la danse ; je vous réponds que sa rancune ne tiendra point à une pareille attention.

– Monsieur le cardinal, vous savez que je n'aime pas tous les plaisirs mondains.

125 – La reine ne vous en sera que plus reconnaissante, puisqu'elle sait votre antipathie[3] pour ce plaisir ; d'ailleurs ce sera une occasion pour elle de mettre ces beaux ferrets de diamants que vous

---

1. **Avez encouru :** du verbe « encourir », s'exposer à.
2. **Intercéder :** intervenir, plaider en la faveur de quelqu'un.
3. **Antipathie :** dégoût, aversion.

lui avez donnés l'autre jour à sa fête, et dont elle n'a pas encore eu le temps de se parer.

– Nous verrons, monsieur le cardinal, nous verrons, dit le roi, qui, dans sa joie de trouver la reine coupable d'un crime dont il se souciait peu, et innocente d'une faute qu'il redoutait fort, était tout prêt à se raccommoder avec elle ; nous verrons, mais, sur mon honneur, vous êtes trop indulgent.

– Sire, dit le cardinal, laissez la sévérité aux ministres, l'indulgence est la vertu royale ; usez-en, et vous verrez que vous vous en trouverez bien.

Sur quoi le cardinal, entendant la pendule sonner onze heures, s'inclina profondément, demandant congé au roi pour se retirer, et le suppliant de se raccommoder avec la reine.

Anne d'Autriche, qui, à la suite de la saisie de sa lettre, s'attendait à quelque reproche, fut fort étonnée de voir le lendemain le roi faire près d'elle des tentatives de rapprochement. Son premier mouvement fut répulsif[1], son orgueil de femme et sa dignité de reine avaient été tous deux si cruellement offensés qu'elle ne pouvait revenir ainsi du premier coup ; mais, vaincue par le conseil de ses femmes, elle eut enfin l'air de commencer à oublier. Le roi profita de ce premier moment de retour pour lui dire qu'incessamment il comptait donner une fête.

C'était une chose si rare qu'une fête pour la pauvre Anne d'Autriche qu'à cette annonce, ainsi que l'avait pensé le cardinal, la dernière trace de ses ressentiments disparut sinon dans son cœur, du moins sur son visage. Elle demanda quel jour cette fête devait avoir lieu, mais le roi répondit qu'il fallait qu'il s'entendît sur ce point avec le cardinal.

En effet, chaque jour le roi demandait au cardinal à quelle époque cette fête aurait lieu, et chaque jour le cardinal, sous un prétexte quelconque, différait de la fixer.

Dix jours s'écoulèrent ainsi.

Le huitième jour après la scène que nous avons racontée, le cardinal reçut une lettre, au timbre de Londres, qui contenait seulement ces quelques lignes :

---

1. **Répulsif :** qui rejette avec horreur.

« Je les ai ; mais je ne puis quitter Londres, attendu que je manque d'argent ; envoyez-moi cinq cents pistoles, et quatre ou
165 cinq jours après les avoir reçues, je serai à Paris. »

Le jour même où le cardinal avait reçu cette lettre, le roi lui adressa sa question habituelle.

Richelieu compta sur ses doigts et se dit tout bas :

– Elle arrivera, dit-elle, quatre ou cinq jours après avoir reçu
170 l'argent ; il faut quatre ou cinq jours à l'argent pour aller, quatre ou cinq jours à elle pour revenir, cela fait dix jours ; maintenant faisons la part des vents contraires, des mauvais hasards, des faiblesses de femme, et mettons cela à douze jours.

– Eh bien ! monsieur le duc, dit le roi, vous avez calculé ?

175 – Oui, sire : nous sommes aujourd'hui le 20 septembre ; les échevins[1] de la ville donnent une fête le 3 octobre. Cela s'arrangera à merveille, car vous n'aurez pas l'air de faire un retour vers la reine.

Puis le cardinal ajouta :

180 – À propos, sire, n'oubliez pas de dire à Sa Majesté, la veille de cette fête, que vous désirez voir comment lui vont ses ferrets de diamants.

XVII
Le ménage Bonacieux

C'était la seconde fois que le cardinal revenait sur ce point des ferrets de diamants avec le roi. Louis XIII fut donc frappé de cette insistance, et pensa que cette recommandation cachait un mystère.

Plus d'une fois le roi avait été humilié que le cardinal – dont
5 la police, sans avoir atteint encore la perfection de la police moderne[2], était excellente – fût mieux instruit que lui-même de ce qui se passait dans son propre ménage. Il espéra donc, dans une conversation avec Anne d'Autriche, tirer quelque lumière de cette conversation et revenir ensuite près de Son Éminence avec

---

1. **Échevins :** sous l'Ancien Régime, magistrats municipaux.
2. **Moderne :** c'est-à-dire du XIXe siècle.

10 quelque secret que le cardinal sût ou ne sût pas, ce qui, dans l'un ou l'autre cas, le rehaussait infiniment aux yeux de son ministre.

Il alla donc trouver la reine, et, selon son habitude, l'aborda avec de nouvelles menaces contre ceux qui l'entouraient. Anne d'Autriche baissa la tête, laissa s'écouler le torrent sans répondre 15 en espérant qu'il finirait par s'arrêter ; mais ce n'était pas cela que voulait Louis XIII ; Louis XIII voulait une discussion de laquelle jaillît une lumière quelconque, convaincu qu'il était que le cardinal avait quelque arrière-pensée et lui machinait une surprise terrible comme en savait faire Son Éminence. Il arriva à ce but par 20 sa persistance à accuser.

– Mais, s'écria Anne d'Autriche, lassée de ces vagues attaques ; mais, sire, vous ne me dites pas tout ce que vous avez dans le cœur. Qu'ai-je donc fait ? Voyons, quel crime ai-je donc commis ? Il est impossible que Votre Majesté fasse tout ce bruit pour une lettre 25 écrite à mon frère.

Le roi, attaqué à son tour d'une manière si directe, ne sut que répondre ; il pensa que c'était là le moment de placer la recommandation qu'il ne devait faire que la veille de la fête.

– Madame, dit-il avec majesté, il y aura incessamment bal à 30 l'Hôtel de Ville ; j'entends que, pour faire honneur à nos braves échevins, vous y paraissiez en habit de cérémonie, et surtout parée des ferrets de diamants que je vous ai donnés pour votre fête. Voici ma réponse.

La réponse était terrible. Anne d'Autriche crut que Louis XIII 35 savait tout, et que le cardinal avait obtenu de lui cette longue dissimulation de sept ou huit jours, qui était au reste dans son caractère. Elle devint excessivement pâle, appuya sur une console[1] sa main d'une admirable beauté, et qui semblait alors une main de cire, et, regardant le roi avec des yeux épouvantés, elle ne répondit 40 pas une seule syllabe.

– Vous entendez, madame, dit le roi, qui jouissait de cet embarras dans toute son étendue, mais sans en deviner la cause, vous entendez ?

– Oui, sire, j'entends, balbutia la reine.

45 – Vous paraîtrez à ce bal ?

---

1. **Console :** table accolée à un mur, à deux ou quatre pieds.

– Oui.

– Avec vos ferrets ?

– Oui.

La pâleur de la reine augmenta encore, s'il était possible ; le roi s'en aperçut, et en jouit avec cette froide cruauté qui était un des mauvais côtés de son caractère.

– Alors, c'est convenu, dit le roi, et voilà tout ce que j'avais à vous dire.

– Mais quel jour ce bal aura-t-il lieu ? demanda Anne d'Autriche.

Louis XIII sentit instinctivement qu'il ne devait pas répondre à cette question, la reine l'ayant faite d'une voix presque mourante.

– Mais très incessamment, madame, dit-il ; mais je ne me rappelle plus précisément la date du jour, je la demanderai au cardinal.

– C'est donc le cardinal qui vous a annoncé cette fête ? s'écria la reine.

– Oui, madame, répondit le roi étonné ; mais pourquoi cela ?

– C'est lui qui vous a dit de m'inviter à paraître avec ces ferrets ?

– C'est-à-dire, madame...

– C'est lui, sire, c'est lui !

– Eh bien ! qu'importe que ce soit lui ou moi ? Y a-t-il un crime à cette invitation ?

– Non, sire.

– Alors vous paraîtrez ?

– Oui, sire.

– C'est bien, dit le roi en se retirant, c'est bien, j'y compte.

La reine fit une révérence, moins par étiquette[1] que parce que ses genoux se dérobaient sous elle.

Le roi partit enchanté.

– Je suis perdue, murmura la reine, perdue, car le cardinal sait tout, et c'est lui qui pousse le roi, qui ne sait rien encore, mais qui saura tout bientôt. Je suis perdue ! Mon Dieu ! mon Dieu ! mon Dieu !

Elle s'agenouilla sur un coussin et pria, la tête enfoncée entre ses bras palpitants.

---

1. **Étiquette :** protocole. Selon le cérémonial de la cour, la reine doit faire la révérence devant le roi.

Soudain Mme Bonacieux apparaît. Elle offre son aide à la reine qui doit absolument récupérer les ferrets avant le bal. Elle se porte garante de son mari qui, assure-t-elle, portera un message à Buckingham en Angleterre, sans poser de questions. La reine s'en remet à elle... Rentrée chez elle, Mme Bonacieux expose à son mari l'essentiel de la mission, sans toutefois nommer Anne d'Autriche et Buckingham. M. Bonacieux, devenu cardinaliste, refuse de s'engager et sort précipitamment. Mme Bonacieux, désespérée, entend d'Artagnan frapper au plafond.

XVIII
L'amant et le mari

D'Artagnan propose à Constance Bonacieux de l'aider. La jeune femme, mise en confiance, lui dévoile le secret de la reine. Cette confidence scelle leur amour. Survient M. Bonacieux, en conversation avec l'homme de Meung. D'Artagnan et Mme Bonacieux, qui entendent leurs propos, apprennent que M. Bonacieux est décidé à trahir sa femme pour servir le cardinal.

XIX
Plan de campagne

D'Artagnan court chez M. de Tréville : une mission secrète au service de la reine nécessite un congé de quinze jours. Peut-il le lui obtenir de M. des Essarts ? Le capitaine des mousquetaires, résolument dévoué au roi et à la reine, se montre disposé à intercéder en sa faveur. Il va jusqu'à accorder, aux trois amis de d'Artagnan, un congé de deux semaines pour qu'ils l'accompagnent.

Les quatre hommes décident d'un itinéraire pour aller jusqu'à Londres : ils voyageront ensemble avec leurs laquais armés de pistolets et de mousquetons ! En cas de bataille mortelle, le survivant

10 *portera la lettre qui se trouve dans la poche de d'Artagnan. La raison officielle de ce voyage est donnée par M. de Tréville : Athos, dont l'état de santé exige un repos de quinze jours, a obtenu un congé pour « aller prendre les eaux*[1] *de Forges ou telles autres qui [lui] conviendront ». Ses amis partiront avec lui.*

XX
Voyage

À deux heures du matin, nos quatre aventuriers sortirent de Paris par la barrière Saint-Denis[2] ; tant qu'il fit nuit, ils restèrent muets ; malgré eux, ils subissaient l'influence de l'obscurité et voyaient des embûches[3] partout.

5 Aux premiers rayons du jour, leurs langues se délièrent ; avec le soleil, la gaieté revint : c'était comme à la veille d'un combat, le cœur battait, les yeux riaient ; on sentait que la vie qu'on allait peut-être quitter était, au bout du compte, une bonne chose.

L'aspect de la caravane, au reste, était des plus formidables[4] : les 10 chevaux noirs des mousquetaires, leur tournure martiale[5], cette habitude de l'escadron[6] qui fait marcher régulièrement ces nobles compagnons du soldat, eussent trahi le plus strict incognito[7].

Les valets suivaient, armés jusqu'aux dents.

Tout alla bien jusqu'à Chantilly, où l'on arriva vers les huit 15 heures du matin. Il fallait déjeuner. On descendit devant une auberge que recommandait une enseigne représentant saint

---

1. **Aller prendre les eaux :** faire une cure thermale dans un lieu où les sources naturelles permettent de prendre des bains et des douches qui soignent les rhumatismes.
2. **La barrière Saint-Denis :** une des portes d'entrée de Paris où étaient établis des bureaux chargés de prélever un impôt sur les marchandises qui, avec l'accord de l'administration, pénétraient dans la capitale.
3. **Embûches :** obstacles, pièges.
4. **Formidables :** impressionnantes, qui inspirent la crainte.
5. **Martiale :** guerrière.
6. **Escadron :** troupe de combattants, généralement à cheval ; régiment de cavalerie.
7. **Incognito :** anonymat (personne ne sait qui sont ces cavaliers).

Martin[1] donnant la moitié de son manteau à un pauvre. On enjoignit[2] aux laquais de ne pas desseller les chevaux et de se tenir prêts à repartir immédiatement.

20 On entra dans la salle commune, et l'on se mit à table.

Un gentilhomme, qui venait d'arriver par la route de Dammartin, était assis à cette même table et déjeunait. Il entama la conversation sur la pluie et le beau temps ; les voyageurs répondirent : il but à leur santé ; les voyageurs lui rendirent sa politesse.

25 Mais au moment où Mousqueton venait annoncer que les chevaux étaient prêts et où l'on se levait de table, l'étranger proposa à Porthos la santé du cardinal. Porthos répondit qu'il ne demandait pas mieux, si l'étranger à son tour voulait boire à la santé du roi. L'étranger s'écria qu'il ne connaissait d'autre roi que Son 30 Éminence. Porthos l'appela ivrogne ; l'étranger tira son épée.

– Vous avez fait une sottise, dit Athos ; n'importe, il n'y a plus à reculer maintenant : tuez cet homme et venez nous rejoindre le plus vite que vous pourrez.

Et tous trois remontèrent à cheval et repartirent à toute bride, 35 tandis que Porthos promettait à son adversaire de le perforer de tous les coups connus dans l'escrime.

– Et d'un ! dit Athos au bout de cinq cents pas.

– Mais pourquoi cet homme s'est-il attaqué à Porthos plutôt qu'à tout autre ? demanda Aramis.

40 – Parce que, Porthos parlant plus haut que nous tous, il l'a pris pour le chef, dit d'Artagnan.

– J'ai toujours dit que ce cadet de Gascogne était un puits de sagesse, murmura Athos.

Et les voyageurs continuèrent leur route.

45 À Beauvais, on s'arrêta deux heures, tant pour faire souffler les chevaux que pour attendre Porthos. Au bout de deux heures, comme Porthos n'arrivait pas, ni aucune nouvelle de lui, on se remit en chemin.

---

1. **Saint Martin :** évêque de Tours en 371. Il est célèbre pour avoir partagé son manteau avec un pauvre.
2. **On enjoignit :** on recommanda.

À une lieue[1] de Beauvais, à un endroit où le chemin se trouvait
50 resserré entre deux talus, on rencontra huit ou dix hommes qui, profitant de ce que la route était dépavée en cet endroit, avaient l'air d'y travailler en y creusant des trous et en pratiquant des ornières boueuses.

Aramis, craignant de salir ses bottes dans ce mortier[2] artificiel,
55 les apostropha durement. Athos voulut le retenir, il était trop tard. Les ouvriers se mirent à railler les voyageurs, et firent perdre par leur insolence la tête même au froid Athos qui poussa son cheval contre l'un d'eux.

Alors chacun de ces hommes recula jusqu'au fossé et y prit
60 un mousquet caché ; il en résulta que nos sept voyageurs furent littéralement passés par les armes. Aramis reçut une balle qui lui traversa l'épaule, et Mousqueton une autre balle qui se logea dans les parties charnues qui prolongent le bas des reins. Cependant Mousqueton seul tomba de cheval, non pas qu'il fût grièvement
65 blessé, mais, comme il ne pouvait voir sa blessure, sans doute il crut être plus dangereusement blessé qu'il ne l'était.

– C'est une embuscade, dit d'Artagnan, ne brûlons pas une amorce[3], et en route.

Aramis, tout blessé qu'il était, saisit la crinière de son cheval, qui
70 l'emporta avec les autres. Celui de Mousqueton les avait rejoints, et galopait tout seul à son rang.

– Cela nous fera un cheval de rechange, dit Athos.

– J'aimerais mieux un chapeau, dit d'Artagnan ; le mien a été emporté par une balle. C'est bien heureux, ma foi, que la lettre que
75 je porte n'ait pas été dedans.

– Ah çà ! mais ils vont tuer le pauvre Porthos quand il passera, dit Aramis.

– Si Porthos était sur ses jambes, il nous aurait rejoints maintenant, dit Athos. M'est avis que, sur le terrain, l'ivrogne se sera
80 dégrisé[4].

---

1. **Une lieue :** environ quatre kilomètres.
2. **Mortier :** boue.
3. **Ne brûlons pas une amorce :** ne tirons pas un coup de fusil.
4. **Dégrisé :** du verbe « dégriser », faire passer l'ivresse, dessoûler.

Et l'on galopa encore pendant deux heures, quoique les chevaux fussent si fatigués qu'il était à craindre qu'ils ne refusassent bientôt le service.

Les voyageurs avaient pris la traverse[1], espérant de cette façon être moins inquiétés ; mais, à Crèvecœur, Aramis déclara qu'il ne pouvait aller plus loin. En effet, il avait fallu tout le courage qu'il cachait sous sa forme élégante et sous ses façons polies pour arriver jusque-là. À tout moment il pâlissait, et l'on était obligé de le soutenir sur son cheval ; on le descendit à la porte d'un cabaret, on lui laissa Bazin qui, au reste, dans une escarmouche[2], était plus embarrassant qu'utile, et l'on repartit dans l'espérance d'aller coucher à Amiens.

– Morbleu ! dit Athos, quand ils se retrouvèrent en route, réduits à deux maîtres et à Grimaud et Planchet, morbleu ! je ne serai plus leur dupe[3], et je vous réponds qu'ils ne me feront pas ouvrir la bouche ni tirer l'épée d'ici à Calais. J'en jure...

– Ne jurons pas, dit d'Artagnan, galopons, si toutefois nos chevaux y consentent.

Et les voyageurs enfoncèrent leurs éperons dans le ventre de leurs chevaux, qui, vigoureusement stimulés, retrouvèrent des forces. On arriva à Amiens à minuit, et l'on descendit à l'auberge du Lis d'or.

Au petit matin, les compagnons s'apprêtent à quitter l'auberge, après une nuit de repos, lorsque quatre hommes armés jusqu'aux dents se jettent sur Athos. Se conformant à leur plan, d'Artagnan s'éloigne au triple galop, accompagné de Planchet.

À cent pas des portes de Calais, le cheval de d'Artagnan s'abattit, et il n'y eut pas moyen de le faire se relever : le sang lui sortait par le nez et par les yeux ; restait celui de Planchet, mais celui-là s'était arrêté, et il n'y eut plus moyen de le faire repartir.

Heureusement, comme nous l'avons dit, ils étaient à cent pas de la ville ; ils laissèrent les deux montures sur le grand chemin

---

1. **Traverse :** petit chemin, raccourci.
2. **Escarmouche :** légère lutte.
3. **Je ne serai plus leur dupe :** je ne me ferai plus berner.

et coururent au port. Planchet fit remarquer à son maître un gentilhomme qui arrivait avec son valet et qui ne les précédait que
115 d'une cinquantaine de pas.

Ils s'approchèrent vivement de ce gentilhomme, qui paraissait fort affairé. Il avait ses bottes couvertes de poussière, et s'informait s'il ne pourrait point passer à l'instant même en Angleterre.

– Rien ne serait plus facile, répondit le patron d'un bâtiment[1]
120 prêt à mettre à la voile ; mais, ce matin est arrivé l'ordre de ne laisser partir personne sans une permission expresse de M. le cardinal.

– J'ai cette permission, dit le gentilhomme en tirant un papier de sa poche ; la voici.

– Faites-la viser[2] par le gouverneur du port, dit le patron, et don-
125 nez-moi la préférence.

– Où trouverai-je le gouverneur ?

– À sa campagne.

– Et cette campagne est située ?

– À un quart de lieue de la ville ; tenez, vous la voyez d'ici, au
130 pied de cette petite éminence[3], ce toit en ardoise.

– Très bien ! dit le gentilhomme.

Et, suivi de son laquais, il prit le chemin de la maison de campagne du gouverneur.

D'Artagnan et Planchet suivirent le gentilhomme à cinq cents
135 pas de distance.

Une fois hors de la ville, d'Artagnan pressa le pas et rejoignit le gentilhomme comme il entrait dans un petit bois.

– Monsieur, lui dit d'Artagnan, vous me paraissez fort pressé ?

– On ne peut plus pressé, monsieur.

140 – J'en suis désespéré, dit d'Artagnan, car, comme je suis très pressé aussi, je voulais vous prier de me rendre un service.

– Lequel ?

– De me laisser passer le premier.

– Impossible, dit le gentilhomme, j'ai fait soixante lieues[4] en qua-
145 rante-quatre heures, et il faut que demain à midi je sois à Londres.

---

1. **Bâtiment :** bateau.
2. **Viser :** contrôler pour obtenir un droit de passage.
3. **Éminence :** élévation de terrain, butte.
4. **Soixante lieues :** soit 240 kilomètres.

– J'ai fait le même chemin en quarante heures, et il faut que demain à dix heures du matin je sois à Londres.

– Désespéré, monsieur ; mais je suis arrivé le premier, et je ne passerai pas le second.

150 – Désespéré, monsieur ; mais je suis arrivé le second, et je passerai le premier.

– Service du roi ! dit le gentilhomme.

– Service de moi ! dit d'Artagnan.

– Mais c'est une mauvaise querelle que vous me cherchez là, ce

155 me semble.

– Parbleu ! que voulez-vous que ce soit ?

– Que désirez-vous ?

– Vous voulez le savoir ?

– Certainement.

160 – Eh bien ! je veux l'ordre dont vous êtes porteur, attendu que je n'en ai pas, moi, et qu'il m'en faut un.

– Vous plaisantez, je présume.

– Je ne plaisante jamais.

– Laissez-moi passer !

165 – Vous ne passerez pas.

– Mon brave jeune homme, je vais vous casser la tête. Holà, Lubin[1] ! mes pistolets.

– Planchet, dit d'Artagnan, charge-toi du valet, je me charge du maître.

170 Planchet, enhardi par le premier exploit, sauta sur Lubin, et, comme il était fort et vigoureux, il le renversa les reins contre terre et lui mit le genou sur la poitrine.

– Faites votre affaire, Monsieur, dit Planchet ; moi, j'ai fait la mienne.

175 Voyant cela, le gentilhomme tira son épée et fondit sur[2] d'Artagnan ; mais il avait affaire à forte partie.

En trois secondes d'Artagnan lui fournit trois coups d'épée en disant à chaque coup :

– Un pour Athos, un pour Porthos, un pour Aramis.

180 Au troisième coup, le gentilhomme tomba comme une masse.

---

1. **Lubin :** le valet du gentilhomme.
2. **Fondit sur :** se précipita sur.

D'Artagnan le crut mort, ou tout au moins évanoui, et s'approcha pour lui prendre l'ordre ; mais au moment où il étendait le bras afin de le fouiller, le blessé, qui n'avait pas lâché son épée, lui porta un coup de pointe dans la poitrine en disant :

185 – Un pour vous.

– Et un pour moi ! au dernier les bons ! s'écria d'Artagnan furieux, en le clouant par terre d'un quatrième coup d'épée dans le ventre.

Cette fois, le gentilhomme ferma les yeux et s'évanouit.

190 D'Artagnan fouilla dans la poche où il l'avait vu remettre l'ordre de passage, et le prit. Il était au nom du comte de Wardes.

Puis, jetant un dernier coup d'œil sur le beau jeune homme, qui avait vingt-cinq ans à peine et qu'il laissait là gisant[1], privé de sentiment et peut-être mort, il poussa un soupir sur cette étrange des-195 tinée qui porte les hommes à se détruire les uns les autres pour les intérêts de gens qui leur sont étrangers et qui souvent ne savent pas même qu'ils existent.

Pour gagner les côtes anglaises, d'Artagnan se fera passer pour de Wardes.

200 Le lendemain, au point du jour, il se trouva à trois ou quatre lieues seulement des côtes d'Angleterre ; la brise avait été faible toute la nuit, et l'on avait peu marché.

À dix heures, le bâtiment jetait l'ancre dans le port de Douvres.

À dix heure et demie, d'Artagnan mettait le pied sur la terre 205 d'Angleterre, en s'écriant :

– Enfin, m'y voilà !

Mais ce n'était pas tout : il fallait gagner Londres. En Angleterre, la poste était assez bien servie. D'Artagnan et Planchet prirent chacun un bidet[2], un postillon[3] courut devant eux ; en quatre heures 210 ils arrivèrent aux portes de la capitale.

---

1. **Gisant :** étendu.
2. **Bidet :** petit cheval trapu.
3. **Postillon :** homme attaché au service de la Poste, et qui conduit les voyageurs.

D'Artagnan ne connaissait pas Londres, d'Artagnan ne savait pas un mot d'anglais ; mais il écrivit le nom de Buckingham sur un papier, et chacun lui indiqua l'hôtel[1] du duc.

Le duc était à la chasse à Windsor[2], avec le roi.

215 D'Artagnan demanda le valet de chambre de confiance du duc, qui, l'ayant accompagné dans tous ses voyages, parlait parfaitement français ; il lui dit qu'il arrivait de Paris pour affaire de vie et de mort, et qu'il fallait qu'il parlât à son maître à l'instant même.

La confiance avec laquelle parlait d'Artagnan convainquit 220 Patrice ; c'était le nom de ce ministre[3] du ministre. Il fit seller deux chevaux et se chargea de conduire le jeune garde. Quant à Planchet, on l'avait descendu de sa monture, raide comme un jonc : le pauvre garçon était au bout de ses forces ; d'Artagnan semblait de fer.

225 On arriva au château ; là on se renseigna : le roi et Buckingham chassaient à l'oiseau[4] dans des marais situés à deux ou trois lieues de là.

En vingt minutes on fut au lieu indiqué. Bientôt Patrice entendit la voix de son maître, qui appelait son faucon.

230 – Qui faut-il que j'annonce à Milord duc ? demanda Patrice.

– Le jeune homme qui, un soir, lui a cherché une querelle sur le Pont-Neuf, en face de la Samaritaine.

– Singulière recommandation !

– Vous verrez qu'elle en vaut bien une autre.

235 Patrice mit son cheval au galop, atteignit le duc et lui annonça dans les termes que nous avons dits qu'un messager l'attendait.

Buckingham reconnut d'Artagnan à l'instant même, et, se doutant que quelque chose se passait en France dont on lui faisait parvenir la nouvelle, il ne prit que le temps de demander où était 240 celui qui la lui apportait ; et, ayant reconnu de loin l'uniforme des gardes, il mit son cheval au galop et vint droit à d'Artagnan. Patrice, par discrétion, se tint à l'écart.

---

1. **L'hôtel :** la résidence.
2. **À Windsor :** à 32 kilomètres à l'ouest du centre de Londres, où se trouve le fameux château de la famille royale.
3. **Ministre :** serviteur.
4. **Chassaient à l'oiseau :** chassaient avec un faucon dressé pour la chasse (voir l. 229).

– Il n'est point arrivé malheur à la reine ? s'écria Buckingham, répandant toute sa pensée et tout son amour dans cette interrogation.

– Je ne crois pas ; cependant je crois qu'elle court quelque grand péril dont Votre Grâce seule peut la tirer.

– Moi ? s'écria Buckingham. Eh quoi ! je serais assez heureux pour lui être bon à quelque chose ! Parlez ! parlez !

– Prenez cette lettre, dit d'Artagnan.

– Cette lettre ! De qui vient cette lettre ?

– De Sa Majesté, à ce que je pense.

– De Sa Majesté ! dit Buckingham, pâlissant si fort que d'Artagnan crut qu'il allait se trouver mal.

Et il brisa le cachet[1].

– Quelle est cette déchirure ? dit-il en montrant à d'Artagnan un endroit où elle était percée à jour.

– Ah ! ah ! dit d'Artagnan, je n'avais pas vu cela ; c'est l'épée du comte de Wardes qui aura fait ce beau coup en me trouant la poitrine.

– Vous êtes blessé ? demanda Buckingham en rompant le cachet.

– Oh ! rien ! dit d'Artagnan, une égratignure.

– Juste ciel ! qu'ai-je lu ! s'écria le duc. Patrice, reste ici, ou plutôt rejoins le roi partout où il sera, et dis à Sa Majesté que je la supplie bien humblement de m'excuser, mais qu'une affaire de la plus haute importance me rappelle à Londres. Venez, monsieur, venez.

Et tous deux reprirent au galop le chemin de la capitale.

1. **Cachet :** le cachet de cire qui clôt hermétiquement les lettres à cette époque.

Clefs d'analyse

Chapitres XII-XX

Action et personnages

1. Le duc de Buckingham se regarde dans la glace (chap. XII, l. 46) : quel trait de caractère affiche-t-il ainsi ? Relevez les termes soulignant la beauté et la bonne humeur de ce ministre anglais.
2. Analysez l'art de la mise en scène dans l'arrivée d'Anne d'Autriche. Par quels détails Dumas transforme-t-il son entrée en véritable « apparition » (chap. XII, l. 69-89) ?
3. Comment se comporte le duc face à Anne d'Autriche ? Expliquez les réserves de la reine. Pourquoi finalement lui donne-t-elle ses ferrets ?
4. Comment s'exprime le mépris du cardinal envers Bonacieux ? Montrez que tout oppose ces deux personnages, notamment leur caractère et leur position sociale.
5. Pourquoi le roi se réjouit-il à la lecture de la lettre d'Anne d'Autriche à son père ? Expliquez la fureur de Richelieu.
6. Devant les attaques de la reine, comment réagit le cardinal ? Comment va-t-il piéger Anne d'Autriche (chap. XVI) ?
7. Les rapports de Louis XIII avec Richelieu : montrez l'habileté du cardinal et la faiblesse du roi (chap. XVI).
8. Expliquez l'émotion de la reine dans le chapitre XVII : « Je suis perdue ! Mon Dieu ! mon Dieu ! mon Dieu ! » (l. 77-78).
9. Comment les mousquetaires entrent-ils en jeu ? Quelle est leur mission ?
10. Par quels procédés Dumas donne-t-il au chapitre XX son rythme endiablé ? Montrez que le voyage des mousquetaires et l'arrivée de d'Artagnan à Windsor s'inscrivent dans la plus pure tradition du roman d'aventures.

Langue

11. Relevez le vocabulaire appréciatif dans les portraits de Buckingham et de la reine (chap. XII) : quels traits communs font-ils apparaître chez les deux amants ?
12. Chapitre XIV : qui interroge et qui répond ? comment Dumas donne-t-il au dialogue une extrême vivacité ?

13. « ... Moi qui suis un homme d'Église et qu'on détourne sans cesse de ma vocation » (chap. XVI, l. 84-85) : qui est ce « on » ?

Genre ou thèmes

14. Quels sont les éléments les plus romanesques de la rencontre secrète du duc et de la reine ? Quelles émotions Dumas veut-il faire naître chez son lecteur ?
15. Montrez, en vous fondant sur le dialogue, que Bonacieux est un personnage comique qui détend l'atmosphère dramatique du chapitre XIV.
16. Quels traits le portrait du cardinal fait-il ressortir ? Montrez que le dialogue avec Bonacieux puis avec Rochefort confirme ces traits.

Écriture

17. L'amour entre la reine et le duc de Buckingham vous paraît-il impossible ? Expliquez votre sentiment en vous appuyant sur la situation politique et privée de ces deux personnages.

Pour aller plus loin

18. Le duc de Buckingham se comporte en chevalier du Moyen Âge en réactivant toutes les règles de « l'amour courtois » chanté par les troubadours des XIe et XIIe siècles. En vous aidant d'Internet, exposez les règles fondamentales de cet art d'aimer.

✻ *À retenir*

Le **roman historique** mêle habilement amour et politique. La passion du duc de Buckingham – ministre anglais – pour la reine de France lie intimement les sentiments personnels à l'exercice du pouvoir et donne à leur relation la **dimension romanesque** d'un amour impossible. La jalousie du cardinal éconduit par la souveraine se traduit par des décisions hostiles aux amants, accentuant ainsi la **puissance dramatique** de l'intrigue.

XXI
La comtesse de Winter

Tout le long de la route, le duc se fit mettre au courant par d'Artagnan non pas de tout ce qui s'était passé, mais de ce que d'Artagnan savait. En rapprochant ce qu'il avait entendu sortir de la bouche du jeune homme de ses souvenirs à lui, il put donc se
5 faire une idée assez exacte d'une position de la gravité de laquelle, au reste, la lettre de la reine, si courte et si peu explicite[1] qu'elle fût, lui donnait la mesure. Mais ce qui l'étonnait surtout, c'est que le cardinal, intéressé comme il l'était à ce que ce jeune homme ne mît pas le pied en Angleterre, ne fût point parvenu à l'arrêter
10 en route. Ce fut alors, et sur la manifestation de cet étonnement, que d'Artagnan lui raconta les précautions prises, et comment, grâce au dévouement de ses trois amis qu'il avait éparpillés tout sanglants sur la route, il était arrivé à en être quitte pour le coup d'épée qui avait traversé le billet de la reine, et qu'il avait rendu
15 à M. de Wardes en si terrible monnaie. Tout en écoutant ce récit, fait avec la plus grande simplicité, le duc regardait de temps en temps le jeune homme d'un air étonné, comme s'il n'eût pas pu comprendre que tant de prudence, de courage et de dévouement s'alliât avec un visage qui n'indiquait pas encore vingt ans.

20 Les chevaux allaient comme le vent, et en quelques minutes ils furent aux portes de Londres. D'Artagnan avait cru qu'en arrivant dans la ville, le duc allait ralentir l'allure du sien, mais il n'en fut pas ainsi : il continua sa route à fond de train, s'inquiétant peu de renverser ceux qui étaient sur son chemin. En effet, en tra-
25 versant la Cité[2], deux ou trois accidents de ce genre arrivèrent ; mais Buckingham ne détourna pas même la tête pour regarder ce qu'étaient devenus ceux qu'il avait culbutés. D'Artagnan le suivait au milieu de cris qui ressemblaient fort à des malédictions.

En entrant dans la cour de l'hôtel, Buckingham sauta à bas de
30 son cheval, et, sans s'inquiéter de ce qu'il deviendrait, il lui jeta la bride sur le cou et s'élança vers le perron. D'Artagnan en fit

1. **Explicite :** détaillée, claire et précise.
2. **La Cité :** centre historique, administratif et financier de Londres.

autant, avec un peu plus d'inquiétude cependant, pour ces nobles animaux dont il avait pu apprécier le mérite ; mais il eut la consolation de voir que trois ou quatre valets s'étaient déjà élancés des
35 cuisines et des écuries, et s'emparaient aussitôt de leurs montures.

Le duc marchait si rapidement que d'Artagnan avait peine à le suivre. Il traversa successivement plusieurs salons d'une élégance dont les plus grands seigneurs de France n'avaient pas même l'idée, et il parvint enfin dans une chambre à coucher qui était à
40 la fois un miracle de goût et de richesse. Dans l'alcôve[1] de cette chambre était une porte, prise dans la tapisserie, que le duc ouvrit avec une petite clef d'or qu'il portait suspendue à son cou par une chaîne du même métal. Par discrétion, d'Artagnan était resté en arrière ; mais au moment où Buckingham franchissait le seuil de
45 cette porte, il se retourna, et voyant l'hésitation du jeune homme :

– Venez, lui dit-il, et si vous avez le bonheur d'être admis en la présence de Sa Majesté, dites-lui ce que vous avez vu.

Encouragé par cette invitation, d'Artagnan suivit le duc, qui referma la porte derrière lui.

50 Tous deux se trouvèrent alors dans une petite chapelle toute tapissée de soie de Perse et brochée d'or[2], ardemment éclairée par un grand nombre de bougies. Au-dessus d'une espèce d'autel, et au-dessous d'un dais[3] de velours bleu surmonté de plumes blanches et rouges, était un portrait de grandeur naturelle repré-
55 sentant Anne d'Autriche, si parfaitement ressemblant que d'Artagnan poussa un cri de surprise : on eût cru que la reine allait parler.

Sur l'autel, et au-dessous du portrait, était le coffret qui renfermait les ferrets de diamants.

60 Le duc s'approcha de l'autel, s'agenouilla comme eût pu faire un prêtre devant le Christ ; puis il ouvrit le coffret.

– Tenez, lui dit-il en tirant du coffre un gros nœud de ruban bleu tout étincelant de diamants ; tenez, voici ces précieux ferrets avec lesquels j'avais fait le serment d'être enterré. La reine me les

---

1. **Alcôve :** renfoncement.
2. **Brochée d'or :** dont la toile de fond est tissée de motifs décoratifs.
3. **Dais :** tenture.

65 avait donnés, la reine me les reprend : sa volonté, comme celle de Dieu, soit faite en toutes choses.

Puis il se mit à baiser les uns après les autres ces ferrets dont il fallait se séparer. Tout à coup, il poussa un cri terrible.

– Qu'y a-t-il ? demanda d'Artagnan avec inquiétude, et que vous
70 arrive-t-il, milord ?

– Il y a que tout est perdu, s'écria Buckingham en devenant pâle comme un trépassé[1] ; deux de ces ferrets manquent, il n'y en a plus que dix.

– Milord les a-t-il perdus, ou croit-il qu'on les lui ait volés ?

75 – On me les a volés, reprit le duc, et c'est le cardinal qui a fait le coup. Tenez, voyez, les rubans qui les soutenaient ont été coupés avec des ciseaux.

– Si milord pouvait se douter qui a commis le vol… Peut-être la personne les a-t-elle encore entre les mains.

80 – Attendez, attendez ! s'écria le duc. La seule fois que j'ai mis ces ferrets, c'était au bal du roi, il y a huit jours, à Windsor. La comtesse de Winter, avec laquelle j'étais brouillé, s'est rapprochée de moi à ce bal. Ce raccommodement, c'était une vengeance de femme jalouse. Depuis ce jour, je ne l'ai pas revue. Cette femme est
85 un agent du cardinal.

– Mais il en a donc dans le monde entier ! s'écria d'Artagnan.

– Oh ! oui, oui, dit Buckingham en serrant les dents de colère ; oui, c'est un terrible lutteur. Mais cependant, quand doit avoir lieu ce bal ?

90 – Lundi prochain.

– Lundi prochain ! Cinq jours encore, c'est plus de temps qu'il ne nous en faut. Patrice ! s'écria le duc en ouvrant la porte de la chapelle, Patrice !

Son valet de chambre de confiance parut.

95 – Mon joaillier et mon secrétaire !

Le valet de chambre sortit avec une promptitude et un mutisme[2] qui prouvaient l'habitude qu'il avait contractée d'obéir aveuglément et sans réplique.

---

1. **Trépassé :** mort.
2. **Mutisme :** attitude de celui qui reste muet.

Mais, quoique ce fût le joaillier qui eût été appelé le premier, ce fut le secrétaire qui parut d'abord. C'était tout simple, il habitait l'hôtel. Il trouva Buckingham assis devant une table dans sa chambre à coucher, et écrivant quelques ordres de sa propre main.

– Monsieur Jackson, lui dit-il, vous allez vous rendre de ce pas chez le lord-chancelier, et lui dire que je le charge de l'exécution de ces ordres. Je désire qu'ils soient promulgués[1] à l'instant même.

– Mais, monseigneur, si le lord-chancelier m'interroge sur les motifs qui ont pu porter Votre Grâce à une mesure si extraordinaire, que répondrai-je ?

– Que tel a été mon bon plaisir, et que je n'ai de compte à rendre à personne de ma volonté.

– Sera-ce la réponse qu'il devra transmettre à Sa Majesté, reprit en souriant le secrétaire, si par hasard Sa Majesté avait la curiosité de savoir pourquoi aucun vaisseau ne peut sortir des ports de la Grande-Bretagne ?

– Vous avez raison, monsieur, répondit Buckingham ; il dirait en ce cas au roi que j'ai décidé la guerre, et que cette mesure est mon premier acte d'hostilité contre la France.

Le secrétaire s'inclina et sortit.

– Nous voilà tranquilles de ce côté, dit Buckingham en se retournant vers d'Artagnan. Si les ferrets ne sont point déjà partis pour la France, ils n'y arriveront qu'après vous.

– Comment cela ?

– Je viens de mettre un embargo[2] sur tous les bâtiments qui se trouvent à cette heure dans les ports de Sa Majesté, et, à moins de permission particulière, pas un seul n'osera lever l'ancre.

D'Artagnan regarda avec stupéfaction cet homme qui mettait le pouvoir illimité dont il était revêtu par la confiance d'un roi au service de ses amours. Buckingham vit, à l'expression du visage du jeune homme, ce qui se passait dans sa pensée, et il sourit.

– Oui, dit-il, oui, c'est qu'Anne d'Autriche est ma véritable reine ; sur un mot d'elle, je trahirais mon pays, je trahirais mon roi, je trahirais mon Dieu. Elle m'a demandé de ne point envoyer aux

---

1. **Promulgués :** publiés officiellement.
2. **Embargo :** interdiction provisoire faite par un gouvernement, à des navires généralement étrangers, de quitter le port où ils se trouvent.

protestants de La Rochelle le secours que je leur avais promis, et je l'ai fait. Je manquais à ma parole, mais n'importe ! j'obéissais à son désir ; n'ai-je point été grandement payé de mon obéissance, dites ? Car c'est à cette obéissance que je dois son portrait.

D'Artagnan admira à quels fils fragiles et inconnus sont parfois suspendues les destinées d'un peuple et la vie des hommes.

Il en était au plus profond de ses réflexions, lorsque l'orfèvre entra : c'était un Irlandais des plus habiles dans son art, et qui avouait lui-même qu'il gagnait cent mille livres par an avec le duc de Buckingham.

– Monsieur O'Reilly, lui dit le duc en le conduisant dans la chapelle, voyez ces ferrets de diamants, et dites-moi ce qu'ils valent la pièce.

L'orfèvre jeta un seul coup d'œil sur la façon élégante dont ils étaient montés, calcula l'un dans l'autre la valeur des diamants, et sans hésitation aucune :

– Quinze cents pistoles la pièce, milord, répondit-il.

– Combien faudrait-il de jours pour faire deux ferrets comme ceux-là ? Vous voyez qu'il en manque deux.

– Huit jours, milord.

– Je les payerai trois mille pistoles la pièce, il me les faut après-demain.

– Milord les aura.

– Vous êtes un homme précieux, monsieur O'Reilly, mais ce n'est pas le tout ; ces ferrets ne peuvent être confiés à personne, il faut qu'ils soient faits dans ce palais.

– Impossible, milord, il n'y a que moi qui puisse les exécuter pour qu'on ne voie pas la différence entre les nouveaux et les anciens.

– Aussi, mon cher monsieur O'Reilly, vous êtes mon prisonnier, et vous voudriez sortir à cette heure de mon palais que vous ne le pourriez pas ; prenez-en donc votre parti. Nommez-moi ceux de vos garçons dont vous aurez besoin, et désignez-moi les ustensiles qu'ils doivent apporter.

L'orfèvre connaissait le duc, il savait que toute observation était inutile, il en prit donc à l'instant même son parti.

– Il me sera permis de prévenir ma femme ? demanda-t-il.

170 – Oh ! il vous sera même permis de la voir, mon cher monsieur O'Reilly : votre captivité sera douce, soyez tranquille ; et comme tout dérangement vaut un dédommagement, voici, en dehors du prix des deux ferrets, un bon de mille pistoles pour vous faire oublier l'ennui que je vous cause.

175 D'Artagnan ne revenait pas de la surprise que lui causait ce ministre, qui remuait à pleines mains les hommes et les millions.

Quant à l'orfèvre, il écrivait à sa femme en lui envoyant le bon de mille pistoles, et en la chargeant de lui retourner en échange son plus habile apprenti, un assortiment de diamants dont il lui 180 donnait le poids et le titre, et une liste des outils qui lui étaient nécessaires.

Buckingham conduisit l'orfèvre dans la chambre qui lui était destinée, et qui, au bout d'une demi-heure, fut transformée en atelier. Puis il mit une sentinelle à chaque porte, avec défense de 185 laisser entrer qui que ce fût, à l'exception de son valet de chambre Patrice. Il est inutile d'ajouter qu'il était absolument défendu à l'orfèvre O'Reilly et à son aide de sortir sous quelque prétexte que ce fût.

Ce point réglé, le duc revint à d'Artagnan.

190 – Maintenant, mon jeune ami, l'Angleterre est à nous deux ; que voulez-vous, que désirez-vous ?

– Un lit, répondit d'Artagnan ; c'est, pour le moment, je l'avoue, la chose dont j'ai le plus besoin.

Buckingham donna à d'Artagnan une chambre qui touchait 195 à la sienne. Il voulait garder le jeune homme sous sa main, non pas qu'il se défiât de lui, mais pour avoir quelqu'un à qui parler constamment de la reine.

Une heure après fut promulguée dans Londres l'ordonnance[1] de ne laisser sortir des ports aucun bâtiment chargé pour la France, 200 pas même le paquebot des lettres. Aux yeux de tous, c'était une déclaration de guerre entre les deux royaumes.

Le surlendemain, à onze heures, les deux ferrets en diamants étaient achevés, mais si exactement imités, mais si parfaitement pareils, que Buckingham ne put reconnaître les nouveaux des

---

1. **Ordonnance :** ordre officiel.

205 anciens, et que les plus exercés en pareille matière y auraient été trompés comme lui.

Aussitôt il fit appeler d'Artagnan.

– Tenez, lui dit-il, voici les ferrets de diamants que vous êtes venu chercher, et soyez mon témoin que tout ce que la puissance 210 humaine pouvait faire, je l'ai fait.

– Soyez tranquille, milord, je dirai ce que j'ai vu ; mais Votre Grâce me remet les ferrets sans la boîte ?

– La boîte vous embarrasserait. D'ailleurs la boîte m'est d'autant plus précieuse qu'elle me reste seule. Vous direz que je la garde.

215 – Je ferai votre commission mot à mot, milord.

– Et maintenant, reprit Buckingham en regardant fixement le jeune homme, comment m'acquitterai-je jamais envers vous ?

D'Artagnan rougit jusqu'au blanc des yeux. Il vit que le duc cherchait un moyen de lui faire accepter quelque chose, et cette 220 idée que le sang de ses compagnons et le sien lui allaient être payés par de l'or anglais lui répugnait étrangement.

– Entendons-nous, milord, répondit d'Artagnan, et pesons bien les faits d'avance, afin qu'il n'y ait point de méprise[1]. Je suis au service du roi et de la reine de France, et fais partie de la compagnie 225 des gardes de M. des Essarts, lequel, ainsi que son beau-frère M. de Tréville, est tout particulièrement attaché à Leurs Majestés. J'ai donc tout fait pour la reine et rien pour Votre Grâce. Il y a plus, c'est que peut-être n'eussé-je rien fait de tout cela s'il ne se fût agi d'être agréable à quelqu'un qui est ma dame à moi, comme la 230 reine est la vôtre.

– Oui, dit le duc en souriant, et je crois même connaître cette autre personne, c'est...

– Milord, je ne l'ai point nommée, interrompit vivement le jeune homme.

235 – C'est juste, dit le duc ; c'est donc à cette personne que je dois être reconnaissant de votre dévouement.

– Vous l'avez dit, milord, car justement à cette heure qu'il est question de guerre, je vous avoue que je ne vois dans Votre Grâce qu'un Anglais, et par conséquent qu'un ennemi que je serais 240 encore plus enchanté de rencontrer sur le champ de bataille que

---

1. **Méprise :** erreur.

dans le parc de Windsor ou dans les corridors du Louvre ; ce qui, au reste, ne m'empêchera pas d'exécuter de point en point ma mission et de me faire tuer, si besoin est, pour l'accomplir ; mais, je le répète à Votre Grâce, sans qu'elle ait personnellement pour cela plus à me remercier de ce que je fais pour moi dans cette seconde entrevue que de ce que j'ai déjà fait pour elle dans la première.

– Nous disons, nous : « Fier comme un Écossais », murmura Buckingham.

– Et nous disons, nous : « Fier comme un Gascon », répondit d'Artagnan. Les Gascons sont les Écossais de la France.

D'Artagnan salua le duc et s'apprêta à partir.

– Eh bien ! vous vous en allez comme cela ? Par où ? Comment ?

– C'est vrai.

– Dieu me damne ! les Français ne doutent de rien !

– J'avais oublié que l'Angleterre était une île, et que vous en étiez le roi.

– Allez au port, demandez le brick[1] le *Sund*, remettez cette lettre au capitaine ; il vous conduira à un petit port où certes on ne vous attend pas, et où n'abordent ordinairement que les bâtiments pêcheurs.

– Ce port s'appelle ?

– Saint-Valery[2] ; mais, attendez donc : arrivé là, vous entrerez dans une mauvaise auberge sans nom et sans enseigne, un véritable bouge[3] à matelots ; il n'y a pas à vous tromper, il n'y en a qu'une.

– Après ?

– Vous demanderez l'hôte, et vous lui direz : *Forward*.

– Ce qui veut dire ?

– En avant : c'est le mot d'ordre. Il vous donnera un cheval tout sellé et vous indiquera le chemin que vous devez suivre ; vous trouverez ainsi quatre relais sur votre route. Si vous voulez, à chacun d'eux, donner votre adresse à Paris, les quatre chevaux vous y suivront ; vous en connaissez déjà deux, et vous m'avez paru les apprécier en amateur : ce sont ceux que nous montions ; rap-

---

1. **Brick :** petit navire à deux mâts et à voiles carrées.
2. **Saint-Valery :** Saint-Valery-en-Caux, près de Dieppe.
3. **Bouge :** café, cabaret sordide et mal fréquenté.

275 portez-vous-en à moi, les autres ne leur sont point inférieurs. Ces quatre chevaux sont équipés pour la campagne. Si fier que vous soyez, vous ne refuserez pas d'en accepter un et de faire accepter les trois autres à vos compagnons : c'est pour nous faire la guerre, d'ailleurs. La fin excuse les moyens, comme vous dites, vous autres 280 Français, n'est-ce pas ?

– Oui, milord, j'accepte, dit d'Artagnan ; et s'il plaît à Dieu, nous ferons bon usage de vos présents.

– Maintenant, votre main, jeune homme ; peut-être nous rencontrerons-nous bientôt sur le champ de bataille ; mais, en atten-285 dant, nous nous quitterons bons amis, je l'espère.

– Oui, milord, mais avec l'espérance de devenir ennemis bientôt.

– Soyez tranquille, je vous le promets.

– Je compte sur votre parole, milord.

D'Artagnan salua le duc et s'avança vivement vers le port.

290 En face la Tour de Londres, il trouva le bâtiment désigné, remit sa lettre au capitaine, qui la fit viser[1] par le gouverneur du port, et appareilla[2] aussitôt.

Cinquante bâtiments étaient en partance et attendaient.

En passant bord à bord de l'un d'eux, d'Artagnan crut recon-295 naître la femme de Meung, la même que le gentilhomme inconnu avait appelée « Milady », et que lui, d'Artagnan, avait trouvée si belle ; mais grâce au courant du fleuve et au bon vent qui soufflait, son navire allait si vite qu'au bout d'un instant on fut hors de vue.

300 Le lendemain, vers neuf heures du matin, on aborda à Saint-Valery.

D'Artagnan se dirigea à l'instant même vers l'auberge indiquée, et la reconnut aux cris qui s'en échappaient : on parlait de guerre entre l'Angleterre et la France comme de chose prochaine et indu-305 bitable[3], et les matelots joyeux faisaient bombance[4].

D'Artagnan fendit la foule, s'avança vers l'hôte, et prononça le mot *Forward*. À l'instant même, l'hôte lui fit signe de le suivre, sor-

---

1. **Viser :** faire apposer un visa, c'est-à-dire un permis de passer.
2. **Appareilla :** du verbe « appareiller », préparer un bateau pour la navigation.
3. **Indubitable :** certaine.
4. **Faisaient bombance :** mangeaient et buvaient beaucoup ; faisaient la fête.

tit avec lui par une porte qui donnait dans la cour, le conduisit à l'écurie où l'attendait un cheval tout sellé, et lui demanda s'il avait besoin de quelque autre chose.

– J'ai besoin de connaître la route que je dois suivre, dit d'Artagnan.

– Allez d'ici à Blangy, et de Blangy à Neufchâtel[1]. À Neufchâtel, entrez à l'auberge de la *Herse d'or*, donnez le mot d'ordre à l'hôtelier, et vous trouverez comme ici un cheval tout sellé.

– Dois-je quelque chose ? demanda d'Artagnan.

– Tout est payé, dit l'hôte, et largement. Allez donc, et que Dieu vous conduise !

– Amen ! répondit le jeune homme en partant au galop.

Quatre heures après, il était à Neufchâtel.

Il suivit strictement les instructions reçues ; à Neufchâtel, comme à Saint-Valery, il trouva une monture toute sellée et qui l'attendait ; il voulut transporter les pistolets de la selle qu'il venait de quitter à la selle qu'il allait prendre : les fontes[2] étaient garnies de pistolets pareils.

– Votre adresse à Paris ?

– Hôtel des Gardes, compagnie des Essarts.

– Bien, répondit l'hôtelier.

– Quelle route faut-il prendre ? demanda à son tour d'Artagnan.

– Celle de Rouen ; mais vous laisserez la ville à votre droite. Au petit village d'Écouis[3], vous vous arrêterez, il n'y a qu'une auberge, *L'Écu de France*. Ne la jugez pas d'après son apparence ; elle aura dans ses écuries un cheval qui vaudra celui-ci.

– Même mot d'ordre ?

– Exactement.

– Adieu, maître !

– Bon voyage, gentilhomme ! Avez-vous besoin de quelque chose ?

D'Artagnan fit signe de la tête que non, et repartit à fond de train. À Écouis, la même scène se répéta : il trouva un hôte aussi

---

1. **Blangy [...] Neufchâtel :** villages situés en Seine-Maritime.
2. **Fontes :** poches de cuir situées de part et d'autre de l'arçon de la selle et destinées à recevoir des pistoles.
3. **Écouis :** village de l'Eure.

prévenant, un cheval frais et reposé ; il laissa son adresse comme il l'avait fait, et repartit du même train[1] pour Pontoise. À Pontoise, il changea une dernière fois de monture, et à neuf heures, il entrait au grand galop dans la cour de l'hôtel de M. de Tréville.

345 Il avait fait près de soixante lieues[2] en douze heures.

M. de Tréville le reçut comme s'il l'avait vu le matin même ; seulement, en lui serrant la main un peu plus vivement que de coutume, il lui annonça que la compagnie de M. des Essarts était de garde au Louvre et qu'il pouvait se rendre à son poste.

XXII
Le ballet de la Merlaison[3]

Tout est prêt pour le bal que MM. les échevins de Paris donnent en l'honneur du roi et de la reine.

À minuit on entendit de grands cris et de nombreuses acclamations : c'était le roi qui s'avançait à travers les rues qui conduisent
5 du Louvre à l'Hôtel de Ville, et qui étaient toutes illuminées avec des lanternes de couleur.

Aussitôt MM. les échevins[4], vêtus de leurs robes de drap et précédés de six sergents tenant chacun un flambeau à la main, allèrent au-devant du roi, qu'ils rencontrèrent sur les degrés[5], où le
10 prévôt des marchands[6] lui fit compliment sur sa bienvenue, compliment auquel Sa Majesté répondit en s'excusant d'être venue si tard, mais en rejetant la faute sur M. le cardinal, lequel l'avait retenue jusqu'à onze heures pour parler des affaires de l'État.

---

1. **Du même train :** à la même allure.
2. **Soixante lieues :** soit 240 kilomètres.
3. **Merlaison :** surnom que le roi aurait donné à un ballet qu'il aimait beaucoup, « la Chasse aux merles »
4. **Échevins :** voir note 1, page 102.
5. **Degrés :** marches.
6. **Le prévôt des marchands :** le chef de l'hôtel de ville.

Sa Majesté, en habit de cérémonie, était accompagnée de S.A.R.
15 Monsieur[1], du comte de Soissons, du grand prieur, du duc de Longueville, du duc d'Elbeuf, du comte d'Harcourt, du comte de La Roche-Guyon, de M. de Liancourt, de M. de Baradas, du comte de Cramail et du chevalier de Souveray.

Chacun remarqua que le roi avait l'air triste et préoccupé.

20 Un cabinet avait été préparé pour le roi, et un autre pour Monsieur. Dans chacun de ces cabinets étaient déposés des habits de masques[2]. Autant avait été fait pour la reine et pour Mme la présidente. Les seigneurs et les dames de la suite de Leurs Majestés devaient s'habiller deux par deux dans des chambres préparées à
25 cet effet.

Avant d'entrer dans le cabinet, le roi recommanda qu'on le vînt prévenir aussitôt que paraîtrait le cardinal.

Une demi-heure après l'entrée du roi, de nouvelles acclamations retentirent : celles-là annonçaient l'arrivée de la reine. Les échevins
30 firent ainsi qu'ils avaient fait déjà, et, précédés des sergents, ils s'avancèrent au-devant de leur illustre convive.

La reine entra dans la salle : on remarqua que, comme le roi, elle avait l'air triste et surtout fatigué.

Au moment où elle entrait, le rideau d'une petite tribune qui
35 jusque-là était resté fermé s'ouvrit, et l'on vit apparaître la tête pâle du cardinal vêtu en cavalier espagnol. Ses yeux se fixèrent sur ceux de la reine, et un sourire de joie terrible passa sur ses lèvres : la reine n'avait pas ses ferrets de diamants.

La reine resta quelque temps à recevoir les compliments de mes-
40 sieurs de la ville et à répondre aux saluts des dames.

Tout à coup, le roi apparut avec le cardinal à l'une des portes de la salle. Le cardinal lui parlait tout bas, et le roi était très pâle.

Le roi fendit la foule[3] et, sans masque, les rubans de son pourpoint à peine noués, il s'approcha de la reine, et d'une voix
45 altérée[4] :

---

1. **S.A.R. Monsieur :** Son Altesse Royale Gaston de France, duc d'Orléans, frère du roi.
2. **Des habits de masques :** des déguisements. La mode était aux mascarades venues d'Italie.
3. **Fendit la foule :** traversa la foule en l'écartant.
4. **Altérée :** affaiblie par l'émotion.

– Madame, dit-il, pourquoi donc, s'il vous plaît, n'avez-vous point vos ferrets de diamants, quand vous savez qu'il m'eût été agréable de les voir ?

La reine étendit son regard autour d'elle, et vit derrière le roi le cardinal qui souriait d'un sourire diabolique.

– Sire, répondit la reine d'une voix altérée, parce qu'au milieu de cette grande foule j'ai craint qu'il ne leur arrivât malheur.

– Et vous avez eu tort, madame ! Si je vous ai fait ce cadeau, c'était pour que vous vous en pariez. Je vous dis que vous avez eu tort.

Et la voix du roi était tremblante de colère ; chacun regardait et écoutait avec étonnement, ne comprenant rien à ce qui se passait.

– Sire, dit la reine, je puis les envoyer chercher au Louvre, où ils sont, et ainsi les désirs de Votre Majesté seront accomplis.

– Faites, madame, faites, et cela au plus tôt ; car dans une heure le ballet va commencer.

La reine salua en signe de soumission et suivit les dames qui devaient la conduire à son cabinet.

De son côté, le roi regagna le sien.

Il y eut dans la salle un moment de trouble et de confusion.

Tout le monde avait pu remarquer qu'il s'était passé quelque chose entre le roi et la reine ; mais tous deux avaient parlé si bas, que, chacun par respect s'étant éloigné de quelques pas, personne n'avait rien entendu. Les violons sonnaient de toutes leurs forces, mais on ne les écoutait pas.

Le roi sortit le premier de son cabinet ; il était en costume de chasse des plus élégants, et Monsieur et les autres seigneurs étaient habillés comme lui. C'était le costume que le roi portait le mieux, et vêtu ainsi il semblait véritablement le premier gentilhomme de son royaume.

Le cardinal s'approcha du roi et lui remit une boîte. Le roi l'ouvrit et y trouva deux ferrets de diamants.

– Que veut dire cela ? demanda-t-il au cardinal.

– Rien, répondit celui-ci ; seulement si la reine a les ferrets, ce dont je doute, comptez-les, sire, et si vous n'en trouvez que dix, demandez à Sa Majesté qui peut lui avoir dérobé les deux ferrets que voici.

Le roi regarda le cardinal comme pour l'interroger ; mais il n'eut le temps de lui adresser aucune question : un cri d'admiration sortit de toutes les bouches. Si le roi semblait le premier gentilhomme de son royaume, la reine était à coup sûr la plus belle femme de France.

Il est vrai que sa toilette de chasseresse lui allait à merveille ; elle avait un chapeau de feutre avec des plumes bleues, un surtout en velours gris perle rattaché avec des agrafes de diamants, et une jupe de satin bleu toute brodée d'argent. Sur son épaule gauche étincelaient les ferrets soutenus par un nœud de même couleur que les plumes et la jupe.

Le roi tressaillit de joie et le cardinal de colère ; cependant, distants comme ils l'étaient de la reine, ils ne pouvaient compter les ferrets ; la reine les avait, seulement en avait-elle dix ou en avait-elle douze ?

En ce moment[1], les violons sonnèrent le signal du ballet. Le roi s'avança vers Mme la présidente, avec laquelle il devait danser, et S.A. Monsieur avec la reine. On se mit en place, et le ballet commença.

Le roi figurait en face de la reine, et chaque fois qu'il passait près d'elle, il dévorait du regard ces ferrets, dont il ne pouvait savoir le compte. Une sueur froide couvrait le front du cardinal.

Le ballet dura une heure ; il avait seize entrées[2].

Le ballet fini au milieu des applaudissements de toute la salle, chacun reconduisit sa dame à sa place, mais le roi profita du privilège qu'il avait de laisser la sienne où il se trouvait, pour s'avancer vivement vers la reine.

– Je vous remercie, madame, lui dit-il, de la déférence[3] que vous avez montrée pour mes désirs, mais je crois qu'il vous manque deux ferrets, et je vous les rapporte.

À ces mots, il tendit à la reine les deux ferrets que lui avait remis le cardinal.

---

1. **En ce moment :** une heure s'est donc écoulée depuis les remontrances du roi à la reine.
2. **Seize entrées :** le ballet à entrée est caractérisé par l'arrivée fréquente de nouveaux personnages et la multiplication des épisodes.
3. **Déférence :** respect.

115 – Comment, sire ! s'écria la jeune reine jouant la surprise, vous m'en donnez encore deux ; mais alors, cela m'en fera donc quatorze ?

En effet, le roi compta, et les douze ferrets se trouvèrent sur l'épaule de Sa Majesté.

120 Le roi appela le cardinal :

– Eh bien ! que signifie cela, monsieur le cardinal ? demanda le roi d'un ton sévère.

– Cela signifie, sire, répondit le cardinal, que je désirais faire accepter ces deux ferrets à Sa Majesté, et que n'osant les lui offrir 125 moi-même, j'ai adopté ce moyen.

– Et j'en suis d'autant plus reconnaissante à Votre Éminence, répondit Anne d'Autriche avec un sourire qui prouvait qu'elle n'était pas dupe de cette ingénieuse galanterie, que je suis certaine que ces deux ferrets vous coûtent aussi cher à eux seuls que les 130 douze autres ont coûté à Sa Majesté.

Puis, ayant salué le roi et le cardinal, la reine reprit le chemin de la chambre où elle s'était habillée et où elle devait se dévêtir.

Au même moment, une jeune femme masquée qui n'est autre que Mme Bonacieux fait signe à d'Artagnan de la suivre. Après maints 135 détours, d'Artagnan se retrouve dans un cabinet obscur. À travers une tapisserie, une main lui donne une bague qu'il met aussitôt à son doigt : c'est la récompense de la reine.

XXIII
Le rendez-vous

De retour chez lui, d'Artagnan trouve une lettre de Mme Bonacieux.

« On a de vifs remerciements à vous faire et à vous transmettre. Trouvez-vous ce soir vers dix heures à Saint-Cloud, en face du pavillon qui s'élève à l'angle de la maison de M. d'Estrées.

5 C.B. »

Au moment même où il sort pour se rendre chez M. de Tréville, il tombe sur M. Bonacieux qui l'interroge, avec de multiples sous-entendus, sur son emploi du temps du soir : d'Artagnan, tout à la joie de son rendez-vous, s'éloigne en riant. Arrivé chez M. de Tréville, 10 *il est chaleureusement accueilli. En effet, le capitaine des mousquetaires a reçu, au bal, des marques de sympathie du roi et de la reine. Mais la mine maussade du cardinal lui inspire quelques conseils de prudence...*

D'Artagnan prend congé de M. de Tréville. Rentré chez lui, il 15 *demande à Planchet son impression sur M. Bonacieux. Malgré un avis défavorable de son valet, il décide de se rendre au rendez-vous du soir.*

XXIV
Le pavillon

Onze heures sonnent : Mme Bonacieux n'est pas au rendez-vous du pavillon. Par une vitre cassée, d'Artagnan aperçoit les traces d'une « lutte violente et désespérée ». Aux alentours du pavillon, il découvre un « gant de femme déchiré ». Tout près, une cabane : il frappe 5 *à la porte. Un vieillard apeuré finit par lui ouvrir. Il lui raconte qu'il a été témoin de l'enlèvement d'une femme par trois cavaliers. D'Artagnan, plein d'incertitude, passe la nuit dans un cabaret.*

XXV
Porthos

Le lendemain, d'Artagnan va consulter M. de Tréville qui lui promet de s'informer auprès de la reine : sans doute apprendra-t-elle quelques nouvelles de Mme Bonacieux. En attendant, le capitaine des mousquetaires lui conseille de quitter Paris.

Sur le point de partir, d'Artagnan croise M. Bonacieux dont les souliers et les bas sont couverts de boue. Aussitôt il comprend que le mari a présidé à l'enlèvement de sa femme. Peu après, Planchet lui apprend que M. de Cavois, capitaine des gardes de Son Éminence, est à sa recherche. Cela n'empêche pas d'Artagnan de se rendre à Chantilly où il a laissé Porthos. L'aubergiste de l'hôtel du Grand Saint-Martin le voit arriver avec soulagement : en effet, Porthos a été blessé par son adversaire ; depuis, il refuse de quitter sa chambre – la meilleure de l'hôtel – bien qu'il n'ait pas les moyens de la payer. Il compte sur l'aide financière de Mme Coquenard[1] *à qui il a envoyé une lettre restée sans réponse jusqu'à ce jour. D'Artagnan monte alors chez Porthos qui lui donne sa version des faits : il s'est foulé le genou en trébuchant sur une pierre après avoir terrassé son adversaire ; il attend les secours financiers de la « duchesse », qui ne manquera pas de « lui venir en aide ». D'Artagnan, rassuré sur l'état de santé de son ami, le laisse à Chantilly.*

XXVI
La thèse d'Aramis

D'Artagnan arrive à Crèvecœur où il a laissé Aramis. Celui-ci, touché par la grâce, a décidé d'entrer dans les ordres et de soutenir sa thèse de théologie : sa vocation est ancienne, même si un malheureux duel l'a contraint jadis à renoncer à la soutane pour endosser l'habit des mousquetaires.

– Ainsi, vous renoncez à jamais au monde ; c'est un parti pris, une résolution arrêtée ?

– À tout jamais. Vous êtes mon ami aujourd'hui, demain vous ne serez plus pour moi qu'une ombre ; ou plutôt même, vous n'existerez plus. Quant au monde, c'est un sépulcre[2] et pas autre chose.

– Diable ! c'est fort triste ce que vous me dites là.

---

1. **Mme Coquenard :** l'amoureuse de Porthos, riche épouse d'un procureur (voir chapitres XXV et XXIX.
2. **Un sépulcre :** une tombe.

– Que voulez-vous, ma vocation m'attire, elle m'enlève.

D'Artagnan sourit et ne répondit point. Aramis continua :

– Et cependant, tandis que je tiens encore à la terre, j'eusse voulu vous parler de vous, de nos amis.

– Et moi, dit d'Artagnan, j'eusse voulu vous parler de vous-même, mais je vous vois si détaché de tout ; les amours, vous en faites fi[1] ; les amis sont des ombres, le monde est un sépulcre.

– Hélas ! vous le verrez par vous-même, dit Aramis avec un soupir.

– N'en parlons donc plus, dit d'Artagnan, et brûlons cette lettre qui, sans doute, vous annonçait quelque nouvelle infidélité de votre grisette[2] ou de votre fille de chambre.

– Quelle lettre ? s'écria vivement Aramis.

– Une lettre qui était venue chez vous en votre absence et qu'on m'a remise pour vous.

– Mais de qui cette lettre ?

– Ah ! de quelque suivante éplorée[3], de quelque grisette au désespoir ; la fille de chambre de Mme de Chevreuse peut-être, qui aura été obligée de retourner à Tours avec sa maîtresse, et qui, pour se faire pimpante[4], aura pris du papier parfumé et aura cacheté sa lettre avec une couronne de duchesse.

– Que dites-vous là ?

– Tiens, je l'aurai perdue ! dit sournoisement le jeune homme en faisant semblant de chercher. Heureusement que le monde est un sépulcre, que les hommes et par conséquent les femmes sont des ombres, que l'amour est un sentiment dont vous faites fi !

– Ah ! d'Artagnan, d'Artagnan ! s'écria Aramis, tu me fais mourir !

– Enfin, la voici ! dit d'Artagnan.

Et il tira la lettre de sa poche.

Aramis fit un bond, saisit la lettre, la lut ou plutôt la dévora ; son visage rayonnait.

---

1. **Vous en faites fi :** vous les dédaignez.
2. **Grisette :** jolie jeune femme de condition modeste.
3. **Suivante éplorée :** femme au service d'une autre et qui l'accompagne quand elle sort. Ici, la suivante serait une amoureuse désespérée d'Aramis.
4. **Pimpante :** séduisante, jolie dans l'intention de plaire.

– Il paraît que la suivante a un beau style, dit nonchalamment le
45 messager.

– Merci, d'Artagnan ! s'écria Aramis presque en délire. Elle a été forcée de retourner à Tours ; elle ne m'est pas infidèle, elle m'aime toujours. Viens, mon ami, viens que je t'embrasse ; le bonheur m'étouffe !

50 Et les deux amis se mirent à danser autour du vénérable saint Chrysostome[1], piétinant bravement les feuillets de la thèse qui avaient roulé sur le parquet.

En ce moment, Bazin entrait avec les épinards et l'omelette.

– Fuis, malheureux ! s'écria Aramis en lui jetant sa calotte[2] au
55 visage ; retourne d'où tu viens, remporte ces horribles légumes et cet affreux entremets[3] ! Demande un lièvre piqué[4], un chapon[5] gras, un gigot à l'ail et quatre bouteilles de vieux bourgogne.

Bazin, qui regardait son maître et qui ne comprenait rien à ce changement, laissa mélancoliquement glisser l'omelette dans les
60 épinards, et les épinards sur le parquet.

– Voilà le moment de consacrer votre existence au Roi des rois[6], dit d'Artagnan, si vous tenez à lui faire une politesse : *Non inutile desiderium in oblatione*[7].

– Allez-vous-en au diable avec votre latin ! Mon cher d'Arta-
65 gnan, buvons, morbleu, buvons frais, buvons beaucoup, et racontez-moi un peu ce qu'on fait là-bas.

---

1. **Saint Chrysostome :** patriarche de Constantinople (v. 344-407), célèbre pour son éloquence.
2. **Calotte :** petit bonnet rond, couvrant le sommet du crâne.
3. **Entremets :** plat servi entre le rôti et le dessert.
4. **Piqué :** piqué au lard.
5. **Chapon :** volaille châtrée que l'on engraisse.
6. **Roi des rois :** Jésus.
7. ***Non inutile desiderium in oblatione :*** « Un peu de regret ne messied pas dans une offrande au seigneur ».

XXVII
La femme d'Athos

D'Artagnan quitte Aramis pour aller retrouver Athos à Amiens.

Comment allait-il retrouver Athos, et même le retrouverait-il ?

La position dans laquelle il l'avait laissé était critique ; il pouvait bien avoir succombé[1]. Cette idée, en assombrissant son front, lui arracha quelques soupirs et lui fit formuler tout bas quelques serments de vengeance. De tous ses amis, Athos était le plus âgé, et partant le moins rapproché en apparence de ses goûts et de ses sympathies.

Cependant il avait pour ce gentilhomme une préférence marquée. L'air noble et distingué d'Athos, ces éclairs de grandeur qui jaillissaient de temps en temps de l'ombre où il se tenait volontairement enfermé, cette inaltérable égalité d'humeur qui en faisait le plus facile compagnon de la terre, cette gaieté forcée et mordante, cette bravoure qu'on eût appelée aveugle si elle n'eût été le résultat du plus rare sang-froid, tant de qualités attiraient plus que l'estime, plus que l'amitié de d'Artagnan, elles attiraient son admiration.

En effet, considéré même auprès de M. de Tréville, l'élégant et noble courtisan, Athos, dans ses jours de belle humeur, pouvait soutenir avantageusement la comparaison ; il était de taille moyenne, mais cette taille était si admirablement prise et si bien proportionnée, que, plus d'une fois, dans ses luttes avec Porthos, il avait fait plier le géant dont la force physique était devenue proverbiale parmi les mousquetaires ; sa tête, aux yeux perçants, au nez droit, au menton dessiné comme celui de Brutus[2], avait un caractère indéfinissable de grandeur et de grâce ; ses mains, dont il ne prenait aucun soin, faisaient le désespoir d'Aramis, qui cultivait les siennes à grand renfort de pâte d'amandes et d'huile parfumée ; le son de sa voix était pénétrant et mélodieux tout à la fois, et puis, ce qu'il y avait d'indéfinissable dans Athos, qui se faisait toujours

---

1. **Avoir succombé :** être mort après avoir fait face à ses quatre assaillants.
2. **Brutus :** sénateur romain qui poignarda Jules César le 15 mars 44 av. J.-C.

obscur et petit, c'était cette science délicate du monde et des usages de la plus brillante société, cette habitude de bonne maison qui perçait comme à son insu dans ses moindres actions.

S'agissait-il d'un repas, Athos l'ordonnait mieux qu'aucun homme du monde, plaçant chaque convive à la place et au rang que lui avaient faits ses ancêtres ou qu'il s'était faits lui-même. S'agissait-il de science héraldique[1], Athos connaissait toutes les familles nobles du royaume, leur généalogie, leurs alliances, leurs armes et l'origine de leurs armes. L'étiquette[2] n'avait pas de minuties[3] qui lui fussent étrangères, il savait quels étaient les droits des grands propriétaires, il connaissait à fond la vénerie[4] et la fauconnerie[5], et un jour il avait, en causant de ce grand art, étonné le roi Louis XIII lui-même, qui cependant y était passé maître.

Comme tous les grands seigneurs de cette époque, il montait à cheval et faisait des armes dans la perfection. Il y a plus : son éducation avait été si peu négligée, même sous le rapport des études scolastiques[6], si rares à cette époque chez les gentilshommes, qu'il souriait aux bribes[7] de latin que détachait Aramis, et qu'avait l'air de comprendre Porthos ; deux ou trois fois même, au grand étonnement de ses amis, il lui était arrivé, lorsque Aramis laissait échapper quelque erreur de rudiment[8], de remettre un verbe à son temps et un nom à son cas[9]. En outre, sa probité[10] était inattaquable, dans ce siècle où les hommes de guerre transigeaient[11] si facilement avec leur religion et leur conscience, les amants avec la délicatesse rigoureuse de nos jours, et les pauvres avec le septième

---

1. **Science héraldique :** science du blason ou des armoiries, c'est-à-dire des emblèmes figurant sur les blasons des familles nobles.
2. **L'étiquette :** ensemble des codes, des cérémonies dont les nobles usent entre eux.
3. **Minuties :** subtilités.
4. **Vénerie :** art de la chasse à courre.
5. **Fauconnerie :** art de dresser les faucons et autres oiseaux de proie pour la chasse.
6. **Études scolastiques :** philosophie qu'on enseignait dans les écoles du Moyen Âge et qui s'est prolongée dans certains établissements jusqu'à la révolution de 1789.
7. **Bribes :** fragments.
8. **Rudiment :** petit livre qui contient les premiers principes de la langue latine.
9. **Remettre un verbe à son temps et un nom à son cas :** référence aux déclinaisons latines.
10. **Probité :** honnêteté.
11. **Transigeaient :** acceptaient le compromis.

commandement de Dieu[1]. C'était donc un homme fort extraordinaire qu'Athos.

Et cependant, on voyait cette nature si distinguée, cette créature si belle, cette essence si fine, tourner insensiblement vers la vie
60 matérielle, comme les vieillards tournent vers l'imbécillité[2] physique et morale. Athos, dans ses heures de privation[3], et ces heures étaient fréquentes, s'éteignait dans toute sa partie lumineuse, et son côté brillant disparaissait comme dans une profonde nuit.

Alors, le demi-dieu évanoui, il restait à peine un homme. La tête
65 basse, l'œil terne, la parole lourde et pénible, Athos regardait pendant de longues heures soit sa bouteille et son verre, soit Grimaud, qui, habitué à lui obéir par signes, lisait dans le regard atone[4] de son maître jusqu'à son moindre désir, qu'il satisfaisait aussitôt. La réunion des quatre amis avait-elle lieu dans un de ces moments-là,
70 un mot, échappé avec un violent effort, était tout le contingent[5] qu'Athos fournissait à la conversation. En échange, Athos à lui seul buvait comme quatre, et cela sans qu'il y parût autrement que par un froncement de sourcil plus indiqué et par une tristesse plus profonde.

75 D'Artagnan, dont nous connaissons l'esprit investigateur[6] et pénétrant, n'avait, quelque intérêt qu'il eût à satisfaire sa curiosité sur ce sujet, pu encore assigner aucune cause à ce marasme[7], ni en noter les occurrences[8]. Jamais Athos ne recevait de lettres, jamais Athos ne faisait aucune démarche qui ne fût connue de tous ses
80 amis.

On ne pouvait dire que ce fût le vin qui lui donnât cette tristesse, car au contraire il ne buvait que pour combattre cette tristesse, que ce remède, comme nous l'avons dit, rendait plus sombre encore. On ne pouvait attribuer cet excès d'humeur noire au jeu,
85 car, au contraire de Porthos, qui accompagnait de ses chants ou de

---

1. **Le septième commandement de Dieu :** « Tu ne voleras pas. »
2. **Imbécillité :** ou imbécilité ; faiblesse.
3. **Privation :** absence.
4. **Atone :** sans expression.
5. **Contingent :** contribution, part.
6. **Investigateur :** qui se plaît à explorer, à chercher.
7. **Marasme :** affaiblissement des forces morales ; découragement, dépression.
8. **Occurrences :** apparitions.

ses jurons toutes les variations de la chance, Athos, lorsqu'il avait gagné, demeurait aussi impassible que lorsqu'il avait perdu. On l'avait vu, au cercle des mousquetaires, gagner un soir trois mille pistoles, les perdre jusqu'au ceinturon brodé d'or des jours de gala ; regagner tout cela, plus cent louis, sans que son beau sourcil noir eût haussé ou baissé d'une demi-ligne, sans que ses mains eussent perdu leur nuance nacrée, sans que sa conversation, qui était agréable ce soir-là, eût cessé d'être calme et agréable.

Ce n'était pas non plus, comme chez nos voisins les Anglais, une influence atmosphérique qui assombrissait son visage, car cette tristesse devenait plus intense en général vers les beaux jours de l'année ; juin et juillet étaient les mois terribles d'Athos.

Pour le présent, il n'avait pas de chagrin, il haussait les épaules quand on lui parlait de l'avenir ; son secret était donc dans le passé, comme on l'avait dit vaguement à d'Artagnan.

Cette teinte mystérieuse répandue sur toute sa personne rendait encore plus intéressant l'homme dont jamais les yeux ni la bouche, dans l'ivresse la plus complète, n'avaient rien révélé, quelle que fût l'adresse des questions dirigées contre lui.

– Eh bien ! pensait d'Artagnan, le pauvre Athos est peut-être mort à cette heure, et mort par ma faute, car c'est moi qui l'ai entraîné dans cette affaire, dont il ignorait l'origine, dont il ignorera le résultat et dont il ne devait tirer aucun profit.

– Sans compter, Monsieur, répondait Planchet, que nous lui devons probablement la vie. Vous rappelez-vous comme il a crié : « Au large, d'Artagnan ! je suis pris. » Et après avoir déchargé ses deux pistolets, quel bruit terrible il faisait avec son épée ! On eût dit vingt hommes ou plutôt vingt diables enragés !

Et ces mots redoublaient l'ardeur de d'Artagnan, qui excitait son cheval, lequel n'ayant pas besoin d'être excité emportait son cavalier au galop.

Vers onze heures du matin, on aperçut Amiens ; à onze heures et demie, on était à la porte de l'auberge maudite.

D'Artagnan, qui a laissé Athos aux prises avec quatre assaillants, apprend de l'aubergiste qu'après s'être vaillamment défendu il s'est barricadé dans la cave d'où il ne veut plus sortir.

Or deux gentilshommes anglais viennent d'arriver et réclament à boire. L'aubergiste demande à d'Artagnan d'intervenir. Athos sort enfin de la cave, ivre. Il veut savoir « ce que sont devenus les autres ».

125 D'Artagnan lui raconta comment il avait trouvé Porthos dans son lit avec une foulure, et Aramis à une table entre les deux théologiens[1]. Comme il achevait, l'hôte rentra avec les bouteilles demandées et un jambon qui, heureusement pour lui, était resté hors de la cave.

130 – C'est bien, dit Athos en emplissant son verre et celui de d'Artagnan, voilà pour Porthos et pour Aramis ; mais vous, mon ami, qu'avez-vous et que vous est-il arrivé personnellement ? Je vous trouve un air sinistre.

– Hélas ! dit d'Artagnan, c'est que je suis le plus malheureux de 135 nous tous, moi !

– Toi malheureux, d'Artagnan ! dit Athos. Voyons, comment es-tu malheureux ? Dis-moi cela.

– Plus tard, dit d'Artagnan.

– Plus tard ! Et pourquoi plus tard ? Parce que tu crois que je 140 suis ivre, d'Artagnan ? Retiens bien ceci : je n'ai jamais les idées plus nettes que dans le vin. Parle donc, je suis tout oreilles.

D'Artagnan raconta son aventure avec Mme Bonacieux.

Athos l'écouta sans sourciller[2] ; puis, lorsqu'il eut fini :

– Misères que tout cela, dit Athos, misères !

145 C'était le mot d'Athos.

– Vous dites toujours *misères !* mon cher Athos, dit d'Artagnan ; cela vous sied[3] bien mal, à vous qui n'avez jamais aimé.

L'œil mort d'Athos s'enflamma soudain ; mais ce ne fut qu'un éclair, il redevint terne et vague comme auparavant.

150 – C'est vrai, dit-il tranquillement, je n'ai jamais aimé, moi.

– Vous voyez bien alors, cœur de pierre, dit d'Artagnan, que vous avez tort d'être dur pour nous autres cœurs tendres.

– Cœurs tendres, cœurs percés, dit Athos.

– Que dites-vous ?

---

1. **Théologiens :** personnes qui étudient la religion et les textes sacrés.
2. **Sans sourciller :** avec impassibilité, sans montrer aucune émotion.
3. **Cela vous sied :** cela vous va.

155 – Je dis que l'amour est une loterie où celui qui gagne, gagne la mort ! Vous êtes bien heureux d'avoir perdu, croyez-moi, mon cher d'Artagnan. Et si j'ai un conseil à vous donner, c'est de perdre toujours.

– Elle avait l'air de si bien m'aimer !

160 – Elle en avait l'air.

– Oh ! elle m'aimait.

– Enfant ! il n'y a pas un homme qui n'ait cru comme vous que sa maîtresse l'aimait, et il n'y a pas un homme qui n'ait été trompé par sa maîtresse.

165 – Excepté vous, Athos, qui n'en avez jamais eu.

– C'est vrai, dit Athos après un moment de silence, je n'en ai jamais eu, moi. Buvons !

– Mais alors, philosophe que vous êtes, dit d'Artagnan, instruisez-moi, soutenez-moi ; j'ai besoin de savoir et d'être consolé.

170 – Consolé de quoi ?

– De mon malheur.

– Votre malheur fait rire, dit Athos en haussant les épaules ; je serais curieux de savoir ce que vous diriez si je vous racontais une histoire d'amour.

175 – Arrivée à vous ?

– Ou à un de mes amis, qu'importe !

– Dites, Athos, dites.

– Buvons, nous ferons mieux.

– Buvez et racontez.

180 – Au fait, cela se peut, dit Athos en vidant et remplissant son verre, les deux choses vont à merveille ensemble.

– J'écoute, dit d'Artagnan.

Athos se recueillit, et, à mesure qu'il se recueillait, d'Artagnan le voyait pâlir ; il en était à cette période de l'ivresse où les buveurs 185 vulgaires tombent et dorment. Lui il rêvait tout haut sans dormir. Ce somnambulisme de l'ivresse avait quelque chose d'effrayant.

– Vous le voulez absolument ? demanda-t-il.

– Je vous en prie, dit d'Artagnan.

– Qu'il soit fait donc comme vous le désirez. Un de mes amis, 190 un de mes amis, entendez-vous bien ! Pas moi, dit Athos en s'interrompant avec un sourire sombre, un des comtes de ma province, c'est-à-dire du Berry, noble comme un Dandolo[1] ou un Montmorency[2], devint amoureux à vingt-cinq ans d'une jeune fille de seize, belle comme les amours. À travers la naïveté de son âge perçait un esprit ardent, un esprit non pas de femme, mais de poète ; elle ne plaisait pas, elle enivrait ; elle vivait dans un petit bourg, près de son frère qui était curé. Tous deux étaient arrivés dans le pays, ils venaient on ne savait d'où ; mais en la voyant si belle et en voyant son frère si pieux, on ne songeait pas à leur demander d'où ils venaient. Du reste, on les disait de bonne extraction[3]. Mon ami, qui était le seigneur du pays, aurait pu la séduire ou la prendre de force, à son gré, il était le maître ; qui serait venu à l'aide de deux étrangers, de deux inconnus ? Malheureusement il était honnête homme, il l'épousa. Le sot, le niais, l'imbécile !

– Mais pourquoi cela, puisqu'il l'aimait ? demanda d'Artagnan.

– Attendez donc, dit Athos. Il l'emmena dans son château, et en fit la première dame de sa province ; et il faut lui rendre justice, elle tenait parfaitement son rang

– Eh bien ? demanda d'Artagnan.

– Eh bien ! un jour qu'elle était à la chasse avec son mari, continua Athos à voix basse et en parlant fort vite, elle tomba de cheval et s'évanouit ; le comte s'élança à son secours, et comme elle étouffait dans ses habits, il les fendit avec son poignard et lui découvrit l'épaule. Devinez ce qu'elle avait sur l'épaule, d'Artagnan ? dit Athos avec un grand éclat de rire.

– Puis-je le savoir ? demanda d'Artagnan.

– Une fleur de lys, dit Athos. Elle était marquée[4] !

Et Athos vida d'un seul trait le verre qu'il tenait à la main.

– Horreur ! s'écria d'Artagnan, que me dites-vous là ?

– La vérité. Mon cher, l'ange était un démon. La pauvre jeune fille avait volé.

– Et que fit le comte ?

---

1. **Dandolo :** grande famille vénitienne.
2. **Montmorency :** grande famille française.
3. **Extraction :** origine.
4. **Marquée :** marquée au fer rouge. La fleur de lys désignait les voleurs.

– Le comte était un grand seigneur, il avait sur ses terres droit de
225 justice basse et haute : il acheva de déchirer les habits de la comtesse, il lui lia les mains derrière le dos et la pendit à un arbre.

– Ciel ! Athos ! un meurtre ! s'écria d'Artagnan.

– Oui, un meurtre, pas davantage, dit Athos pâle comme la mort. Mais on me laisse manquer de vin, ce me semble.

230 Et Athos saisit au goulot la dernière bouteille qui restait, l'approcha de sa bouche et la vida d'un seul trait, comme il eût fait d'un verre ordinaire.

Puis il laissa tomber sa tête sur ses deux mains ; d'Artagnan demeura devant lui, saisi d'épouvante.

235 – Cela m'a guéri des femmes belles, poétiques et amoureuses, dit Athos en se relevant et sans songer à continuer l'apologue[1] du comte. Dieu vous en accorde autant ! Buvons !

– Ainsi elle est morte ? balbutia d'Artagnan.

– Parbleu ! dit Athos. Mais tendez votre verre. Du jambon, drôle,
240 cria Athos, nous ne pouvons plus boire !

– Et son frère ? ajouta timidement d'Artagnan.

– Son frère ? reprit Athos.

– Oui, le prêtre ?

– Ah ! je m'en informai pour le faire pendre à son tour ; mais il
245 avait pris les devants[2], il avait quitté sa cure[3] depuis la veille.

– A-t-on su au moins ce que c'était que ce misérable ?

– C'était sans doute le premier amant et le complice de la belle, un digne homme qui avait fait semblant d'être curé peut-être pour marier sa maîtresse et lui assurer un sort. Il aura été écartelé, je
250 l'espère.

– Oh ! mon Dieu ! mon Dieu ! fit d'Artagnan, tout étourdi de cette horrible aventure.

– Mangez donc de ce jambon, d'Artagnan, il est exquis, dit Athos en coupant une tranche qu'il mit sur l'assiette du jeune homme.
255 Quel malheur qu'il n'y en ait pas eu seulement quatre comme celui-là dans la cave ! J'aurais bu cinquante bouteilles de plus.

---

1. **Apologue :** fable.
2. **Avait pris les devants :** avait devancé la suite des événements.
3. **Cure :** paroisse.

D'Artagnan ne pouvait plus supporter cette conversation, qui l'eût rendu fou ; il laissa tomber sa tête sur ses deux mains et fit semblant de s'endormir.

260 – Les jeunes gens ne savent plus boire, dit Athos en le regardant en pitié, et pourtant celui-là est des meilleurs !...

XXVIII
Retour

Le lendemain matin, Athos, dégrisé, dément ses confidences de la veille. Il ajoute que, levé tôt, il a trompé son ennui en jouant aux dés avec les deux gentilshommes anglais ; mais il a perdu son cheval et celui de d'Artagnan. Il ne leur reste que les harnais.

5 *Peu après, sur la route de Paris, les deux compagnons retrouvent Aramis et Porthos qui ont dû se défaire, eux aussi, de leurs montures. Les quatre amis font leurs comptes : ils sont démunis, comment trouveront-ils l'argent nécessaire à leur équipement pour la campagne militaire qui s'ouvre le 1er mai ? Une bonne nouvelle,*

10 *cependant : le roi accorde à d'Artagnan « la faveur d'entrer dans les mousquetaires ».*

XXIX
La chasse à l'équipement

Porthos a une idée pour trouver de l'argent : il se rend à un rendez-vous mystérieux à l'église de Saint-Leu. Piqué par la curiosité, d'Artagnan le suit et observe son manège. Porthos feint d'ignorer une « dame aux coiffes noires » qui le regarde tandis qu'il admire avec

5 *insistance une jeune femme très belle. D'Artagnan reconnaît cette dernière : c'est la dame de Meung, c'est Milady.*

La dame en noir qui n'est autre que Mme Coquenard, la procureuse[1], engage la conversation avec Porthos qui n'attendait que cela. Sous le charme, la procureuse invite Porthos à dîner : elle essaiera de convaincre son vieux mari d'aider financièrement le mousquetaire qu'elle fera passer pour son cousin.

XXX
Milady

D'Artagnan, très attiré par Milady, part à sa recherche. Planchet qui l'accompagne reconnaît soudain Lubin, le laquais du comte de Wardes. Un instant plus tard, le carrosse de Milady surgit. Une femme de chambre en descend : confondant les deux valets, elle remet par erreur un billet à Planchet. D'Artagnan en prend connaissance :

« Une personne qui s'intéresse à vous plus qu'elle ne peut le dire voudrait savoir quel jour vous serez en état de vous promener dans la forêt. Demain, à l'hôtel du Champ du Drap d'or, un laquais noir et rouge attendra votre réponse. »

Il comprend que ce billet est destiné au comte de Wardes. Il rattrape le carrosse de Milady. Il trouve la jeune femme en train de se quereller avec un cavalier. D'Artagnan lui propose son aide qu'elle refuse : « Je me mettrais sous votre protection si la personne qui me querelle n'était point mon frère. » Elle s'en va, laissant les deux hommes face à face. D'Artagnan et l'Anglais, lord de Winter, baron de Sheffield, se rencontreront derrière le Luxembourg pour un duel.

1. **Mme Coquenard, la procureuse :** voir note 1, p. 133.

Clefs d'analyse

Action et personnages

1. Pour rentrer à Londres, Buckingham renverse plusieurs personnes sans s'inquiéter de leur sort : quel trait de caractère confirme-t-il ainsi ?
2. Pourquoi le duc ne peut-il remettre la totalité des ferrets à d'Artagnan ? Que comprend-il soudain ?
3. Quelle solution trouve-t-il ? Comment sa toute-puissance est-elle mise en évidence dans son dialogue avec le joaillier ?
4. Quelle décision le duc impose-t-il à tous les bateaux qui se trouvent dans les ports anglais ? Pourquoi ?
5. Expliquez l'embarras de d'Artagnan (il rougit) face à Buckingham qui veut le remercier des services rendus (chap. XXI). Pourquoi cette répugnance pour « l'or anglais » ? Appuyez-vous sur le dialogue qui suit la proposition du duc.
6. Montrez que le duc a tout prévu pour le retour de d'Artagnan à Paris. Pourquoi peut-on parler d'exploit ?
7. Par quel détail inquiétant Dumas dramatise-t-il la chevauchée du jeune homme en direction de Paris ?
8. De quelle manière, le jour du bal, la reine déjoue-t-elle les plans du cardinal ? Montrez l'habileté de Richelieu et le triomphe d'Anne d'Autriche. Que laisse prévoir cette scène ?
9. Quel est le secret d'Athos ? Pour quelle raison, à votre avis, prétend-il parler d'un ami et non de lui-même ?

Langue

10. Le duc adore la reine : relevez, dans le chapitre XXI, quelques exemples du vocabulaire religieux qu'il emploie pour évoquer sa passion et sa bien-aimée.
11. « ... Sur un mot d'elle, je trahirais mon pays, je trahirais mon roi, je trahirais mon Dieu » (chap. XXI, l. 131-132) : après avoir étudié le vocabulaire et la construction de cette phrase, expliquez sa puissance expressive.

Genre ou thèmes

12. Dans le chapitre XXI, relevez une phrase dans laquelle Buckingham résume sa conception du pouvoir. Qu'en pensez-vous ?
13. Comment s'exprime l'affection d'Athos pour d'Artagnan ? Quels sentiments le jeune homme éprouve-t-il, de son côté, pour Athos ? Citez le texte.
14. Après avoir relevé quelques termes appréciatifs montrant l'affection de Dumas pour le personnage d'Athos, justifiez la phrase : « C'était donc un homme fort extraordinaire qu'Athos » (chap. XXVII, l. 56-57).

Écriture

15. Le jour du bal (chap. XXII), le roi et la reine sont tristes ; l'un parce qu'il pense avoir la preuve d'une trahison de sa femme, l'autre parce qu'elle craint la fureur du roi. Rédigez un monologue intérieur dans lequel les deux souverains exprimeront, à la première personne, leurs pensées et leur sentiments secrets.

Pour aller plus loin

16. Préparez un dossier sur le cardinal de Richelieu en y incluant un portrait (que vous imprimerez à partir d'Internet). Vous expliquerez de quelle manière il a exercé son pouvoir et quelles grandes décisions il a prises pour la France.

À retenir

Alors que **l'action** des Trois Mousquetaires se déroule au XVIIe siècle sous **le règne de Louis XIII**, Dumas inscrit **le romantisme du XIXe siècle** dans son récit avec les amours impossibles du duc de Buckingham et de la reine, et avec le personnage d'Athos. Ce bel homme désespéré, aristocrate en proie à **un secret** qui le ronge, correspond à l'image du héros romantique tel qu'il apparaît dans la littérature de l'époque.

XXXI
Anglais et Français

L'heure venue, on se rendit avec les quatre laquais, derrière le Luxembourg, dans un enclos abandonné aux chèvres. Athos donna une pièce de monnaie au chevrier pour qu'il s'écartât. Les laquais furent chargés de faire sentinelle[1].

5 Bientôt une troupe silencieuse s'approcha du même enclos, y pénétra et joignit les mousquetaires ; puis, selon les habitudes d'outre-mer[2], les présentations eurent lieu.

Les Anglais étaient tous gens de la plus haute qualité, les noms bizarres de leurs adversaires furent donc pour eux un sujet non 10 seulement de surprise, mais encore d'inquiétude.

– Mais, avec tout cela, dit lord de Winter quand les trois amis eurent été nommés, nous ne savons pas qui vous êtes, et nous ne nous battrons pas avec des noms pareils ; ce sont des noms de bergers, cela.

15 – Aussi, comme vous le supposez bien, milord, ce sont de faux noms, dit Athos.

– Ce qui ne nous donne qu'un plus grand désir de connaître les noms véritables, répondit l'Anglais.

– Vous avez bien joué contre nous sans les connaître, dit Athos, 20 à telle enseigne que[3] vous nous avez gagné nos deux chevaux ?

– C'est vrai, mais nous ne risquions que nos pistoles ; cette fois nous risquons notre sang : on joue avec tout le monde, on ne se bat qu'avec ses égaux.

– C'est juste, dit Athos. Et il prit à l'écart celui des quatre Anglais 25 avec lequel il devait se battre, et lui dit son nom tout bas.

Porthos et Aramis en firent autant de leur côté.

– Cela vous suffit-il, dit Athos à son adversaire, et me trouvez-vous assez grand seigneur pour me faire la grâce de croiser l'épée avec moi ?

30 – Oui, monsieur, dit l'Anglais en s'inclinant.

---

1. **Faire sentinelle :** monter la garde.
2. **Les habitudes d'outre-mer :** les habitudes anglaises (au-delà de la Manche).
3. **À telle enseigne que :** cela est si vrai que.

– Eh bien ! maintenant, voulez-vous que je vous dise une chose ? reprit froidement Athos.

– Laquelle ? demanda l'Anglais.

– C'est que vous auriez aussi bien fait de ne pas exiger que je
35 me fisse connaître.

– Pourquoi cela ?

– Parce qu'on me croit mort, que j'ai des raisons pour désirer qu'on ne sache pas que je vis, et que je vais être obligé de vous tuer, pour que mon secret ne coure pas les champs.

40 L'Anglais regarda Athos, croyant que celui-ci plaisantait ; mais Athos ne plaisantait pas le moins du monde.

– Messieurs, dit-il en s'adressant à la fois à ses compagnons et à leurs adversaires, y sommes-nous ?

– Oui, répondirent tout d'une voix Anglais et Français.

45 – Alors, en garde, dit Athos.

Le duel s'engage. Athos tue son adversaire, Porthos blesse le sien. Quant à celui d'Aramis, « il finit par prendre la fuite à toutes jambes ». D'Artagnan désarme lord de Winter mais se montre magnanime : « Je vous donne la vie pour l'amour de votre sœur. »

50 *L'Anglais, enchanté de ces manières, présente lady Clarick, sa sœur, à d'Artagnan. Milady le reçoit gracieusement en son somptueux hôtel. Lorsqu'il se retire, il croise Ketty, la jolie soubrette, qui ne semble pas insensible à son charme.*

Les jours suivants, d'Artagnan renouvelle ses visites. À Milady qui
55 *le questionne insidieusement, il fait l'éloge du cardinal.*

XXXII
Un dîner de procureur

Porthos vient dîner chez M. et Mme Coquenard.

Le procureur avait sans doute été prévenu de cette visite, car il ne témoigna aucune surprise à la vue de Porthos, qui s'avança jusqu'à lui d'un air assez dégagé et le salua courtoisement.

5 – Nous sommes cousins, à ce qu'il paraît, monsieur Porthos ? dit le procureur en se soulevant à la force des bras sur son fauteuil de canne.

Le vieillard, enveloppé dans un grand pourpoint[1] noir où se perdait son corps fluet, était vert et sec ; ses petits yeux gris
10 brillaient comme des escarboucles[2], et semblaient, avec sa bouche grimaçante, la seule partie de son visage où la vie fût demeurée. Malheureusement les jambes commençaient à refuser le service à toute cette machine osseuse ; depuis cinq ou six mois que cet affaiblissement s'était fait sentir, le digne procureur était à peu près
15 devenu l'esclave de sa femme.

Le cousin fut accepté avec résignation, voilà tout. Maître Coquenard ingambe[3] eût décliné toute parenté avec M. Porthos.

– Oui, monsieur, nous sommes cousins, dit sans se déconcerter Porthos, qui, d'ailleurs, n'avait jamais compté être reçu par le mari
20 avec enthousiasme.

– Par les femmes, je crois ? dit malicieusement le procureur.

Porthos ne sentit point cette raillerie et la prit pour une naïveté dont il rit dans sa grosse moustache. Mme Coquenard, qui savait que le procureur naïf était une variété fort rare dans l'espèce, sou-
25 rit un peu et rougit beaucoup.

Maître Coquenard avait, dès l'arrivée de Porthos, jeté les yeux avec inquiétude sur une grande armoire placée en face de son bureau de chêne. Porthos comprit que cette armoire, quoiqu'elle ne répondît point par la forme à celle qu'il avait vue dans ses
30 songes, devait être le bienheureux bahut, et il s'applaudit de ce que la réalité avait six pieds[4] de plus en hauteur que le rêve.

Maître Coquenard ne poussa pas plus loin ses investigations généalogiques, mais en ramenant son regard inquiet de l'armoire sur Porthos, il se contenta de dire :
35 – Monsieur notre cousin, avant son départ pour la campagne, nous fera bien la grâce de dîner une fois avec nous, n'est-ce pas, madame Coquenard !

---

1. **Pourpoint :** vêtement d'homme recouvrant le corps du cou à la ceinture.
2. **Escarboucles :** pierres précieuses de couleur rouge foncé, à l'éclat très vif.
3. **Ingambe :** qui est agile dans ses mouvements ; alerte.
4. **Six pieds :** 194,4 cm (un pied vaut 32,4 cm).

Cette fois, Porthos reçut le coup en plein estomac et le sentit ; il paraît que de son côté Mme Coquenard non plus n'y fut pas insen-
40 sible, car elle ajouta :

– Mon cousin ne reviendra pas s'il trouve que nous le traitons mal ; mais, dans le cas contraire, il a trop peu de temps à passer à Paris, et par conséquent à nous voir, pour que nous ne lui demandions pas presque tous les instants dont il peut disposer jusqu'à
45 son départ.

– Oh ! mes jambes, mes pauvres jambes ! où êtes-vous ? murmura Coquenard. Et il essaya de sourire.

Ce secours qui était arrivé à Porthos au moment où il était attaqué dans ses espérances gastronomiques inspira au mousquetaire
50 beaucoup de reconnaissance pour sa procureuse.

Bientôt l'heure du dîner arriva. On passa dans la salle à manger, grande pièce noire qui était située en face de la cuisine.

Les clercs, qui, à ce qu'il paraît, avaient senti dans la maison des parfums inaccoutumés, étaient d'une exactitude militaire, et
55 tenaient en main leurs tabourets, tout prêts qu'ils étaient à s'asseoir. On les voyait d'avance remuer les mâchoires avec des dispositions effrayantes.

« Tudieu ![1] pensa Porthos en jetant un regard sur les trois affamés, car le saute-ruisseau[2] n'était pas, comme on le pense bien,
60 admis aux honneurs de la table magistrale[3] ; tudieu ! à la place de mon cousin, je ne garderais pas de pareils gourmands. On dirait des naufragés qui n'ont pas mangé depuis six semaines. »

Maître Coquenard entra, poussé sur son fauteuil à roulettes par Mme Coquenard, à qui Porthos, à son tour, vint en aide pour rou-
65 ler son mari jusqu'à la table.

À peine entré, il remua le nez et les mâchoires à l'exemple de ses clercs.

– Oh ! oh ! dit-il, voici un potage qui est engageant !

– Que diable sentent-ils donc d'extraordinaire dans ce potage ?
70 dit Porthos à l'aspect d'un bouillon pâle, abondant, mais parfai-

1. **Tudieu ! :** ancien juron pour « Vertu de Dieu ».
2. **Saute-ruisseau :** petit clerc de notaire.
3. **Magistrale :** du maître de maison.

tement aveugle[1], et sur lequel quelques croûtes nageaient, rares comme les îles d'un archipel.

Mme Coquenard sourit, et, sur un signe d'elle, tout le monde s'assit avec empressement.

75 Maître Coquenard fut le premier servi, puis Porthos ; ensuite Mme Coquenard emplit son assiette, et distribua les croûtes sans bouillon aux clercs impatients.

En ce moment la porte de la salle à manger s'ouvrit d'elle-même en criant, et Porthos, à travers les battants entrebâillés, aperçut le 80 petit clerc, qui, ne pouvant prendre part au festin, mangeait son pain à la double odeur de la cuisine et de la salle à manger.

Après le potage la servante apporta une poule bouillie ; magnificence qui fit dilater les paupières des convives, de telle façon qu'elles semblaient prêtes à se fendre.

85 – On voit que vous aimez votre famille, madame Coquenard, dit le procureur avec un sourire presque tragique ; voilà certes une galanterie que vous faites à votre cousin.

La pauvre poule était maigre et revêtue d'une de ces grosses peaux hérissées que les os ne percent jamais malgré leurs efforts ; 90 il fallait qu'on l'eût cherchée bien longtemps avant de la trouver sur le perchoir où elle s'était retirée pour mourir de vieillesse.

« Diable ! pensa Porthos, voilà qui est fort triste ; je respecte la vieillesse, mais j'en fais peu de cas bouillie ou rôtie. »

Et il regarda à la ronde pour voir si son opinion était partagée ; 95 mais tout au contraire de lui, il ne vit que des yeux flamboyants, qui dévoraient d'avance cette sublime poule, objet de ses mépris.

Mme Coquenard tira le plat à elle, détacha adroitement les deux grandes pattes noires, qu'elle plaça sur l'assiette de son mari ; trancha le cou, qu'elle mit avec la tête à part pour elle-même ; leva 100 l'aile pour Porthos, et remit à la servante, qui venait de l'apporter, l'animal, qui s'en retourna presque intact, et qui avait disparu avant que le mousquetaire eût eu le temps d'examiner les variations que le désappointement amène sur les visages, selon les caractères et les tempéraments de ceux qui l'éprouvent.

---

1. **Aveugle :** clair ; désigne un bouillon maigre, par opposition aux « yeux » qui se forment à la surface d'un bouillon gras.

105 Au lieu de poulet, un plat de fèves fit son entrée, plat énorme, dans lequel quelques os de mouton, qu'on eût pu, au premier abord, croire accompagnés de viande, faisaient semblant de se montrer.

Mais les clercs ne furent pas dupes de cette supercherie et les 110 mines lugubres devinrent des visages résignés.

Mme Coquenard distribua ce mets aux jeunes gens avec la modération d'une bonne ménagère.

Le tour du vin était venu. Maître Coquenard versa d'une bouteille de grès fort exiguë le tiers d'un verre à chacun des jeunes 115 gens, s'en versa à lui-même dans des proportions à peu près égales, et la bouteille passa aussitôt du côté de Porthos et de Mme Coquenard.

Les jeunes gens remplissaient d'eau ce tiers de vin, puis, lorsqu'ils avaient bu la moitié du verre, ils le remplissaient encore, 120 et ils faisaient toujours ainsi ; ce qui les amenait à la fin du repas à avaler une boisson qui de la couleur du rubis était passée à celle de la topaze brûlée[1].

Porthos mangea timidement son aile de poule, et frémit lorsqu'il sentit sous la table le genou de la procureuse qui venait trouver 125 le sien. Il but aussi un demi-verre de vin fort ménagé, et qu'il reconnut pour cet horrible cru de Montreuil, la terreur des palais exercés.

Maître Coquenard le regarda engloutir ce vin pur et soupira.

– Mangerez-vous bien de ces fèves, mon cousin Porthos ? dit 130 Mme Coquenard de ce ton qui veut dire : Croyez-moi, n'en mangez pas.

– Du diable si j'en goûte ! murmura tout bas Porthos...

Puis tout haut :

– Merci, ma cousine, dit-il, je n'ai plus faim.

135 Il se fit un silence. Porthos ne savait quelle contenance tenir. Le procureur répéta plusieurs fois :

– Ah ! madame Coquenard ! je vous en fais mon compliment, votre dîner était un véritable festin ; Dieu ! ai-je mangé !

Maître Coquenard avait mangé son potage, les pattes noires de 140 la poule et le seul os de mouton où il y eût un peu de viande.

1. **Topaze brûlée :** pierre fine pâle ou jaune devenant rose lorsqu'on la chauffe.

Porthos crut qu'on le mystifiait, et commença à relever sa moustache et à froncer le sourcil ; mais le genou de Mme Coquenard vint tout doucement lui conseiller la patience.

Ce silence et cette interruption de service, qui étaient restés
145 inintelligibles pour Porthos, avaient au contraire une signification terrible pour les clercs : sur un regard du procureur, accompagné d'un sourire de Mme Coquenard, ils se levèrent lentement de table, plièrent leurs serviettes plus lentement encore, puis ils saluèrent et partirent.

150 – Allez, jeunes gens, allez faire la digestion en travaillant, dit gravement le procureur.

Les clercs partis, Mme Coquenard se leva et tira d'un buffet un morceau de fromage, des confitures de coings et un gâteau qu'elle avait fait elle-même avec des amandes et du miel.

155 Maître Coquenard fronça le sourcil, parce qu'il voyait trop de mets ; Porthos se pinça les lèvres, parce qu'il voyait qu'il n'y avait pas de quoi dîner.

Il regarda si le plat de fèves était encore là, le plat de fèves avait disparu.

160 – Festin décidément, s'écria maître Coquenard en s'agitant sur sa chaise, véritable festin, *epulae epularum*[1] ; Lucullus[2] dîne chez Lucullus.

Porthos regarda la bouteille qui était près de lui, et il espéra qu'avec du vin, du pain et du fromage il dînerait ; mais le vin man-
165 quait, la bouteille était vide ; M. et Mme Coquenard n'eurent point l'air de s'en apercevoir.

– C'est bien, se dit Porthos à lui-même, me voilà prévenu.

Il passa la langue sur une petite cuillerée de confitures, et s'englua les dents dans la pâte collante de Mme Coquenard.

170 « Maintenant, se dit-il, le sacrifice est consommé. Ah ! si je n'avais pas l'espoir de regarder avec Mme Coquenard dans l'armoire de son mari ! »

Maître Coquenard, après les délices d'un pareil repas, qu'il appelait un excès, éprouva le besoin de faire sa sieste. Porthos espérait

1. ***Epulae epularum* :** en latin, « festin des festins ».
2. **Lucullus :** général romain fort riche, réputé pour le raffinement de sa table.

175 que la chose aurait lieu séance tenante et dans la localité même[1] ; mais le procureur maudit ne voulut entendre à rien : il fallut le conduire dans sa chambre et il cria tant qu'il ne fut pas devant son armoire, sur le rebord de laquelle, pour plus de précaution encore, il posa ses pieds.

180 *Resté seul avec la procureuse, Porthos négocie son équipement : Mme Coquenard consent finalement à demander à son mari un prêt de 800 livres en argent, un cheval pour Porthos et un mulet pour Mousqueton.*

XXXIII
Soubrette et maîtresse

D'Artagnan fait une cour assidue à Milady. Il profite de l'intérêt que lui témoigne Ketty pour détourner les billets que Milady adresse au comte de Wardes, son rival. Il apprend incidemment que Milady le hait pour n'avoir pas tué lord de Winter en duel. La mort de son 5 *beau-frère, en effet, l'eût considérablement enrichie : son fils, dont elle gère la fortune, en est le seul héritier. D'Artagnan, peu sensible à ces obstacles, décide d'« obtenir Milady de gré ou de force ». Il rédige, à la place du comte de Wardes, une réponse à la jeune femme.*

Ketty, la mort dans l'âme, accepte de transmettre la lettre. 10 *D'Artagnan lui témoignera sa reconnaissance en passant la nuit avec elle.*

1. **Dans la localité même :** dans la salle à manger même.

XXXIV
Où il est traité de l'équipement d'Aramis et de Porthos

Aramis reçoit de Tours une lettre accompagnée d'une somme d'argent qui lui permettra d'acheter son équipement. Quant à Porthos, mécontent du mauvais cheval et du mulet offerts par Mme Coquenard, il les renvoie sur-le-champ. Sensible à la colère du mousquetaire, la procureuse accepte de reconsidérer la dépense.

XXXV
La nuit tous les chats sont gris

Ce soir, attendu si impatiemment par Porthos et par d'Artagnan, arriva enfin.

D'Artagnan, comme d'habitude, se présenta vers les neuf heures chez Milady. Il la trouva d'une humeur charmante ; jamais elle ne l'avait si bien reçu. Notre Gascon vit du premier coup d'œil que son billet[1] avait été remis, et ce billet faisait son effet.

Ketty entra pour apporter des sorbets[2]. Sa maîtresse lui fit une mine charmante, lui sourit de son plus gracieux sourire ; mais hélas ! la pauvre fille était si triste qu'elle ne s'aperçut même pas de la bienveillance de Milady.

D'Artagnan regardait l'une après l'autre ces deux femmes, et il était forcé de s'avouer que la nature s'était trompée en les formant : à la grande dame elle avait donné une âme vénale et vile, à la soubrette elle avait donné le cœur d'une duchesse.

À dix heures Milady commença à paraître inquiète, d'Artagnan comprit ce que cela voulait dire ; elle regardait la pendule, se levait, se rasseyait, souriait à d'Artagnan d'un air qui voulait dire :

---

1. **Son billet :** sa lettre.
2. **Sorbets :** boissons constituées de jus de fruits, de sucre et d'eau.

Vous êtes fort aimable sans doute, mais vous seriez charmant si vous partiez !

20 D'Artagnan se leva et prit son chapeau ; Milady lui donna sa main à baiser ; le jeune homme sentit qu'elle la lui serrait et comprit que c'était par un sentiment non pas de coquetterie, mais de reconnaissance à cause de son départ.

« Elle l'aime diablement », murmura-t-il. Puis il sortit.

25 Cette fois Ketty ne l'attendait aucunement, ni dans l'antichambre, ni dans le corridor, ni sous la grande porte. Il fallut que d'Artagnan trouvât tout seul l'escalier et la petite chambre.

Ketty était assise la tête cachée dans ses mains, et pleurait.

Elle entendit entrer d'Artagnan, mais elle ne releva point la tête ; 30 le jeune homme alla à elle et lui prit les mains, alors elle éclata en sanglots.

Comme l'avait présumé d'Artagnan, Milady, en recevant la lettre, avait, dans le délire de sa joie, tout dit à sa suivante ; puis, en récompense de la manière dont cette fois elle avait fait la commis- 35 sion, elle lui avait donné une bourse. Ketty, en rentrant chez elle, avait jeté la bourse dans un coin, où elle était restée tout ouverte, dégorgeant trois ou quatre pièces d'or sur le tapis.

La pauvre fille, à la voix de d'Artagnan, releva la tête. D'Artagnan lui-même fut effrayé du bouleversement de son visage ; elle joignit 40 les mains d'un air suppliant, mais sans oser dire une parole.

Si peu sensible que fût le cœur de d'Artagnan, il se sentit attendri par cette douleur muette ; mais il tenait trop à ses projets et surtout à celui-ci, pour rien changer au programme qu'il avait fait d'avance. Il ne laissa donc à Ketty aucun espoir de la fléchir, seule- 45 ment il lui présenta son action comme une simple vengeance.

Cette vengeance, au reste, devenait d'autant plus facile, que Milady, sans doute pour cacher sa rougeur à son amant, avait recommandé à Ketty d'éteindre toutes les lumières dans l'appartement, et même dans sa chambre, à elle. Avant le jour, M. de 50 Wardes devait sortir, toujours dans l'obscurité.

Au bout d'un instant on entendit Milady qui rentrait dans sa chambre. D'Artagnan s'élança aussitôt dans son armoire. À peine y était-il blotti que la sonnette se fit entendre.

Ketty entra chez sa maîtresse, et ne laissa point la porte ouverte ; mais la cloison était si mince que l'on entendait à peu près tout ce qui se disait entre les deux femmes.

Milady semblait ivre de joie, elle se faisait répéter par Ketty les moindres détails de la prétendue entrevue de la soubrette avec de Wardes, comment il avait reçu sa lettre, comment il avait répondu, quelle était l'expression de son visage, s'il paraissait bien amoureux ; et à toutes ces questions la pauvre Ketty, forcée de faire bonne contenance, répondait d'une voix étouffée dont sa maîtresse ne remarquait même pas l'accent douloureux, tant le bonheur est égoïste.

Enfin, comme l'heure de son entretien avec le comte approchait, Milady fit en effet tout éteindre chez elle, et ordonna à Ketty de rentrer dans sa chambre, et d'introduire de Wardes aussitôt qu'il se présenterait.

L'attente de Ketty ne fut pas longue. À peine d'Artagnan eut-il vu par le trou de la serrure de son armoire que tout l'appartement était dans l'obscurité, qu'il s'élança de sa cachette au moment même où Ketty refermait la porte de communication.

– Qu'est-ce que ce bruit ? demande Milady.

– C'est moi, dit d'Artagnan à demi-voix ; moi, le comte de Wardes.

– Oh ! mon Dieu ! mon Dieu ! murmura Ketty, il n'a pas même pu attendre l'heure qu'il avait fixée lui-même !

– Eh bien ! dit Milady d'une voix tremblante, pourquoi n'entre-t-il pas ? Comte, comte, ajouta-t-elle, vous savez bien que je vous attends !

À cet appel, d'Artagnan éloigna doucement Ketty et s'élança dans la chambre de Milady.

Si la rage et la douleur doivent torturer une âme, c'est celle de l'amant qui reçoit sous un nom qui n'est pas le sien des protestations d'amour qui s'adressent à son heureux rival.

D'Artagnan était dans une situation douloureuse qu'il n'avait pas prévue, la jalousie le mordait au cœur, et il souffrait presque autant que la pauvre Ketty, qui pleurait en ce même moment dans la chambre voisine.

90 – Oui, comte, disait Milady de sa plus douce voix en lui serrant tendrement la main dans les siennes ; oui, je suis heureuse de l'amour que vos regards et vos paroles m'ont exprimé chaque fois que nous nous sommes rencontrés. Moi aussi, je vous aime. Oh ! demain, demain je veux quelque gage de vous qui me prouve que
95 vous pensez à moi, et comme vous pourriez m'oublier, tenez.

Et elle passa une bague de son doigt à celui de d'Artagnan.

D'Artagnan se rappela avoir vu cette bague à la main de Milady : c'était un magnifique saphir entouré de brillants.

Le premier mouvement de d'Artagnan fut de le lui rendre, mais
100 Milady ajouta :

– Non, non ; gardez cette bague pour l'amour de moi. Vous me rendez d'ailleurs, en l'acceptant, ajouta-t-elle d'une voix émue, un service bien plus grand que vous ne sauriez l'imaginer.

« Cette femme est pleine de mystères », murmura en lui-même
105 d'Artagnan.

En ce moment il se sentit prêt à tout révéler. Il ouvrit la bouche pour dire à Milady qui il était, et dans quel but de vengeance il était venu, mais elle ajouta :

– Pauvre ange, que ce monstre de Gascon a failli tuer !

110 Le monstre, c'était lui.

– Oh ! continua Milady, est-ce que vos blessures vous font encore souffrir ?

– Oui, beaucoup, dit d'Artagnan, qui ne savait trop que répondre.

115 – Soyez tranquille, murmura Milady, je vous vengerai, moi, et cruellement !

« Peste ! se dit d'Artagnan, le moment des confidences n'est pas encore venu. »

Il fallut quelque temps à d'Artagnan pour se remettre de ce petit
120 dialogue : mais toutes les idées de vengeance qu'il avait apportées s'étaient complètement évanouies. Cette femme exerçait sur lui une incroyable puissance, il la haïssait et l'adorait à la fois ; il n'avait jamais cru que deux sentiments si contraires pussent habiter dans le même cœur, et, en se réunissant, former un amour
125 étrange et en quelque sorte diabolique.

Cependant une heure venait de sonner ; il fallut se séparer ; d'Artagnan, au moment de quitter Milady, ne sentit plus qu'un vif regret de s'éloigner, et, dans l'adieu passionné qu'ils s'adressèrent réciproquement, une nouvelle entrevue fut convenue pour la semaine suivante. La pauvre Ketty espérait pouvoir adresser quelques mots à d'Artagnan lorsqu'il passerait dans sa chambre ; mais Milady le reconduisit elle-même dans l'obscurité et ne le quitta que sur l'escalier.

Le lendemain au matin, d'Artagnan courut chez Athos. Il était engagé dans une si singulière aventure qu'il voulait lui demander conseil. Il lui raconta tout. Athos fronça plusieurs fois le sourcil.

– Votre Milady, lui dit-il, me paraît une créature infâme[1], mais vous n'en avez pas moins eu tort de la tromper ; vous voilà d'une façon ou d'une autre une ennemie terrible sur les bras.

Et tout en lui parlant, Athos regardait avec attention le saphir entouré de diamants qui avait pris au doigt de d'Artagnan la place de la bague de la reine, soigneusement remise dans un écrin.

– Vous regardez cette bague ? dit le Gascon tout glorieux d'étaler aux regards de ses amis un si riche présent.

– Oui, dit Athos, elle me rappelle un bijou de famille.

– Elle est si belle, n'est-ce pas ? dit d'Artagnan.

– Magnifique ! répondit Athos ; je ne croyais pas qu'il existât deux saphirs d'une si belle eau[2]. L'avez-vous donc troquée[3] contre votre diamant ?

– Non, dit d'Artagnan ; c'est un cadeau de ma belle Anglaise, ou plutôt de ma belle Française, car, quoique je ne le lui aie point demandé, je suis convaincu qu'elle est née en France.

– Cette bague vous vient de Milady ? s'écria Athos avec une voix dans laquelle il était facile de distinguer une grande émotion.

– D'elle-même ; elle me l'a donnée cette nuit.

– Montrez-moi donc cette bague, dit Athos.

– La voici, répondit d'Artagnan en la tirant de son doigt.

Athos l'examina et devint très pâle, puis il l'essaya à l'annulaire de sa main gauche ; elle allait à ce doigt comme si elle eût été faite

1. **Infâme :** méprisable, ayant mauvaise réputation.
2. **D'une si belle eau :** d'une si grande transparence, pureté.
3. **Troquée :** échangée.

160 pour lui. Un nuage de colère et de vengeance passa sur le front ordinairement calme du gentilhomme.

– Il est impossible que ce soit la même, dit-il ; comment cette bague se trouverait-elle entre les mains de Milady Clarick ? Et cependant il est bien difficile qu'il y ait entre deux bijoux une 165 pareille ressemblance.

– Connaissez-vous cette bague ? demanda d'Artagnan.

– J'avais cru la reconnaître, dit Athos, mais sans doute que je me trompais.

Et il la rendit à d'Artagnan, sans cesser cependant de la regarder.

170 – Tenez, dit-il au bout d'un instant, d'Artagnan, ôtez cette bague de votre doigt ou tournez-en le chaton[1] en dedans ; elle me rappelle de si cruels souvenirs que je n'aurais pas ma tête pour causer avec vous. Ne veniez-vous pas me demander des conseils, ne me disiez-vous point que vous étiez embarrassé sur ce que vous 175 deviez faire ?... Mais attendez... rendez-moi ce saphir : celui dont je vous parlais doit avoir une de ses faces éraillée[2] par suite d'un accident.

D'Artagnan tira de nouveau la bague de son doigt et la rendit à Athos.

180 Athos tressaillit.

– Tenez, dit-il, voyez, n'est-ce pas étrange !

Et il montrait à d'Artagnan cette égratignure qu'il se rappelait devoir exister.

– Mais de qui vous venait ce saphir, Athos ?

185 – De ma mère, qui le tenait de sa mère à elle. Comme je vous le dis, c'est un vieux bijou... qui ne devait jamais sortir de la famille.

– Et vous l'avez... vendu ? demanda avec hésitation d'Artagnan.

– Non, reprit Athos avec un singulier sourire ; je l'ai donné pendant une nuit d'amour, comme il vous a été donné à vous.

190 D'Artagnan resta pensif à son tour, il lui semblait voir dans l'âme de Milady des abîmes dont les profondeurs étaient sombres et inconnues.

Il remit la bague non pas à son doigt, mais dans sa poche.

---

1. **Chaton :** tête de la bague où se trouve la pierre précieuse.
2. **Éraillée :** rayée.

– Écoutez, lui dit Athos en lui prenant la main, vous savez si je
195 vous aime, d'Artagnan ; j'aurais un fils que je ne l'aimerais pas plus que vous. Eh bien ! croyez-moi, renoncez à cette femme. Je ne la connais pas, mais une espèce d'intuition me dit que c'est une créature perdue, et qu'il y a quelque chose de fatal en elle.

– Et vous avez raison, dit d'Artagnan. Aussi, je m'en sépare ; je
200 vous avoue que cette femme m'effraye moi-même.

– Aurez-vous ce courage ? dit Athos.

– Je l'aurai, répondit d'Artagnan, et à l'instant même.

– Eh bien ! vrai, mon enfant, vous avez raison, dit le gentilhomme en serrant la main du Gascon avec une affection presque
205 paternelle ; que Dieu veuille que cette femme, qui est à peine entrée dans votre vie, n'y laisse pas une trace funeste !

Et Athos salua d'Artagnan de la tête, en homme qui veut faire comprendre qu'il n'est pas fâché de rester seul avec ses pensées.

En rentrant chez lui d'Artagnan trouva Ketty qui l'attendait. Un
210 mois de fièvre n'eût pas plus changé la pauvre enfant qu'elle ne l'était pour cette nuit d'insomnie[1] et de douleur.

Elle était envoyée par sa maîtresse au faux de Wardes. Sa maîtresse était folle d'amour, ivre de joie ; elle voulait savoir quand le comte lui donnerait une seconde entrevue.

215 Et la pauvre Ketty, pâle et tremblante, attendait la réponse de d'Artagnan.

Athos avait une grande influence sur le jeune homme ; les conseils de son ami joints aux cris de son propre cœur l'avaient déterminé, maintenant que son orgueil était sauvé et sa vengeance
220 satisfaite, à ne plus revoir Milady. Pour toute réponse il prit donc une plume et écrivit la lettre suivante :

« Ne comptez pas sur moi, Madame, pour le prochain rendez-vous : depuis ma convalescence j'ai tant d'occupations de ce genre qu'il m'a fallu y mettre un certain ordre. Quand votre tour viendra,
225 j'aurai l'honneur de vous en faire part.

Je vous baise les mains.

COMTE DE WARDES »

---

1. **Insomnie :** absence de sommeil.

Du saphir pas un mot : le Gascon voulait-il garder une arme contre Milady ? Ou bien, soyons franc, ne conservait-il pas ce saphir comme une dernière ressource pour l'équipement ?

On aurait tort au reste de juger les actions d'une époque au point de vue d'une autre époque. Ce qui aujourd'hui serait regardé comme une honte pour un galant homme était dans ce temps une chose toute simple et toute naturelle, et les cadets des meilleures familles se faisaient en général entretenir par leurs maîtresses.

D'Artagnan passa sa lettre tout ouverte à Ketty, qui la lut d'abord sans la comprendre et qui faillit devenir folle de joie en la relisant une seconde fois.

Ketty ne pouvait croire à ce bonheur. D'Artagnan fut forcé de lui renouveler de vive voix les assurances que la lettre lui donnait par écrit ; et quel que fût, avec le caractère emporté de Milady, le danger que courût la pauvre petite enfant à remettre ce billet à sa maîtresse, elle n'en revint pas moins place Royale de toute la vitesse de ses jambes.

Le cœur de la meilleure femme est impitoyable pour les douleurs d'une rivale.

Milady ouvrit la lettre avec un empressement égal à celui que Ketty avait mis à l'apporter ; mais au premier mot qu'elle lut, elle devint livide ; puis elle froissa le papier ; puis elle se retourna avec un éclair dans les yeux du côté de Ketty.

– Qu'est-ce que cette lettre ? dit-elle.

– Mais c'est la réponse à celle de Madame, répondit Ketty toute tremblante.

– Impossible ! s'écria Milady ; impossible qu'un gentilhomme ait écrit à une femme une pareille lettre !

Puis tout à coup tressaillant :

– Mon Dieu ! dit-elle, saurait-il... Et elle s'arrêta.

Ses dents grinçaient, elle était couleur de cendre ; elle voulut faire un pas vers la fenêtre pour aller chercher de l'air, mais elle ne put qu'étendre les bras, les jambes lui manquèrent, et elle tomba sur un fauteuil.

Ketty crut qu'elle se trouvait mal et se précipita pour ouvrir son corsage. Mais Milady se releva vivement :

– Que me voulez-vous ? dit-elle, et pourquoi portez-vous la
265 main sur moi ?

– J'ai pensé que Madame se trouvait mal et j'ai voulu lui porter secours, répondit la suivante tout épouvantée de l'expression terrible qu'avait prise la figure de sa maîtresse.

– Me trouver mal, moi ? moi ? Me prenez-vous pour une femme-
270 lette ? Quand on m'insulte, je ne me trouve pas mal, je me venge, entendez-vous !

Et de la main elle fit signe à Ketty de sortir.

XXXVI
Rêve de vengeance

Milady, qui se croit délaissée et bafouée par le comte de Wardes, demande à d'Artagnan de la venger. Le mousquetaire lui promet d'exécuter ses ordres. Il est convenu que d'Artagnan reviendra le soir même à onze heures.

XXXVII
Le secret de Milady

D'Artagnan passe la nuit avec Milady. « Il s'abandonne tout entier aux sensations du moment. » Au petit matin, il s'apprête à partir.

Alors Milady, voyant que d'Artagnan allait la quitter, lui rappela la promesse qu'il lui avait faite de la venger de De Wardes.

5 – Je suis tout prêt, dit d'Artagnan, mais auparavant je voudrais être certain d'une chose.

– De laquelle ? demanda Milady.

– C'est que vous m'aimez.

– Je vous en ai donné la preuve, ce me semble.

10 – Oui, aussi je suis à vous corps et âme.

– Merci, mon brave amant ! Mais de même que je vous ai prouvé mon amour, vous me prouverez le vôtre à votre tour, n'est-ce pas ?

– Certainement. Mais si vous m'aimez comme vous me le dites, reprit d'Artagnan, ne craignez-vous pas un peu pour moi ?

15 – Que puis-je craindre ?

– Mais enfin, que je sois blessé dangereusement, tué même.

– Impossible, dit Milady, vous êtes un homme si vaillant et une si fine épée.

– Vous ne préféreriez donc point, reprit d'Artagnan, un moyen 20 qui vous vengerait de même tout en rendant inutile le combat.

Milady regarda son amant en silence : cette lueur blafarde[1] des premiers rayons du jour donnait à ses yeux clairs une expression étrangement funeste[2].

– Vraiment, dit-elle, je crois que voilà que vous hésitez 25 maintenant.

– Non, je n'hésite pas ; mais c'est que ce pauvre comte de Wardes me fait vraiment peine depuis que vous ne l'aimez plus, et il me semble qu'un homme doit être si cruellement puni par la perte seule de votre amour, qu'il n'a pas besoin d'autre châtiment.

30 – Qui vous dit que je l'aie aimé ? demanda Milady.

– Au moins puis-je croire maintenant sans trop de fatuité[3] que vous en aimez un autre, dit le jeune homme d'un ton caressant, et je vous le répète, je m'intéresse au comte.

– Vous ? demanda Milady.

35 – Oui moi.

– Et pourquoi vous ?

– Parce que seul je sais…

– Quoi ?

– Qu'il est loin d'être ou plutôt d'avoir été aussi coupable envers 40 vous qu'il le paraît.

– En vérité ! dit Milady d'un air inquiet ; expliquez-vous, car je ne sais vraiment ce que vous voulez dire.

Et elle regardait d'Artagnan, qui la tenait embrassée, avec des yeux qui semblaient s'enflammer peu à peu.

---

1. **Blafarde :** pâle et sans éclat.
2. **Funeste :** sinistre.
3. **Fatuité :** prétention, orgueil.

45 – Oui, je suis galant homme[1], moi ! dit d'Artagnan, décidé à en finir ; et depuis que votre amour est à moi, que je suis bien sûr de le posséder, car je le possède, n'est-ce pas ?…

– Tout entier, continuez.

– Eh bien ! je me sens comme transporté, un aveu me pèse.

50 – Un aveu ?

– Si j'eusse douté de votre amour je ne l'eusse pas fait ; mais vous m'aimez, ma belle maîtresse ? N'est-ce pas, vous m'aimez ?

– Sans doute.

– Alors si par excès d'amour je me suis rendu coupable envers 55 vous, vous me pardonnerez ?

– Peut-être !

D'Artagnan essaya, avec le plus doux sourire qu'il pût prendre, de rapprocher ses lèvres des lèvres de Milady, mais celle-ci l'écarta.

– Cet aveu, dit-elle en pâlissant, quel est cet aveu ?

60 – Vous aviez donné rendez-vous à de Wardes, jeudi dernier, dans cette même chambre, n'est-ce pas ?

– Moi, non ! cela n'est pas, dit Milady d'un ton de voix si ferme et d'un visage si impassible que, si d'Artagnan n'eût pas eu une certitude si parfaite, il eût douté.

65 – Ne me mentez pas, mon bel ange, dit d'Artagnan en souriant, ce serait inutile.

– Comment cela ? Parlez donc ! Vous me faites mourir !

– Oh ! rassurez-vous, vous n'êtes point coupable envers moi, et je vous ai déjà pardonné !

70 – Après, après ?

– De Wardes ne peut se glorifier de rien.

– Pourquoi ? Vous m'avez dit vous-même que cette bague…

– Cette bague, mon amour, c'est moi qui l'ai. Le duc de Wardes[2] de jeudi et le d'Artagnan d'aujourd'hui sont la même personne.

75 L'imprudent s'attendait à une surprise mêlée de pudeur, à un petit orage qui se résoudrait en larmes ; mais il se trompait étrangement, et son erreur ne fut pas longue.

Pâle et terrible, Milady se redressa, et, repoussant d'Artagnan d'un violent coup dans la poitrine, elle s'élança hors du lit.

---

1. **Galant homme :** homme d'honneur, aux sentiments nobles et délicats.
2. **Le duc de Wardes :** c'est une erreur, il s'agit du comte de Wardes.

80 Il faisait alors presque grand jour.

D'Artagnan la retint par son peignoir de fine toile des Indes pour implorer son pardon ; mais elle, d'un mouvement puissant et résolu, elle essaya de fuir. Alors la batiste[1] se déchira en laissant à nu les épaules, et, sur l'une de ces belles épaules rondes et 85 blanches, d'Artagnan, avec un saisissement inexprimable, reconnut la fleur de lys, cette marque indélébile[2] qu'imprime la main infamante du bourreau.

– Grand Dieu ! s'écria d'Artagnan en lâchant le peignoir.

Et il demeura muet, immobile et glacé sur le lit.

90 Mais Milady se sentait dénoncée par l'effroi même de d'Artagnan. Sans doute il avait tout vu ; le jeune homme maintenant savait son secret, secret terrible, que tout le monde ignorait, excepté lui.

Elle se retourna, non plus comme une femme furieuse, mais 95 comme une panthère blessée.

– Ah ! misérable, dit-elle, tu m'as lâchement trahie, et de plus tu as mon secret ! Tu mourras !

Et elle courut à un coffret de marqueterie[3] posé sur la toilette, l'ouvrit d'une main fiévreuse et tremblante, en tira un petit poi-100 gnard à manche d'or, à la lame aiguë et mince, et revint d'un bond sur d'Artagnan à demi nu.

Quoique le jeune homme fût brave, on le sait, il fut épouvanté de cette figure bouleversée, de ces pupilles dilatées horriblement, de ces joues pâles et de ces lèvres sanglantes ; il recula jusqu'à la 105 ruelle[4], comme il eût fait à l'approche d'un serpent qui eût rampé vers lui, et son épée se rencontrant sous sa main souillée de sueur, il la tira du fourreau.

Mais sans s'inquiéter de l'épée, Milady essaya de remonter sur le lit pour le frapper, et elle ne s'arrêta que lorsqu'elle sentit la pointe 110 aiguë sur sa gorge.

Alors elle essaya de saisir cette épée avec les mains ; mais d'Artagnan l'écarta toujours de ses étreintes, et, la lui présentant tantôt

1. **Batiste :** toile de lin très fine.
2. **Indélébile :** qu'on ne peut effacer.
3. **Marqueterie :** incrustation de bois précieux, d'écaille ou de nacre.
4. **Ruelle :** espace situé entre le mur et le lit.

aux yeux, tantôt à la poitrine, il se laissa glisser à bas du lit, cherchant pour faire retraite la porte qui conduisait chez Ketty.

115 Milady, pendant ce temps, se ruait sur lui avec d'horribles transports, rugissant d'une façon formidable.

Cependant cela ressemblait à un duel, aussi d'Artagnan se remettait petit à petit.

– Bien, belle dame, bien ! disait-il, mais, de par Dieu, calmez-120 vous, ou je vous dessine une seconde fleur de lys sur l'autre épaule.

– Infâme ! infâme ! hurlait Milady.

Mais d'Artagnan, cherchant toujours la porte, se tenait sur la défensive.

125 Au bruit qu'ils faisaient, elle renversant les meubles pour aller à lui, lui s'abritant derrière les meubles pour se garantir d'elle, Ketty ouvrit la porte. D'Artagnan, qui avait sans cesse manœuvré pour se rapprocher de cette porte, n'en était plus qu'à trois pas. D'un seul élan il s'élança de la chambre de Milady dans celle de la suivante, 130 et, rapide comme l'éclair, il referma la porte, contre laquelle il s'appuya de tout son poids tandis que Ketty poussait les verrous.

Alors Milady essaya de renverser l'arc-boutant[1] qui l'enfermait dans sa chambre, avec des forces bien au-dessus de celles d'une femme ; puis, lorsqu'elle sentit que c'était chose impossible, elle 135 cribla la porte de coups de poignard, dont quelques-uns traversèrent l'épaisseur du bois.

Chaque coup était accompagné d'une imprécation[2] terrible.

– Vite, vite, Ketty, dit d'Artagnan à demi-voix lorsque les verrous furent mis, fais-moi sortir de l'hôtel ou, si nous lui laissons le 140 temps de se retourner, elle me fera tuer par les laquais.

– Mais vous ne pouvez pas sortir ainsi, dit Ketty, vous êtes tout nu.

– C'est vrai, dit d'Artagnan, qui s'aperçut alors seulement du costume dans lequel il se trouvait, c'est vrai ; habille-moi comme 145 tu pourras, mais hâtons-nous ; comprends-tu, il y va de la vie et de la mort !

---

1. **Arc-boutant :** maçonnerie en forme d'arc qui soutient d'ordinaire un mur.
2. **Imprécation :** malédiction, souhait de malheur.

Ketty ne comprenait que trop ; en un tour de main elle l'affubla[1] d'une robe à fleurs, d'une large coiffe et d'un mantelet[2] ; elle lui donna des pantoufles, dans lesquelles il passa ses pieds nus, puis elle l'entraîna par les degrés. Il était temps, Milady avait déjà sonné et réveillé tout l'hôtel. Le portier tira le cordon[3] à la voix de Ketty au moment même où Milady, à demi nue de son côté, criait par la fenêtre :

– N'ouvrez pas !

XXXVIII
Comment, sans se déranger, Athos trouva son équipement

D'Artagnan accourt chez Athos et lui raconte sa mésaventure. Il confirme, par son récit, les soupçons de son ami : Athos a connu autrefois Milady. Que d'Artagnan soit très prudent : cette femme est dangereuse d'autant plus qu'elle est sûrement aux ordres du cardinal. En attendant le départ pour La Rochelle, Athos accompagnera d'Artagnan partout où il ira. Ils conviennent déjà de vendre le saphir pour une somme de deux mille livres. Cet argent servira à acheter leur équipement. Lorsque d'Artagnan arrive chez lui, rue des Fossoyeurs, il trouve Ketty, venue lui demander sa protection : elle craint la colère de Milady. Il est convenu qu'elle se réfugiera à Tours où Mme de Bois-Tracy cherche pour une de ses amies une femme de chambre. Ketty redoute également M. Bonacieux qu'elle a croisé en arrivant. En effet, elle l'a déjà rencontré chez Milady avec qui il semble en affaire.

1. **Affubla :** habilla avec ce qu'elle avait sous la main.
2. **Mantelet :** petite cape dont les femmes se couvraient les épaules et les bras.
3. **Cordon :** petite corde qui permettait au portier de laisser entrer ou sortir.

XXXIX
Une vision

Les quatre amis sont réunis chez Athos lorsque Planchet apporte deux lettres à d'Artagnan. La première, anonyme, semble avoir été écrite par Mme Bonacieux :

« Promenez-vous [...] mercredi prochain, de six heures à sept heures du soir, sur la route de Chaillot, et regardez avec soin dans les carrosses qui passeront... »

La seconde est une lettre cachetée :

« M. d'Artagnan, garde du roi, compagnie des Essarts, est attendu au Palais-Cardinal ce soir à huit heures.

La Houdinière
CAPITAINE DES GARDES »

D'Artagnan décide d'honorer ces deux rendez-vous l'un après l'autre. À six heures et quart, sur la route de Chaillot, il aperçoit, par la portière d'une voiture, arrivée au grand galop, le visage de Mme Bonacieux. D'Artagnan ne sait que penser de ce curieux rendez-vous : où conduit-on Mme Bonacieux ? Mais il doit presque aussitôt se précipiter au rendez-vous du cardinal auquel il se présente, non sans appréhension. Heureusement ses trois amis l'attendent à la sortie du palais.

XL
Le cardinal

Richelieu observe avec insistance d'Artagnan et commence un interrogatoire. Il apparaît bien vite qu'il sait tout des faits et gestes du jeune homme. Paradoxalement, il montre à son égard une certaine indulgence.

– Vous êtes brave, monsieur d'Artagnan, continua l'Éminence[1] ; vous êtes prudent, ce qui vaut mieux. J'aime les hommes de tête et de cœur, moi ; ne vous effrayez pas, dit-il en souriant, par les hommes de cœur, j'entends les hommes de courage ; mais, tout jeune que vous êtes, et à peine entrant dans le monde, vous avez des ennemis puissants : si vous n'y prenez garde, ils vous perdront !

– Hélas ! monseigneur, répondit le jeune homme, ils le feront bien facilement, sans doute ; car ils sont forts et bien appuyés, tandis que moi je suis seul !

– Oui, c'est vrai ; mais, tout seul que vous êtes, vous avez déjà fait beaucoup, et vous ferez encore plus, je n'en doute pas. Cependant, vous avez, je le crois, besoin d'être guidé dans l'aventureuse carrière que vous avez entreprise ; car, si je ne me trompe, vous êtes venu à Paris avec l'ambitieuse idée de faire fortune.

– Je suis dans l'âge des folles espérances, monseigneur, dit d'Artagnan.

– Il n'y a de folles espérances que pour les sots, monsieur, et vous êtes homme d'esprit. Voyons, que diriez-vous d'une enseigne[2] dans mes gardes, et d'une compagnie après la campagne ?

– Ah ! monseigneur !

– Vous acceptez, n'est-ce pas ?

– Monseigneur, reprit d'Artagnan d'un air embarrassé.

– Comment, vous refusez ? s'écria le cardinal avec étonnement.

– Je suis dans les gardes de Sa Majesté, monseigneur, et je n'ai point de raisons d'être mécontent.

– Mais il me semble, dit l'Éminence, que mes gardes, à moi, sont aussi les gardes de Sa Majesté, et que, pourvu qu'on serve dans un corps français, on sert le roi.

– Monseigneur, Votre Éminence a mal compris mes paroles.

– Vous voulez un prétexte, n'est-ce pas ? Je comprends. Eh bien ! ce prétexte, vous l'avez. L'avancement, la campagne qui s'ouvre, l'occasion que je vous offre, voilà pour le monde ; pour vous, le besoin de protections sûres ; car il est bon que vous sachiez, monsieur d'Artagnan, que j'ai reçu des plaintes graves contre vous,

1. **Éminence :** titre que l'on donne à un cardinal.
2. **Enseigne :** symbole de commandement servant de ralliement pour les troupes.

40 vous ne consacrez pas exclusivement vos jours et vos nuits au service du roi.

D'Artagnan rougit.

– Au reste, continua le cardinal en posant la main sur une liasse de papiers, j'ai là tout un dossier qui vous concerne ; mais, avant 45 de le lire, j'ai voulu causer avec vous. Je vous sais homme de résolution, et vos services, bien dirigés, au lieu de vous mener à mal, pourraient vous rapporter beaucoup. Allons, réfléchissez, et décidez-vous.

– Votre bonté me confond, monseigneur, répondit d'Artagnan, et 50 je reconnais dans Votre Éminence une grandeur d'âme qui me fait petit comme un ver de terre ; mais enfin, puisque monseigneur me permet de lui parler franchement...

D'Artagnan s'arrêta.

– Oui, parlez.

55 – Eh bien ! je dirai à Votre Éminence que tous mes amis sont aux mousquetaires et aux gardes du roi, et que mes ennemis, par une fatalité inconcevable, sont à Votre Éminence ; je serais donc mal venu ici et mal regardé là-bas si j'acceptais ce que m'offre monseigneur.

60 – Auriez-vous déjà cette orgueilleuse idée que je ne vous offre pas ce que vous valez, monsieur ? dit le cardinal avec un sourire de dédain.

– Monseigneur, Votre Éminence est cent fois trop bonne pour moi, et au contraire je pense n'avoir point encore fait assez pour 65 être digne de ses bontés. Le siège[1] de La Rochelle va s'ouvrir, monseigneur ; je servirai sous les yeux de Votre Éminence, et si j'ai le bonheur de me conduire à ce siège de telle façon que je mérite d'attirer ses regards, eh bien ! après j'aurai au moins derrière moi quelque action d'éclat pour justifier la protection dont elle voudra 70 bien m'honorer. Toute chose doit se faire à son temps, monseigneur ; peut-être plus tard aurai-je le droit de me donner, à cette heure j'aurais l'air de me vendre.

– C'est-à-dire que vous refusez de me servir, monsieur, dit le cardinal avec un ton de dépit dans lequel perçait cependant une

1. **Siège :** lieu où s'établit une armée pour prendre une place forte.

sorte d'estime ; demeurez donc libre et gardez vos haines et vos sympathies.

– Monseigneur...

– Bien, bien, dit le cardinal, je ne vous en veux pas ; mais vous comprenez, on a assez de défendre ses amis et de les récompenser, on ne doit rien à ses ennemis, et cependant je vous donnerai un conseil : tenez-vous bien, monsieur d'Artagnan, car, du moment que j'aurais retiré ma main de dessus vous, je n'achèterai pas votre vie pour une obole[1].

– J'y tâcherai, monseigneur, répondit le Gascon avec une noble assurance.

– Songez plus tard, et à un certain moment, s'il vous arrive malheur, dit Richelieu avec intention, que c'est moi qui ai été vous chercher, et que j'ai fait ce que j'ai pu pour que ce malheur ne vous arrivât pas.

– J'aurai, quoi qu'il arrive, dit d'Artagnan en mettant la main sur sa poitrine et en s'inclinant, une éternelle reconnaissance à Votre Éminence de ce qu'elle fait pour moi en ce moment.

– Eh bien donc ! comme vous l'avez dit, monsieur d'Artagnan, nous nous reverrons après la campagne[2] ; je vous suivrai des yeux ; car je serai là-bas, reprit le cardinal en montrant du doigt à d'Artagnan une magnifique armure qu'il devait endosser, et à notre retour, eh bien ! nous compterons !

– Ah ! monseigneur, s'écria d'Artagnan, épargnez-moi le poids de votre disgrâce ; restez neutre, monseigneur, si vous trouvez que j'agis en galant homme.

– Jeune homme, dit Richelieu, si je puis vous dire encore une fois ce que je vous ai dit aujourd'hui, je vous promets de vous le dire.

Cette dernière parole de Richelieu exprimait un doute terrible ; elle consterna d'Artagnan plus que n'eût fait une menace, car c'était un avertissement. Le cardinal cherchait donc à le préserver de quelque malheur qui le menaçait. Il ouvrit la bouche pour répondre, mais d'un geste hautain, le cardinal le congédia.

1. **Obole :** très petite somme.
2. **Campagne :** opération de guerre.

Le surlendemain, le roi passe en revue la compagnie des gardes de M. des Essarts et la compagnie des mousquetaires. Puis les gardes se mettent en marche, les mousquetaires ne devant partir qu'avec le roi. Alors que d'Artagnan défile avec sa compagnie, Milady le désigne du doigt à deux hommes de mauvaise mine...

XLI
Le siège de La Rochelle

Richelieu veut soumettre La Rochelle, « dernière porte ouverte aux Anglais dans le royaume de France », place forte des protestants.

Mais, nous l'avons dit, à côté de ces vues du ministre niveleur[1] et simplificateur, et qui appartiennent à l'histoire, le chroniqueur[2] est bien forcé de reconnaître les petites visées[3] de l'homme amoureux et du rival jaloux.

Richelieu, comme chacun sait, avait été amoureux de la reine ; cet amour avait-il chez lui un simple but politique ou était-ce tout naturellement une de ces profondes passions comme en inspira Anne d'Autriche à ceux qui l'entouraient, c'est ce que nous ne saurions dire ; mais en tout cas on a vu, par les développements antérieurs de cette histoire, que Buckingham l'avait emporté sur lui, et que, dans deux ou trois circonstances et particulièrement dans celles des ferrets, il l'avait, grâce au dévouement des trois mousquetaires et au courage de d'Artagnan, cruellement mystifié[4].

Il s'agissait donc pour Richelieu, non seulement de débarrasser la France d'un ennemi, mais de se venger d'un rival ; au reste, la vengeance devait être grande et éclatante, et digne en tout d'un homme qui tient dans sa main, pour épée de combat, les forces de tout un royaume.

---

1. **Niveleur :** qui cherche à aplanir, à unifier.
2. **Chroniqueur :** auteur qui relate les faits historiques selon leur ordre de succession (chronologique).
3. **Visées :** intentions, projets.
4. **Mystifié :** trompé.

Richelieu savait qu'en combattant l'Angleterre il combattait Buckingham, qu'en triomphant de l'Angleterre il triomphait de Buckingham, enfin qu'en humiliant l'Angleterre aux yeux de l'Europe il humiliait Buckingham aux yeux de la reine.

25 De son côté Buckingham, tout en mettant en avant l'honneur de l'Angleterre, était mû par[1] des intérêts absolument semblables à ceux du cardinal ; Buckingham aussi poursuivait une vengeance particulière : sous aucun prétexte, Buckingham n'avait pu rentrer en France comme ambassadeur, il voulait y rentrer comme

30 conquérant.

Il en résulte que le véritable enjeu de cette partie, que les deux plus puissants royaumes jouaient pour le bon plaisir de deux hommes amoureux, était un simple regard d'Anne d'Autriche.

Le premier avantage avait été au duc de Buckingham : arrivé

35 inopinément en vue de l'île de Ré avec quatre-vingt-dix vaisseaux et vingt mille hommes à peu près, il avait surpris le comte de Toiras, qui commandait pour le roi dans l'île ; il avait, après un combat sanglant, opéré son débarquement.

D'Artagnan fait partie du détachement envoyé en avant-garde par

40 *le roi et Richelieu. Lors d'une promenade solitaire, près du bastion de La Rochelle, il échappe à une tentative d'assassinat dont il devine vite l'origine : c'est Milady qui a payé les deux hommes chargés de le tuer. Dans le portefeuille d'un de ses agresseurs, il découvre une lettre de son ennemie où il apprend que Mme Bonacieux est enfermée dans*

45 *un couvent.*

XLII
Le vin d'Anjou

Au début du mois de novembre, d'Artagnan reçoit de la part de ses amis douze bouteilles de vin d'Anjou. Alors qu'avec ses convives il se prépare à le goûter, Aramis, Porthos et Athos surviennent. Tandis

1. **Mû par :** poussé par.

qu'ils nient avoir expédié le vin, un des convives tombe, raide mort : le vin est empoisonné. Sans aucun doute, c'est un coup de Milady. Remis de ses émotions, d'Artagnan s'interroge sur le lieu de retraite de Mme Bonacieux. Aramis propose alors de consulter l'aumônier de la reine. En effet, c'est Anne d'Autriche qui a envoyé Constance dans un couvent pour la protéger.

Clefs d'analyse

Chapitres XXXI-XLII

Action et personnages

1. « ... Ce sont de faux noms » (chap. XXXI, l. 15-16) : Pourquoi l'auteur a-t-il donné à ses personnages une double identité ?
2. « ... On ne se bat qu'avec ses égaux » (chap. XXXI, l. 22-23) : que laisse supposer cette déclaration sur la morale des combats au XVIIe siècle ?
3. Chacun des trois compagnons révèle son véritable nom à son adversaire à voix basse. Quel sens attribuez-vous à ce cérémonial ?
4. « Parce qu'on me croit mort, que j'ai des raisons pour désirer qu'on ne sache pas que je vis » (chap. XXXI, l. 37-38) : précisez qui semble désigné par le pronom indéfini « on ». Quelle relation établissez-vous entre la réplique d'Athos et l'issue de son duel ?
5. Quel est le nom de Milady dans le chapitre XXXI ? Son lien avec lord de Winter ?
6. Comment l'avarice de maître Coquenard apparaît-elle au cours du dîner (chap. XXXII) ?
7. Que pensez-vous du comportement de Mme Coquenard ?
8. Portez un jugement sur Porthos : agit-il seulement par intérêt ou est-il amoureux de Mme Coquenard ?
9. En quoi le saphir donné par Milady fait-il avancer l'action (chap. XXXV) ?

Langue

10. Dans le chapitre XXXII, quels sont les procédés comiques les plus utilisés par Dumas ? Pour chaque procédé, relevez un exemple. À quel genre littéraire cette scène pourrait-elle se rattacher ?
11. Relevez les termes décrivant le cadre de la scène. En quoi caractérisent-ils une classe sociale ? Laquelle ?
12. « ... Une espèce d'intuition me dit que c'est une créature perdue, et qu'il y a quelque chose de fatal en elle » (chap. XXXV, l. 197-198) : relevez quelques expressions justifiant le sentiment d'Athos sur Milady.
13. Dégagez l'argumentation développée par le cardinal (chap. XL). Quels moyens utilise-t-il pour convaincre d'Artagnan ?

14. Relevez deux maximes morales prononcées l'une par le cardinal, l'autre par d'Artagnan (chap. XL). Comparez leur expression.

Genre ou thèmes

15. Analysez l'art de la transition entre les chapitres XXXI et XXXII.
16. Analysez en citant le texte le mélange des genres dans le chapitre XXXV : le tragique de Milady, le comique de vaudeville développé par d'Artagnan.
17. Relevez dans le chapitre XXXV deux comparaisons qui assimilent Milady à un animal. Qu'en concluez-vous sur l'image que Dumas confère à son personnage ?
18. Le siège de La Rochelle (chap. XLI) est un fait historique. Comment Dumas le présente-t-il ? Qu'apporte-t-il au roman ?

Écriture

19. En vous appuyant sur les textes, dressez un portrait de Milady dont vous ferez ressortir le côté machiavélique.
20. Imaginez à partir du résumé produit pour le chapitre XLII un texte d'une dizaine de lignes sur l'épisode du vin empoisonné. Vous choisirez le temps du récit et rédigerez des dialogues à la manière de Dumas.

Pour aller plus loin

21. Trouvez dans la littérature française ou étrangère d'autres récits de duels où les valeurs de la noblesse apparaissent.

✻ *À retenir*

Le **roman historique à la française** privilégie, chez Dumas, le **mélange des genres.** Après une scène de duel, l'auteur introduit une scène cocasse. Après une page où il illustre les valeurs de la noblesse, il fait pénétrer son lecteur dans un univers bourgeois. Toutes ces libertés assurent à son roman **intensité et diversité**, font alterner **drame et rire,** le rendant populaire.

XLIII
L'auberge du Colombier-Rouge

Les Anglais quittent l'île de Ré, en abandonnant la défense de La Rochelle. Athos, Porthos et Aramis, un soir que d'Artagnan est « de tranchée », rencontrent Richelieu et l'escortent jusqu'à l'auberge du Colombier-Rouge, où il a un rendez-vous.

XLIV
De l'utilité des tuyaux de poêle

Il était évident que, sans s'en douter, et mus seulement par leur caractère chevaleresque et aventureux, nos trois amis venaient de rendre service à quelqu'un que le cardinal honorait de sa protection particulière.

5 Maintenant quel était ce quelqu'un ? C'est la question que se firent d'abord les trois mousquetaires ; puis, voyant qu'aucune des réponses que pouvait leur faire leur intelligence n'était satisfaisante, Porthos appela l'hôte et demanda des dés.

Porthos et Aramis se placèrent à une table et se mirent à jouer.
10 Athos se promena en réfléchissant.

En réfléchissant et en se promenant, Athos passait et repassait devant le tuyau du poêle rompu par la moitié et dont l'autre extrémité donnait dans la chambre supérieure ; et à chaque fois qu'il passait et repassait, il entendait un murmure de paroles qui finit
15 par fixer son attention. Athos s'approcha, et il distingua quelques mots qui lui parurent sans doute mériter un si grand intérêt qu'il fit signe à ses compagnons de se taire, restant lui-même courbé, l'oreille tendue à la hauteur de l'orifice inférieur.

– Écoutez, Milady, disait le cardinal, l'affaire est importante ;
20 asseyez-vous là et causons.

– Milady ! murmura Athos.

– J'écoute Votre Éminence avec la plus grande attention, répondit une voix de femme qui fit tressaillir le mousquetaire.

– Un petit bâtiment[1] avec équipage anglais, dont le capitaine est
25 à moi[2], vous attend à l'embouchure de la Charente, au fort de La Pointe ; il mettra à la voile[3] demain matin.

– Il faut alors que je m'y rende cette nuit ?

– À l'instant même, c'est-à-dire lorsque vous aurez reçu mes instructions. Deux hommes que vous trouverez à la porte en sortant
30 vous serviront d'escorte ; vous me laisserez sortir le premier, puis, une demi-heure après moi, vous sortirez à votre tour.

– Oui, monseigneur. Maintenant revenons à la mission dont vous voulez bien me charger ; et, comme je tiens à continuer de mériter la confiance de Votre Éminence, daignez me l'exposer en
35 termes clairs et précis, afin que je ne commette aucune erreur.

Il y eut un instant de profond silence entre les deux interlocuteurs ; il était évident que le cardinal mesurait d'avance les termes dans lesquels il allait parler, et que Milady recueillait[4] toutes ses facultés intellectuelles pour comprendre les choses qu'il allait dire
40 et les graver dans sa mémoire quand elles seraient dites.

Athos profita de ce moment pour dire à ses deux compagnons de fermer la porte en dedans et pour leur faire signe de venir écouter avec lui.

Les deux mousquetaires, qui aimaient leurs aises, apportèrent
45 une chaise pour chacun d'eux, et une chaise pour Athos. Tous trois s'assirent alors, leurs têtes rapprochées et l'oreille au guet.

– Vous allez partir pour Londres, continua le cardinal. Arrivée à Londres, vous irez trouver Buckingham.

– Je ferai observer à Son Éminence, dit Milady, que depuis l'af-
50 faire des ferrets de diamants, pour laquelle le duc m'a toujours soupçonnée, Sa Grâce se défie de moi.

– Aussi cette fois-ci, dit le cardinal, ne s'agit-il plus de capter sa confiance, mais de se présenter franchement et loyalement à lui comme négociatrice.

---

1. **Bâtiment :** bateau.
2. **Est à moi :** est à mes ordres.
3. **Mettra à la voile :** prendra le large.
4. **Recueillait :** rassemblait.

55 – Franchement et loyalement, répéta Milady avec une indicible expression de duplicité[1].

– Oui, franchement et loyalement, reprit le cardinal du même ton ; toute cette négociation doit être faite à découvert.

– Je suivrai à la lettre les instructions de Son Éminence, et j'at-
60 tends qu'elle me les donne.

– Vous irez trouver Buckingham de ma part, et vous lui direz que je sais tous les préparatifs qu'il fait, mais que je ne m'en inquiète guère, attendu qu'au premier mouvement qu'il risquera[2], je perds[3] la reine.

65 – Croira-t-il que Votre Éminence est en mesure d'accomplir la menace qu'elle lui fait ?

– Oui, car j'ai des preuves.

– Il faut que je puisse présenter ces preuves à son appréciation.

– Sans doute, et vous lui direz que je publie le rapport de Bois-
70 Robert et du marquis de Beautru sur l'entrevue que le duc a eue chez Mme la connétable avec la reine, le soir que Mme la connétable a donné une fête masquée ; vous lui direz, afin qu'il ne doute de rien, qu'il y est venu sous le costume du Grand Mogol que devait porter le chevalier de Guise, et qu'il a acheté à ce dernier
75 moyennant la somme de trois mille pistoles[4].

– Bien, monseigneur.

– Tous les détails de son entrée au Louvre et de sa sortie pendant la nuit où il est introduit au palais sous le costume d'un diseur de bonne aventure italien me sont connus ; vous lui direz,
80 pour qu'il ne doute pas encore de l'authenticité de mes renseignements, qu'il avait sous son manteau une grande robe blanche semée de larmes noires, de têtes de mort et d'os en sautoir[5] ; car, en cas de surprise, il devait se faire passer pour le fantôme de la Dame blanche[6] qui, comme chacun le sait, revient au Louvre
85 chaque fois que quelque grand événement va s'accomplir.

– Est-ce tout, monseigneur ?

---

1. **Duplicité :** fausseté, hypocrisie.
2. **Risquera :** tentera.
3. **Perds :** compromets, mets en danger.
4. **Pistole :** une pistole est une monnaie valant dix livres.
5. **En sautoir :** portés autour du cou.
6. **Le fantôme de la Dame blanche :** cette apparition annonce d'ordinaire une mort.

– Dites-lui que je sais encore tous les détails de l'aventure d'Amiens, que j'en ferai faire un petit roman, spirituellement tourné, avec un plan du jardin et les portraits des principaux
90 acteurs de cette scène nocturne.

– Je lui dirai cela.

– Dites-lui encore que je tiens Montaigu, que Montaigu est à la Bastille[1], qu'on n'a surpris aucune lettre sur lui, c'est vrai, mais que la torture peut lui faire dire ce qu'il sait, et même... ce qu'il ne sait
95 pas.

– À merveille.

– Enfin ajoutez que Sa Grâce, dans la précipitation qu'elle a mise à quitter l'île de Ré, oublia dans son logis certaine lettre de Mme de Chevreuse qui compromet singulièrement la reine, en ce
100 qu'elle prouve non seulement que Sa Majesté peut aimer les ennemis du roi, mais encore qu'elle conspire avec ceux de la France. Vous avez bien retenu tout ce que je vous ai dit, n'est-ce pas ?

– Votre Éminence va en juger : le bal de Mme la connétable ; la nuit du Louvre ; la soirée d'Amiens ; l'arrestation de Montaigu ; la
105 lettre de Mme de Chevreuse.

– C'est cela, dit le cardinal, c'est cela : vous avez une bienheureuse mémoire, Milady.

– Mais, reprit celle à qui le cardinal venait d'adresser ce compliment flatteur, si malgré toutes ces raisons le duc ne se rend pas et
110 continue de menacer la France ?

– Le duc est amoureux comme un fou, ou plutôt comme un niais, reprit Richelieu avec une profonde amertume ; comme les anciens paladins[2], il n'a entrepris cette guerre que pour obtenir un regard de sa belle. S'il sait que cette guerre peut coûter l'honneur
115 et peut-être la liberté à la dame de ses pensées, comme il dit, je vous réponds qu'il y regardera à deux fois.

– Et cependant, dit Milady avec une persistance qui prouvait qu'elle voulait voir clair jusqu'au bout dans la mission dont elle allait être chargée, cependant s'il persiste ?
120 – S'il persiste..., dit le cardinal, ce n'est pas probable.

---

1. **La Bastille :** petite prison royale à l'est du Paris de l'époque.
2. **Paladins :** chevaliers du Moyen Âge en quête de prouesses et d'actions généreuses.

– C'est possible, dit Milady.

– S'il persiste... Son Éminence fit une pause et reprit : S'il persiste, eh bien ! j'espérerai dans un de ces événements qui changent la face des États.

125 – Si Son Éminence voulait me citer dans l'histoire quelques-uns de ces événements, dit Milady, peut-être partagerais-je sa confiance dans l'avenir.

– Eh bien, tenez ! par exemple, dit Richelieu, lorsqu'en 1610, pour une cause à peu près pareille à celle qui fait mouvoir le duc, 130 le roi Henri IV, de glorieuse mémoire, allait à la fois envahir les Flandres et l'Italie pour frapper à la fois l'Autriche des deux côtés, eh bien ! n'est-il pas arrivé un événement qui a sauvé l'Autriche ? Pourquoi le roi de France n'aurait-il pas la même chance que l'empereur ?

135 – Votre Éminence veut parler du coup de couteau de la rue de la Ferronnerie[1] ?

– Justement, dit le cardinal.

– Votre Éminence ne craint-elle pas que le supplice de Ravaillac[2] épouvante ceux qui auraient un instant l'idée de l'imiter ?

140 – Il y aura en tout temps et dans tous les pays, surtout si ces pays sont divisés de religion, des fanatiques qui ne demanderont pas mieux que de se faire martyrs[3]. Et tenez, justement il me revient à cette heure que les puritains sont furieux contre le duc de Buckingham et que leurs prédicateurs le désignent comme 145 l'Antéchrist.

– Eh bien ? fit Milady.

– Eh bien ! continua le cardinal d'un air indifférent, il ne s'agirait, pour le moment, par exemple, que de trouver une femme, belle, jeune, adroite, qui eût à se venger elle-même du duc. Une 150 pareille femme peut se rencontrer : le duc est homme à bonnes

---

1. **Coup de couteau de la rue de la Ferronnerie :** allusion à l'assassinat d'Henri IV le 14 mai 1610 par Ravaillac.
2. **Le supplice de Ravaillac :** il fut torturé puis écartelé par des chevaux.
3. **Fanatiques [...] martyrs :** Ravaillac était un moine pensant que sa mission était d'arrêter la propagation du protestantisme, incarné malgré sa conversion au catholicisme par Henri IV. D'où son choix fanatique d'offrir sa vie pour arrêter ce qu'il considérait être la source du mal.

fortunes[1], et, s'il a semé bien des amours par ses promesses de constance éternelle, il a dû semer bien des haines aussi par ses éternelles infidélités.

– Sans doute, dit froidement Milady, une pareille femme peut se rencontrer.

– Eh bien ! une pareille femme, qui mettrait le couteau de Jacques Clément[2] ou de Ravaillac aux mains d'un fanatique, sauverait la France.

– Oui, mais elle serait la complice d'un assassinat.

– A-t-on jamais connu les complices de Ravaillac ou de Jacques Clément ?

– Non, car peut-être étaient-ils placés trop haut[3] pour qu'on osât les aller chercher là où ils étaient : on ne brûlerait pas le Palais de justice pour tout le monde, monseigneur.

– Vous croyez donc que l'incendie du Palais de justice[4] a une cause autre que celle du hasard ? demanda Richelieu du ton dont il eût fait une question sans aucune importance.

– Moi, monseigneur, répondit Milady, je ne crois rien, je cite un fait, voilà tout ; seulement, je dis que si je m'appelais Mlle de Montpensier[5] ou la reine Marie de Médicis[6], je prendrais moins de précautions que j'en prends, m'appelant tout simplement lady Clarick.

– C'est juste, dit Richelieu, et que voudriez-vous donc ?

– Je voudrais un ordre qui ratifiât[7] d'avance tout ce que je croirai devoir faire pour le plus grand bien de la France.

– Mais il faudrait d'abord trouver la femme que j'ai dit, et qui aurait à se venger du duc.

– Elle est trouvée, dit Milady.

---

1. **Homme à bonnes fortunes :** le duc est connu pour ses nombreuses aventures galantes.
2. **Jacques Clément :** moine dominicain (1567-1589), assassin d'Henri III, le 1er août 1589.
3. **Étaient-ils placés trop haut :** occupaient-ils des fonctions trop importantes.
4. **L'incendie du Palais de justice :** incendie qui se déclara du 5 au 6 mars 1618.
5. **Mlle de Montpensier :** il s'agit de la Grande Demoiselle, née en 1627, d'où un anachronisme de la part de Dumas.
6. **Marie de Médicis :** épouse d'Henri IV, à l'assassinat de qui certains l'accusent d'avoir incité les ennemis du roi.
7. **Ratifiât :** du verbe « ratifier », approuver ou confirmer par un acte authentique.

– Puis il faudrait trouver ce misérable fanatique[1] qui servira
180 d'instrument à la justice de Dieu.

– On le trouvera.

– Eh bien ! dit le duc, alors il sera temps de réclamer l'ordre que vous demandiez tout à l'heure.

– Votre Éminence a raison, dit Milady, et c'est moi qui ai eu tort
185 de voir dans la mission dont elle m'honore autre chose que ce qui est réellement, c'est-à-dire d'annoncer à Sa Grâce, de la part de Son Éminence, que vous connaissez les différents déguisements à l'aide desquels il est parvenu à se rapprocher de la reine pendant la fête donnée par Mme la connétable ; que vous avez des preuves
190 de l'entrevue accordée au Louvre par la reine à certain astrologue italien qui n'est autre que le duc de Buckingham ; que vous avez commandé un petit roman, des plus spirituels, sur l'aventure d'Amiens, avec plan du jardin où cette aventure s'est passée et portraits des acteurs qui y ont figuré ; que Montaigu est à la Bastille,
195 et que la torture peut lui faire dire des choses dont il se souvient et même des choses qu'il aurait oubliées ; enfin, que vous possédez certaine lettre de Mme de Chevreuse, trouvée dans le logis de Sa Grâce, qui compromet[2] singulièrement, non seulement celle qui l'a écrite, mais encore celle au nom de qui elle a été écrite. Puis, s'il
200 persiste malgré tout cela, comme c'est à ce que je viens de dire que se borne ma mission, je n'aurai plus qu'à prier Dieu de faire un miracle pour sauver la France. C'est bien cela n'est-ce pas, monseigneur, et je n'ai pas autre chose à faire ?

– C'est bien cela, reprit sèchement le cardinal.

205 – Et maintenant, dit Milady sans paraître remarquer le changement de ton du duc à son égard, maintenant que j'ai reçu les instructions de Votre Éminence à propos de ses ennemis, monseigneur me permettra-t-il de lui dire deux mots des miens ?

– Vous avez donc des ennemis ? demanda Richelieu.

210 – Oui, monseigneur ; des ennemis contre lesquels vous me devez tout votre appui, car je me les suis faits en servant Votre Éminence.

– Et lesquels ? répliqua le duc.

---

1. **Fanatique :** personne qui sacrifie tout aveuglément à la cause qu'il sert.
2. **Compromet :** fournit des preuves contre quelqu'un.

– D'abord une petite intrigante du nom de Bonacieux.
215 – Elle est dans la prison de Mantes.
– C'est-à-dire qu'elle y était, reprit Milady, mais la reine a surpris un ordre du roi, à l'aide duquel elle l'a fait transporter dans un couvent.
– Dans un couvent ? dit le duc.
220 – Oui, dans un couvent.
– Et dans lequel ?
– Je l'ignore, le secret a été bien gardé.
– Je le saurai, moi !
– Et Votre Éminence me dira dans quel couvent est cette
225 femme ?
– Je n'y vois pas d'inconvénient, dit le cardinal.
– Bien ; maintenant j'ai un autre ennemi bien autrement à craindre pour moi que cette petite Mme Bonacieux.
– Et lequel ?
230 – Son amant.
– Comment s'appelle-t-il ?
– Oh ! Votre Éminence le connaît bien, s'écria Milady emportée par la colère, c'est notre mauvais génie à tous deux ; c'est celui qui, dans une rencontre avec les gardes de Votre Éminence, a
235 décidé la victoire en faveur des mousquetaires du roi ; c'est celui qui a donné trois coups d'épée à Wardes, votre émissaire[1], et qui a fait échouer l'affaire des ferrets ; c'est celui enfin qui, sachant que c'était moi qui lui avais enlevé Mme Bonacieux, a juré ma mort.
– Ah ! ah ! dit le cardinal, je sais de qui vous voulez parler.
240 – Je veux parler de ce misérable d'Artagnan.
– C'est un hardi compagnon, dit le cardinal.
– Et c'est justement parce que c'est un hardi compagnon qu'il n'en est que plus à craindre.
– Il faudrait, dit le duc, avoir une preuve de ses intelligences[2]
245 avec Buckingham.
– Une preuve ! s'écria Milady, j'en aurai dix.
– Eh bien, alors ! c'est la chose la plus simple du monde, ayez-moi cette preuve et je l'envoie à la Bastille.

---

1. **Émissaire :** envoyé.
2. **Intelligences :** complicités.

– Bien, monseigneur ! Mais ensuite ?

250 – Quand on est à la Bastille, il n'y a pas d'ensuite, dit le cardinal d'une voix sourde. Ah ! pardieu, continua-t-il, s'il m'était aussi facile de me débarrasser de mon ennemi qu'il m'est facile de me débarrasser des vôtres, et si c'était contre de pareilles gens que vous me demandiez l'impunité[1] !...

255 – Monseigneur, reprit Milady, troc pour troc, existence pour existence, homme pour homme ; donnez-moi celui-là, je vous donne l'autre.

– Je ne sais pas ce que vous voulez dire, reprit le cardinal, et ne veux même pas le savoir ; mais j'ai le désir de vous être agréable et 260 ne vois aucun inconvénient à vous donner ce que vous demandez à l'égard d'une si infime[2] créature ; d'autant plus, comme vous me le dites, que ce petit d'Artagnan est un libertin[3], un duelliste[4], un traître.

– Un infâme, monseigneur, un infâme !

265 – Donnez-moi donc du papier, une plume et de l'encre, dit le cardinal.

– En voici, monseigneur.

Il se fit un instant de silence qui prouvait que le cardinal était occupé à chercher les termes dans lesquels devait être écrit le 270 billet, ou même à l'écrire. Athos, qui n'avait pas perdu un mot de la conversation, prit ses deux compagnons chacun par une main et les conduisit à l'autre bout de la chambre.

– Eh bien ! dit Porthos, que veux-tu, et pourquoi ne nous laisses-tu pas écouter la fin de la conversation ?

275 – Chut ! dit Athos parlant à voix basse, nous en avons entendu tout ce qu'il est nécessaire que nous entendions ; d'ailleurs je ne vous empêche pas d'écouter le reste, mais il faut que je sorte.

– Il faut que tu sortes ! dit Porthos ; mais si le cardinal te demande, que répondrons-nous ?

---

1. **Impunité :** absence de sanctions.
2. **Infime :** insignifiante.
3. **Libertin :** celui dont la conduite et les mœurs sont libérées des règles établies.
4. **Duelliste :** celui qui cherche les occasions de se battre en duel, alors que le cardinal en a interdit la pratique.

280 – Vous n'attendrez pas qu'il me demande, vous lui direz les premiers que je suis parti en éclaireur parce que certaines paroles de notre hôte m'ont donné à penser que le chemin n'était pas sûr ; j'en toucherai d'abord deux mots à l'écuyer[1] du cardinal ; le reste me regarde, ne vous en inquiétez pas.

285 – Soyez prudent, Athos ! dit Aramis.

– Soyez tranquille, répondit Athos, vous le savez, j'ai du sang-froid.

Porthos et Aramis allèrent reprendre leur place près du tuyau de poêle.

290 Quant à Athos, il sortit sans aucun mystère, alla prendre son cheval attaché avec ceux de ses deux amis aux tourniquets des contrevents[2], convainquit en quatre mots l'écuyer de la nécessité d'une avant-garde[3] pour le retour, visita avec affectation[4] l'amorce de ses pistolets, mit l'épée aux dents et suivit, en enfant perdu, la 295 route qui conduisait au camp.

XLV
Scène conjugale

Le mensonge imaginé par Athos fonctionne parfaitement : le cardinal quitte l'auberge sans se douter de rien. Athos de son côté met à exécution son projet.

Pendant une centaine de pas, il avait marché de la même allure ; 5 mais, une fois hors de vue, il avait lancé son cheval à droite, avait fait un détour, et était revenu à une vingtaine de pas, dans le taillis, guetter le passage de la petite troupe ; ayant reconnu les chapeaux bordés de ses compagnons et la frange dorée du manteau de M. le cardinal, il attendit que les cavaliers eussent tourné

1. **Écuyer :** gentilhomme au service du cardinal, sorte de garde du corps.
2. **Contrevents :** grands volets extérieurs.
3. **Avant-garde :** militaire qui part au devant des troupes, en éclaireur.
4. **Avec affectation :** en faisant en sorte que tout le monde le remarque.

l'angle de la route, et, les ayant perdus de vue, il revint au galop à l'auberge, qu'on lui ouvrit sans difficulté.

L'hôte le reconnut.

– Mon officier, dit Athos, a oublié de faire à la dame du premier une recommandation importante, il m'envoie pour réparer son oubli.

– Montez, dit l'hôte, elle est encore dans sa chambre.

Athos profita de la permission, monta l'escalier de son pas le plus léger, arriva sur le carré[1], et, à travers la porte entrouverte, il vit Milady qui attachait son chapeau.

Il entra dans la chambre, et referma la porte derrière lui.

Au bruit qu'il fit en repoussant le verrou, Milady se retourna.

Athos était debout devant la porte, enveloppé dans son manteau, son chapeau rabattu sur ses yeux.

En voyant cette figure muette et immobile comme une statue, Milady eut peur.

– Qui êtes-vous ? Et que demandez-vous ? s'écria-t-elle.

– Allons, c'est bien elle ! murmura Athos.

Et, laissant tomber son manteau, et relevant son feutre[2], il s'avança vers Milady.

– Me reconnaissez-vous, madame ? dit-il.

Milady fit un pas en avant, puis recula comme à la vue d'un serpent.

– Allons, dit Athos, c'est bien, je vois que vous me reconnaissez.

– Le comte de La Fère ! murmura Milady en pâlissant et en reculant jusqu'à ce que la muraille l'empêchât d'aller plus loin.

– Oui, Milady, répondit Athos, le comte de La Fère en personne, qui revient tout exprès de l'autre monde pour avoir le plaisir de vous voir. Asseyons-nous donc, et causons, comme dit monseigneur le cardinal.

Milady, dominée par une terreur inexprimable, s'assit sans proférer une seule parole.

– Vous êtes donc un démon envoyé sur la terre ? dit Athos. Votre puissance est grande, je le sais ; mais vous savez aussi qu'avec l'aide de Dieu les hommes ont souvent vaincu les démons les plus

---

1. **Le carré :** le palier.
2. **Son feutre :** son chapeau.

terribles. Vous vous êtes déjà trouvée sur mon chemin, je croyais vous avoir terrassée, madame ; mais, ou je me trompais ou l'enfer vous a ressuscitée.

Milady, à ces paroles qui lui rappelaient des souvenirs effroyables, baissa la tête avec un gémissement sourd.

– Oui, l'enfer vous a ressuscitée, reprit Athos, l'enfer vous a faite riche, l'enfer vous a donné un autre nom, l'enfer vous a presque refait même un autre visage ; mais il n'a effacé ni les souillures de votre âme ni la flétrissure de votre corps.

Milady se leva comme mue par un ressort, et ses yeux lancèrent des éclairs. Athos resta assis.

– Vous me croyiez mort, n'est-ce pas, comme je vous croyais morte ? Et ce nom d'Athos avait caché le comte de La Fère, comme le nom de Milady Clarick avait caché Anne de Breuil[1] ! N'était-ce pas ainsi que vous vous appeliez quand votre honoré frère nous a mariés ? Notre position est vraiment étrange, poursuivit Athos en riant ; nous n'avons vécu jusqu'à présent l'un et l'autre que parce que nous nous croyions morts, et qu'un souvenir gêne moins qu'une créature, quoique ce soit chose dévorante parfois qu'un souvenir !

– Mais enfin, dit Milady d'une voix sourde, qui vous ramène vers moi ? Et que me voulez-vous ?

– Je veux vous dire que, tout en restant invisible à vos yeux, je ne vous ai pas perdue de vue, moi !

– Vous savez ce que j'ai fait ?

– Je puis vous raconter jour par jour vos actions, depuis votre entrée au service du cardinal jusqu'à ce soir.

Un sourire d'incrédulité passa sur les lèvres pâles de Milady.

– Écoutez : c'est vous qui avez coupé les deux ferrets de diamants sur l'épaule du duc de Buckingham ; c'est vous qui avez fait enlever Mme Bonacieux ; c'est vous qui, amoureuse de De Wardes, et croyant passer la nuit avec lui, avez ouvert votre porte à M. d'Artagnan ; c'est vous qui, croyant que de Wardes vous avait trompée, avez voulu le faire tuer par son rival ; c'est vous qui, lorsque ce rival eut découvert votre infâme secret, avez voulu le faire tuer à son tour par deux assassins que vous avez envoyés à

1. **Anne de Breuil :** nommée ailleurs Anne de Bueil.

sa poursuite ; c'est vous qui, voyant que les balles avaient manqué leur coup, avez envoyé du vin empoisonné avec une fausse lettre, pour faire croire à votre victime que ce vin venait de ses amis ; c'est vous, enfin, qui venez là, dans cette chambre, assise sur cette chaise où je suis, de prendre avec le cardinal de Richelieu l'engagement de faire assassiner le duc de Buckingham, en échange de la promesse qu'il vous a faite de vous laisser assassiner d'Artagnan.

Milady était livide.

– Mais vous êtes donc Satan ? dit-elle.

– Peut-être, dit Athos ; mais, en tout cas, écoutez bien ceci : assassinez ou faites assassiner le duc de Buckingham, peu m'importe ! je ne le connais pas, d'ailleurs c'est un Anglais ; mais ne touchez pas du bout du doigt à un seul cheveu de d'Artagnan, qui est un fidèle ami que j'aime et que je défends, ou, je vous le jure par la tête de mon père, le crime que vous aurez commis sera le dernier.

– M. d'Artagnan m'a cruellement offensée, dit Milady d'une voix sourde, M. d'Artagnan mourra.

– En vérité, cela est-il possible qu'on vous offense, madame ? dit en riant Athos ; il vous a offensée, et il mourra ?

– Il mourra, reprit Milady ; elle d'abord, lui ensuite.

Athos fut saisi comme d'un vertige : la vue de cette créature, qui n'avait rien d'une femme, lui rappelait des souvenirs terribles ; il pensa qu'un jour, dans une situation moins dangereuse que celle où il se trouvait, il avait déjà voulu la sacrifier à son honneur ; son désir de meurtre lui revint brûlant et l'envahit comme une fièvre ardente : il se leva à son tour, porta la main à sa ceinture, en tira un pistolet et l'arma.

Milady, pâle comme un cadavre, voulut crier, mais sa langue glacée ne put proférer qu'un son rauque qui n'avait rien de la parole humaine et qui semblait le râle[1] d'une bête fauve ; collée contre la sombre tapisserie, elle apparaissait, les cheveux épars, comme l'image effrayante de la terreur.

Athos leva lentement son pistolet, étendit le bras de manière que l'arme touchât presque le front de Milady, puis, d'une voix d'au-

1. **Râle :** bruit rauque.

tant plus terrible qu'elle avait le calme suprême d'une inflexible résolution :

– Madame, dit-il, vous allez à l'instant même me remettre le papier que vous a signé le cardinal, ou, sur mon âme, je vous fais sauter la cervelle.

Avec un autre homme Milady aurait pu conserver quelque doute, mais elle connaissait Athos ; cependant elle resta immobile.

– Vous avez une seconde pour vous décider, dit-il.

Milady vit à la contraction de son visage que le coup allait partir ; elle porta vivement la main à sa poitrine, en tira un papier et le tendit à Athos.

– Tenez, dit-elle, et soyez maudit !

Athos prit le papier, repassa le pistolet à sa ceinture, s'approcha de la lampe pour s'assurer que c'était bien celui-là, le déplia et lut :

« C'est par mon ordre et pour le bien de l'État que le porteur du présent a fait ce qu'il a fait.

3 Décembre 1627.

RICHELIEU. »

– Et maintenant, dit Athos en reprenant son manteau et en replaçant son feutre sur sa tête, maintenant que je t'ai arraché les dents, vipère, mords si tu peux.

Et il sortit de la chambre sans même regarder en arrière.

À la porte il trouva les deux hommes et le cheval qu'ils tenaient en main.

– Messieurs, dit-il, l'ordre de Monseigneur, vous le savez, est de conduire cette femme, sans perdre de temps, au fort de La Pointe et de ne la quitter que lorsqu'elle sera à bord.

Comme ces paroles s'accordaient effectivement avec l'ordre qu'ils avaient reçu, ils inclinèrent la tête en signe d'assentiment[1].

Quant à Athos, il se mit légèrement en selle et partit au galop ; seulement, au lieu de suivre la route, il prit à travers champs, piquant[2] avec vigueur son cheval et de temps en temps s'arrêtant pour écouter.

---

1. **Assentiment :** accord.
2. **Piquant :** éperonnant.

Dans une de ces haltes, il entendit sur la route le pas de plusieurs chevaux. Il ne douta point que ce ne fût le cardinal et son escorte. Aussitôt il fit une nouvelle pointe en avant[1], bouchonna[2] son cheval avec de la bruyère et des feuilles d'arbres, et vint se mettre en travers de la route à deux cents pas du camp à peu près.

– Qui vive ? cria-t-il de loin quand il aperçut les cavaliers.

– C'est notre brave mousquetaire, je crois, dit le cardinal.

– Oui, monseigneur, répondit Athos, c'est lui-même.

– Monsieur Athos, dit Richelieu, recevez tous mes remerciements pour la bonne garde que vous nous avez faite ; messieurs, nous voici arrivés : prenez la porte à gauche, le mot d'ordre est *Roi et Ré*.

En disant ces mots, le cardinal salua de la tête les trois amis, et prit à droite suivi de son écuyer ; car, cette nuit-là, lui-même couchait au camp.

– Eh bien ! dirent ensemble Porthos et Aramis lorsque le cardinal fut hors de la portée de la voix, eh bien ! il a signé le papier qu'elle demandait.

– Je le sais, dit tranquillement Athos, puisque le voici.

Et les trois amis n'échangèrent plus une seule parole jusqu'à leur quartier[3], excepté pour donner le mot d'ordre aux sentinelles.

Seulement, on envoya Mousqueton dire à Planchet que son maître était prié, en relevant de tranchée, de se rendre à l'instant même au logis des mousquetaires.

D'un autre côté, comme l'avait prévu Athos, Milady, en retrouvant à la porte les hommes qui l'attendaient, ne fit aucune difficulté de les suivre ; elle avait bien eu l'envie un instant de se faire reconduire devant le cardinal et de lui tout raconter, mais une révélation de sa part amenait une révélation de la part d'Athos : elle dirait bien qu'Athos l'avait pendue, mais Athos dirait qu'elle était marquée[4] ; elle pensa qu'il valait donc encore mieux garder le silence, partir discrètement, accomplir avec son habileté ordinaire la mission difficile dont elle s'était chargée, puis, toutes les

1. **Fit une nouvelle pointe en avant :** prolongea son chemin.
2. **Bouchonna :** frotta vigoureusement.
3. **Quartier :** cantonnement.
4. **Marquée :** marquée au fer rouge de la fleur de lys des voleurs.

choses accomplies à la satisfaction du cardinal, venir lui réclamer sa vengeance.

En conséquence, après avoir voyagé toute la nuit, à sept heures
185 du matin elle était au fort de La Pointe[1], à huit heures elle était embarquée, et à neuf heures le bâtiment[2], qui, avec des lettres de marque du cardinal, était censé être en partance pour Bayonne, levait l'ancre et faisait voile pour l'Angleterre.

XLVI
Le bastion Saint-Gervais

Athos fait un pari avec M. de Busigny[3] :

« Je parie avec vous [...] que mes trois compagnons MM. Porthos, Aramis, d'Artagnan et moi, nous allons déjeuner dans le bastion de Saint-Gervais et que nous y tenons une heure, montre à la main, quelque chose que[4] l'ennemi fasse pour nous déloger. »
5

Or ce pari a pour but de permettre aux quatre amis de discuter librement, sans crainte d'être dérangés ni surpris par les espions du cardinal.

XLVII
Le conseil des mousquetaires

Les quatre mousquetaires s'installent dans le bastion. Athos révèle à d'Artagnan son entrevue avec Milady. Il lui apprend qu'il s'est emparé du document rédigé par le cardinal pour la jeune femme.

---

1. **Fort de La Pointe :** ce fort est en Charente-Maritime près de Rochefort. Il a été construit en 1672, d'où un anachronisme par rapport à la date du récit.
2. **Bâtiment :** bateau.
3. **M. de Busigny :** noble recruté dans la compagnie des « chevau-légers », cavalerie plus légèrement équipée et armée que les autres corps de cavalerie et remplissant entre autres des fonctions d'éclaireurs. Il appartient à la maison militaire du roi, d'où sa participation au siège de La Rochelle.
4. **Quelque chose que :** quoi que.

Sous le feu de l'ennemi, il est décidé que deux lettres seront envoyées, l'une à lord de Winter, en Angleterre, l'autre à Tours : on pense ainsi faire échouer le projet d'assassinat de Buckingham. Ces dispositions arrêtées, les mousquetaires ont gagné vaillamment leur pari. Ils rentrent au camp en triomphateurs. Le bruit de leur exploit va jusqu'aux oreilles du cardinal qui décide de promouvoir d'Artagnan au rang de mousquetaire. Le jeune homme, pour assurer ses dépenses d'équipement, vend le diamant de la reine.

XLVIII
Affaire de famille

Les mousquetaires comparent les vertus de leurs valets respectifs pour la mission délicate de Londres. En définitive, Planchet – qui est déjà allé à Londres pour l'affaire des ferrets – est désigné pour remettre à lord de Winter la lettre écrite de la main d'Aramis :

« Milord,

La personne qui vous écrit ces quelques lignes a eu l'honneur de croiser l'épée avec vous dans un petit enclos de la rue d'Enfer. Comme vous avez bien voulu, depuis, vous dire plusieurs fois l'ami de cette personne, elle vous doit de reconnaître cette amitié par un bon avis. Deux fois vous avez failli être victime d'une proche parente que vous croyez votre héritière, parce que vous ignorez qu'avant de contracter mariage en Angleterre elle était déjà mariée en France. Mais la troisième fois, qui est celle-ci, vous pouvez y succomber. Votre parente est partie de La Rochelle pour l'Angleterre pendant la nuit. Surveillez son arrivée, car elle a de grands et terribles projets. Si vous tenez absolument à savoir ce dont elle est capable, lisez son passé sur son épaule gauche. »

Il dispose de seize jours pour accomplir sa mission, Aramis rédige une seconde lettre adressée à une prétendue Marie Michon, lingère à Tours.

« Ma chère cousine, Son Éminence le cardinal, que Dieu conserve pour le bonheur de la France et la confusion[1] des ennemis du royaume, est sur le point d'en finir avec les rebelles hérétiques de La Rochelle[2] : il est probable que le secours de la flotte anglaise n'arrivera pas même en vue de la place[3] ; j'oserai même dire que je suis certain que M. de Buckingham sera empêché de partir par quelque grand événement. Son Éminence est le plus illustre politique des temps passés, du temps présent et probablement des temps à venir. Il éteindrait le soleil si le soleil le gênait. Donnez ces heureuses nouvelles à votre sœur, ma chère cousine. J'ai rêvé que cet Anglais maudit était mort. Je ne puis me rappeler si c'était par le fer ou par le poison ; seulement ce dont je suis sûr, c'est que j'ai rêvé qu'il était mort, et vous le savez, mes rêves ne me trompent jamais. Assurez-vous donc de me voir revenir bientôt. »

C'est Bazin qui portera cette lettre puisque lui seul connaît la « cousine » d'Aramis. Il a huit jours pour accomplir sa mission. Comme Planchet se prépare à partir, d'Artagnan, « qui se sentait au fond du cœur un faible pour le duc », charge son valet de transmettre une information supplémentaire à lord de Winter : « Veillez sur Sa Grâce lord Buckingham, car on veut l'assassiner. »

Le matin du huitième jour apporte la réponse de Tours :

« Mon cousin, ma sœur et moi devinons très bien les rêves, et nous en avons même une peur affreuse ; mais du vôtre, on pourra dire, je l'espère, tout songe est mensonge. Adieu ! portez-vous bien, et faites que de temps en temps nous entendions parler de vous.

AGLAÉ MICHON[4] »

---

1. **Confusion :** défaite, ruine.
2. **Les rebelles hérétiques de La Rochelle :** ici, les protestants alliés des Anglais.
3. **Place :** place forte.
4. **Aglaé Michon :** apparemment, cette « Aglaé » serait la sœur de l'imaginaire cousine Marie.

Après une attente inquiète, les mousquetaires voient arriver avec soulagement Planchet, le soir du seizième jour. Il remet une lettre cachetée à d'Artagnan, qui contient ces simples mots : « Thank you, be easy. »

Ce qui voulait dire : « Merci, soyez tranquille. »

XLIX
Fatalité

Cependant Milady, ivre de colère, rugissant sur le pont du bâtiment, comme une lionne qu'on embarque, avait été tentée de se jeter à la mer pour regagner la côte, car elle ne pouvait se faire à l'idée qu'elle avait été insultée par d'Artagnan, menacée par Athos, et qu'elle quittait la France sans se venger d'eux. Bientôt, cette idée était devenue pour elle tellement insupportable qu'au risque de ce qui pouvait arriver de terrible pour elle-même, elle avait supplié le capitaine de la jeter sur la côte ; mais le capitaine, pressé d'échapper à sa fausse position, placé entre les croiseurs[1] français et anglais, comme la chauve-souris entre les rats et les oiseaux, avait grande hâte de regagner l'Angleterre, et refusa obstinément d'obéir à ce qu'il prenait pour un caprice de femme, promettant à sa passagère, qui au reste lui était particulièrement recommandée par le cardinal, de la jeter, si la mer et les Français le permettaient, dans un des ports de la Bretagne, soit à Lorient, soit à Brest ; mais en attendant, le vent était contraire, la mer mauvaise, on louvoyait[2] et l'on courait des bordées[3]. Neuf jours après la sortie de la Charente, Milady, toute pâle de ses chagrins et de sa rage, voyait apparaître seulement les côtes bleuâtres du Finistère.

Elle calcula que pour traverser ce coin de la France et revenir près du cardinal il lui fallait au moins trois jours ; ajoutez un jour

1. **Croiseurs :** navires de guerre, armés de canons.
2. **On louvoyait :** on naviguait en zigzag pour utiliser un vent contraire.
3. **Bordées :** route parcourue en louvoyant sans virer de bord.

pour le débarquement et cela faisait quatre ; ajoutez ces quatre jours aux neuf autres, c'était treize jours de perdus, treize jours pendant lesquels tant d'événements importants se pouvaient passer à Londres. Elle songea que sans aucun doute le cardinal serait furieux de son retour, et que par conséquent il serait plus disposé à écouter les plaintes qu'on porterait contre elle que les accusations qu'elle porterait contre les autres. Elle laissa donc passer Lorient et Brest sans insister près du capitaine, qui, de son côté, se garda bien de lui donner l'éveil. Milady continua donc sa route, et le jour même où Planchet s'embarquait de Portsmouth[1] pour la France, la messagère de Son Éminence entrait triomphante dans le port.

Toute la ville était agitée d'un mouvement extraordinaire : quatre grands vaisseaux récemment achevés venaient d'être lancés à la mer ; debout sur la jetée, chamarré[2] d'or, éblouissant, selon son habitude, de diamants et de pierreries, le feutre orné d'une plume blanche qui retombait sur son épaule, on voyait Buckingham entouré d'un état-major presque aussi brillant que lui.

C'était une de ces belles et rares journées d'hiver où l'Angleterre se souvient qu'il y a un soleil. L'astre pâli, mais cependant splendide encore, se couchait à l'horizon, empourprant à la fois le ciel et la mer de bandes de feu et jetant sur les tours et les vieilles maisons de la ville un dernier rayon d'or qui faisait étinceler les vitres comme le reflet d'un incendie. Milady, en respirant cet air de l'Océan plus vif et plus balsamique à l'approche de la terre, en contemplant toute la puissance de ces préparatifs qu'elle était chargée de détruire, toute la puissance de cette armée qu'elle devait combattre à elle seule – elle, femme – avec quelques sacs d'or, se compara mentalement à Judith, la terrible Juive, lorsqu'elle pénétra dans le camp des Assyriens et qu'elle vit la masse énorme

1. **Portsmouth :** port de guerre situé au sud de l'Angleterre.
2. **Chamarré :** orné.

de chars, de chevaux, d'hommes et d'armes qu'un geste de sa main devait dissiper comme un nuage de fumée[1].

55 On entra dans la rade ; mais comme on s'apprêtait à y jeter l'ancre, un petit cutter[2] formidablement armé s'approcha du bâtiment marchand, se donnant comme garde-côte, et fit mettre à la mer son canot, qui se dirigea vers l'échelle. Ce canot renfermait un officier, un contremaître et huit rameurs ; l'officier seul monta à
60 bord, où il fut reçu avec toute la déférence[3] qu'inspire l'uniforme.

L'officier s'entretint quelques instants avec le patron, lui fit lire un papier dont il était porteur, et, sur l'ordre du capitaine marchand, tout l'équipage du bâtiment, matelots et passagers, fut appelé sur le pont.

65 Lorsque cette espèce d'appel fut fait, l'officier s'enquit[4] tout haut du point de départ du brick[5], de sa route, de ses atterrissements[6], et à toutes les questions le capitaine satisfit[7] sans hésitation et sans difficulté. Alors l'officier commença de passer la revue de toutes les personnes les unes après les autres, et, s'arrêtant à Milady, la
70 considéra avec un grand soin, mais sans lui adresser une seule parole.

Puis il revint au capitaine, lui dit encore quelques mots ; et, comme si c'eût été à lui désormais que le bâtiment dût obéir, il commanda une manœuvre que l'équipage exécuta aussitôt. Alors
75 le bâtiment se remit en route, toujours escorté du petit cutter, qui voguait bord à bord avec lui, menaçant son flanc de la bouche de ses six canons ; tandis que la barque suivait dans le sillage du navire, faible point près de l'énorme masse.

Pendant l'examen que l'officier avait fait de Milady, Milady,
80 comme on le pense bien, l'avait de son côté dévoré du regard.

---

1. **Judith [...] fumée :** référence à Judith, personnage biblique, jeune veuve de Béthulie qui, pour sauver sa ville assiégée par les Assyriens, se rendit dans le camp ennemi, séduisit le général Holopherne et lui trancha la tête pendant son sommeil, provoquant au matin la déroute de son armée et la libération de sa cité.
2. **Cutter :** navire de guerre à un seul mât.
3. **Déférence :** respect.
4. **S'enquit :** chercha à savoir.
5. **Brick :** voilier à deux mâts.
6. **Atterrissements :** destinations.
7. **Satisfit :** répondit convenablement.

Mais, quelque habitude que cette femme aux yeux de flamme eût de lire dans le cœur de ceux dont elle avait besoin de deviner les secrets, elle trouva cette fois un visage d'une impassibilité telle qu'aucune découverte ne suivit son investigation[1]. L'officier qui s'était arrêté devant elle et qui l'avait silencieusement étudiée avec tant de soin pouvait être âgé de vingt-cinq à vingt-six ans, était blanc de visage avec des yeux bleu clair un peu enfoncés ; sa bouche, fine et bien dessinée, demeurait immobile dans ses lignes correctes ; son menton, vigoureusement accusé, dénotait cette force de volonté qui, dans le type vulgaire[2] britannique, n'est ordinairement que de l'entêtement ; un front un peu fuyant, comme il convient aux poètes, aux enthousiastes et aux soldats, était à peine ombragé d'une chevelure courte et clairsemée, qui, comme la barbe qui couvrait le bas de son visage, était d'une belle couleur châtain foncé.

Lorsqu'on entra dans le port, il faisait déjà nuit. La brume épaississait encore l'obscurité et formait autour des fanaux[3] et des lanternes des jetées un cercle pareil à celui qui entoure la lune quand le temps menace de devenir pluvieux. L'air qu'on respirait était triste, humide et froid.

Milady, cette femme si forte, se sentait frissonner malgré elle.

L'officier se fit indiquer les paquets de Milady, fit porter son bagage dans le canot ; et lorsque cette opération fut faite, il l'invita à y descendre elle-même en lui tendant sa main.

Milady regarda cet homme et hésita.

– Qui êtes-vous, monsieur, demanda-t-elle, qui avez la bonté de vous occuper si particulièrement de moi ?

– Vous devez le voir, madame, à mon uniforme ; je suis officier de la marine anglaise, répondit le jeune homme.

– Mais enfin, est-ce l'habitude que les officiers de la marine anglaise se mettent aux ordres de leurs compatriotes lorsqu'ils abordent dans un port de la Grande-Bretagne, et poussent la galanterie jusqu'à les conduire à terre ?

---

1. **Investigation :** enquête, recherche.
2. **Vulgaire :** ordinaire.
3. **Fanaux :** feux placés au sommet d'une tour pour guider les navires la nuit ; sorte de phares.

– Oui, Milady, c'est l'habitude, non point par galanterie, mais par
115 prudence, qu'en temps de guerre les étrangers soient conduits à une hôtellerie désignée, afin que jusqu'à parfaite information sur eux ils restent sous la surveillance du gouvernement.

Ces mots furent prononcés avec la politesse la plus exacte et le calme le plus parfait. Cependant ils n'eurent point le don de
120 convaincre Milady.

Le jeune officier, toujours impassible, conduit Milady à « un château sévère de forme, massif et isolé » où une chambre a été préparée pour la recevoir.

D'un seul regard, la prisonnière embrassa l'appartement dans ses
125 moindres détails.

C'était une chambre dont l'ameublement était à la fois bien propre pour une prison et bien sévère pour une habitation d'homme libre ; cependant, des barreaux aux fenêtres et des verrous extérieurs à la porte décidaient le procès[1] en faveur de la
130 prison.

Un instant toute la force d'âme de cette créature, trempée cependant aux sources les plus vigoureuses, l'abandonna ; elle tomba sur un fauteuil, croisant les bras, baissant la tête, et s'attendant à chaque instant à voir entrer un juge pour l'interroger.

135 Mais personne n'entra, que deux ou trois soldats de marine qui apportèrent les malles et les caisses, les déposèrent dans un coin et se retirèrent sans rien dire.

L'officier présidait à tous ces détails avec le même calme que Milady lui avait constamment vu, ne prononçant pas une parole
140 lui-même, et se faisant obéir d'un geste de sa main ou d'un coup de son sifflet.

On eût dit qu'entre cet homme et ses inférieurs la langue parlée n'existait pas ou devenait inutile.

Enfin Milady n'y put tenir plus longtemps, elle rompit le silence :

145 – Au nom du ciel, monsieur ! s'écria-t-elle, que veut dire tout ce qui se passe ? Fixez mes irrésolutions[2] ; j'ai du courage pour tout

1. **Décidaient le procès :** permettaient de trancher.
2. **Fixez mes irrésolutions :** répondez à mes questions.

danger que je prévois, pour tout malheur que je comprends. Où suis-je et que suis-je ici ? Suis-je libre, pourquoi ces barreaux et ces portes ? Suis-je prisonnière, quel crime ai-je commis ?

150 – Vous êtes ici dans l'appartement qui vous est destiné, madame. J'ai reçu l'ordre d'aller vous prendre en mer et de vous conduire en ce château : cet ordre, je l'ai accompli, je crois, avec toute la rigidité d'un soldat, mais aussi avec toute la courtoisie d'un gentilhomme. Là se termine, du moins jusqu'à présent, la charge que 155 j'avais à remplir près de vous, le reste regarde une autre personne.

– Et cette autre personne, quelle est-elle ? demanda Milady ; ne pouvez-vous pas me dire son nom ?...

En ce moment on entendit par les escaliers un grand bruit d'éperons ; quelques voix passèrent et s'éteignirent, et le bruit d'un pas 160 isolé se rapprocha de la porte.

– Cette personne, la voici, madame, dit l'officier en démasquant le passage[1], et en se rangeant dans l'attitude du respect et de la soumission.

En même temps, la porte s'ouvrit ; un homme parut sur le seuil. 165 Il était sans chapeau, portait l'épée au côté, et froissait un mouchoir entre ses doigts.

Milady crut reconnaître cette ombre dans l'ombre ; elle s'appuya d'une main sur le bras de son fauteuil, et avança la tête comme pour aller au-devant d'une certitude.

170 Alors l'étranger s'avança lentement ; et, à mesure qu'il s'avançait en entrant dans le cercle de lumière projeté par la lampe, Milady se reculait involontairement.

Puis, lorsqu'elle n'eut plus aucun doute :

– Eh quoi ! mon frère ! s'écria-t-elle au comble de la stupeur, 175 c'est vous ?

– Oui, belle dame ! répondit lord de Winter en faisant un salut moitié courtois, moitié ironique, moi-même.

– Mais alors, ce château ?

– Est à moi.

180 – Cette chambre ?

– C'est la vôtre.

– Je suis donc votre prisonnière ?

---

1. **En démasquant le passage :** en se retirant du passage.

– À peu près.
– Mais c'est un affreux abus de la force !
185 – Pas de grands mots ; asseyons-nous, et causons tranquillement, comme il convient de faire entre un frère et une sœur[1].
Puis, se retournant vers la porte, et voyant que le jeune officier attendait ses derniers ordres :
– C'est bien, dit-il, je vous remercie ; maintenant, laissez-nous,
190 monsieur Felton.

L
Causerie d'un frère avec sa sœur

Milady est soulagée de constater qu'elle est aux mains de lord de Winter, dont elle connaît le manque d'habitude de l'intrigue. Elle compte profiter de la situation – bien que prisonnière – pour en savoir plus sur les motifs de sa réclusion. Elle tente donc, maladroite-
5 *ment, de lui faire croire qu'elle est venue pour le voir. De Winter, au courant de ses projets, ne lui découvre rien et lui confirme son assignation à résidence dans son château.*

– Dois-je donc demeurer éternellement ici ? demanda Milady avec un certain effroi.
10 – Vous trouveriez-vous mal logée, ma sœur ? Demandez ce qui vous manque, et je m'empresserai de vous le faire donner.
– Mais je n'ai ni mes femmes ni mes gens[2]...
– Vous aurez tout cela, madame ; dites-moi sur quel pied[3] votre premier mari avait monté votre maison ; quoique je ne sois que
15 votre beau-frère, je vous la monterai sur un pied pareil.
– Mon premier mari ! s'écria Milady en regardant lord de Winter avec des yeux effarés.

1. **Entre un frère et une sœur :** Winter est le beau-frère de Milady.
2. **Gens :** serviteurs.
3. **Sur quel pied :** avec quel train de vie.

– Oui, votre mari français ; je ne parle pas de mon frère. Au reste, si vous l'avez oublié, comme il vit encore, je pourrais lui écrire et il me ferait passer des renseignements à ce sujet.

Une sueur froide perla sur le front de Milady.

– Vous raillez, dit-elle d'une voix sourde.

– En ai-je l'air ? demanda le baron en se relevant et en faisant un pas en arrière.

– Ou plutôt vous m'insultez, continua-t-elle en pressant de ses mains crispées les deux bras du fauteuil et en se soulevant sur ses poignets.

– Vous insulter, moi ! dit lord de Winter avec mépris ; en vérité, madame, croyez-vous que ce soit possible ?

– En vérité, monsieur, dit Milady, vous êtes ou ivre ou insensé ; sortez et envoyez-moi une femme.

– Des femmes sont bien indiscrètes, ma sœur ! Ne pourrais-je pas vous servir de suivante[1] ? De cette façon tous nos secrets resteraient en famille.

– Insolent ! s'écria Milady, et, comme mue par un ressort, elle bondit sur le baron, qui l'attendit avec impassibilité, mais une main cependant sur la garde[2] de son épée.

– Eh ! eh ! dit-il, je sais que vous avez l'habitude d'assassiner les gens, mais je me défendrai, moi, je vous en préviens, fût-ce contre vous.

– Oh ! vous avez raison, dit Milady, et vous me faites l'effet d'être assez lâche pour porter la main sur une femme.

– Peut-être que oui ; d'ailleurs j'aurais mon excuse, ma main ne serait pas la première main d'homme qui se serait posée sur vous, j'imagine.

Et le baron indiqua d'un geste lent et accusateur l'épaule gauche de Milady, qu'il toucha presque du doigt.

Milady poussa un rugissement sourd, et se recula jusque dans l'angle de la chambre, comme une panthère qui veut s'acculer[3] pour s'élancer.

---

1. **Suivante :** confidente.
2. **Garde :** rebord entre la lame et la poignée de l'épée qui sert à protéger la main.
3. **S'acculer :** se reculer au maximum.

– Oh ! rugissez tant que vous voudrez, s'écria lord de Winter, mais n'essayez pas de mordre, car, je vous en préviens, la chose tournerait à votre préjudice[1] : il n'y a pas ici de procureurs qui règlent d'avance les successions, il n'y a pas de chevalier errant qui vienne me chercher querelle pour la belle dame que je retiens prisonnière ; mais je tiens tout prêts des juges qui disposeront d'une femme assez éhontée[2] pour venir se glisser, bigame[3], dans le lit de lord de Winter, mon frère aîné, et ces juges, je vous en préviens, vous enverront à un bourreau qui vous fera les deux épaules pareilles.

Les yeux de Milady lançaient de tels éclairs, que quoiqu'il fût homme et armé devant une femme désarmée, il sentit le froid de la peur se glisser jusqu'au fond de son âme ; il n'en continua pas moins, mais avec une fureur croissante :

– Oui, je comprends, après avoir hérité de mon frère, il vous eût été doux d'hériter de moi ; mais, sachez-le d'avance, vous pouvez me tuer ou me faire tuer, mes précautions sont prises : pas un penny[4] de ce que je possède ne passera dans vos mains. N'êtes-vous pas déjà assez riche, vous qui possédez près d'un million, et ne pouviez-vous vous arrêter dans votre route fatale[5], si vous ne faisiez le mal que pour la jouissance infinie et suprême de le faire ? Oh ! tenez, je vous le dis, si la mémoire de mon frère ne m'était sacrée, vous iriez pourrir dans un cachot d'État ou rassasier à Tyburn[6] la curiosité des matelots ; je me tairai, mais vous, supportez tranquillement votre captivité ; dans quinze ou vingt jours je pars pour La Rochelle avec l'armée ; mais la veille de mon départ, un vaisseau viendra vous prendre, que je verrai partir et qui vous conduira dans nos colonies du Sud[7] ; et, soyez tranquille, je vous adjoindrai un compagnon qui vous brûlera la cervelle à la

1. **Préjudice :** désavantage.
2. **Éhontée :** qui ne connaît pas la honte.
3. **Bigame :** marié(e) à deux personnes à la fois.
4. **Penny :** monnaie anglaise de peu de valeur.
5. **Fatale :** qui conduit à la mort.
6. **Tyburn :** « Tyburn Tree », endroit à Londres où l'échafaud était dressé.
7. **Colonies du Sud :** allusion sans doute à la Virginie en Amérique du Nord, fondée en 1607.

80 première tentative que vous risquerez pour revenir en Angleterre ou sur le continent.

Milady écoutait avec une attention qui dilatait[1] ses yeux enflammés.

– Oui, mais à cette heure, continua lord de Winter, vous demeu-
85 rerez dans ce château : les murailles en sont épaisses, les portes en sont fortes, les barreaux en sont solides ; d'ailleurs votre fenêtre donne à pic sur la mer : les hommes de mon équipage, qui me sont dévoués à la vie et à la mort, montent la garde autour de cet appartement, et surveillent tous les passages qui conduisent à la
90 cour ; puis arrivée à la cour, il vous resterait encore trois grilles à traverser. La consigne est précise : un pas, un geste, un mot qui simule une évasion, et l'on fait feu sur vous ; si l'on vous tue, la justice anglaise m'aura, je l'espère, quelque obligation de lui avoir épargné de la besogne. Ah ! vos traits reprennent leur calme, votre
95 visage retrouve son assurance : quinze jours, vingt jours dites-vous, bah ! d'ici là, j'ai l'esprit inventif, il me viendra quelque idée ; j'ai l'esprit infernal, et je trouverai quelque victime. D'ici à quinze jours, vous dites-vous, je serai hors d'ici. Ah, ah ! essayez !

Milady, se voyant devinée, s'enfonça les ongles dans la chair
100 pour dompter tout mouvement qui eût pu donner à sa physionomie une signification quelconque, autre que celle de l'angoisse.

Lord de Winter continua :

– L'officier qui commande seul ici en mon absence, vous l'avez vu donc vous le connaissez déjà, sait, comme vous voyez, obser-
105 ver une consigne, car vous n'êtes pas, je vous connais, venue de Portsmouth ici sans avoir essayé de le faire parler. Qu'en dites-vous ? Une statue de marbre eût-elle été plus impassible[2] et plus muette ? Vous avez déjà essayé le pouvoir de vos séductions sur bien des hommes, et malheureusement vous avez toujours réussi ;
110 mais essayez sur celui-là, pardieu ! si vous en venez à bout, je vous déclare le démon lui-même.

Il alla vers la porte et l'ouvrit brusquement.

– Qu'on appelle M. Felton, dit-il. Attendez encore un instant, et je vais vous recommander à lui.

---

1. **Dilatait :** agrandissait.
2. **Impassible :** ne laissant filtrer aucun sentiment.

115 Il se fit entre ces deux personnages un silence étrange, pendant lequel on entendit le bruit d'un pas lent et régulier qui se rapprochait ; bientôt, dans l'ombre du corridor, on vit se dessiner une forme humaine, et le jeune lieutenant avec lequel nous avons déjà fait connaissance s'arrêta sur le seuil, attendant les ordres du 120 baron.

– Entrez, mon cher John, dit lord de Winter, entrez et fermez la porte.

Le jeune officier entra.

– Maintenant, dit le baron, regardez cette femme : elle est jeune, 125 elle est belle, elle a toutes les séductions de la terre, eh bien ! c'est un monstre, qui, à vingt-cinq ans, s'est rendu coupable d'autant de crimes que vous pouvez en lire en un an dans les archives de nos tribunaux ; sa voix prévient en sa faveur, sa beauté sert d'appât aux victimes, son corps même paye ce qu'elle a promis, c'est une 130 justice à lui rendre ; elle essayera de vous séduire, peut-être même essayera-t-elle de vous tuer. Je vous ai tiré de la misère, Felton, je vous ai fait nommer lieutenant, je vous ai sauvé la vie une fois, vous savez à quelle occasion ; je suis pour vous non seulement un protecteur, mais un ami ; non seulement un bienfaiteur, mais 135 un père ; cette femme est revenue en Angleterre afin de conspirer contre ma vie ; je tiens ce serpent entre mes mains ; eh bien, je vous fais appeler et vous dis : ami Felton, John, mon enfant, garde-moi et surtout garde-toi de cette femme ; jure sur ton salut de la conserver pour le châtiment qu'elle a mérité. John Felton, je me fie 140 à ta parole ; John Felton, je crois à ta loyauté.

– Milord, dit le jeune officier, en chargeant son regard pur de toute la haine qu'il put trouver dans son cœur, milord, je vous jure qu'il sera fait comme vous désirez.

Milady reçut ce regard en victime résignée : il était impossible 145 de voir une expression plus soumise et plus douce que celle qui régnait alors sur son beau visage. À peine si lord de Winter lui-même reconnut la tigresse qu'un instant auparavant il s'apprêtait à combattre.

– Elle ne sortira jamais de cette chambre, entendez-vous, John, 150 continua le baron ; elle ne correspondra avec personne ; elle ne parlera qu'à vous, si toutefois vous voulez bien lui faire l'honneur de lui adresser la parole.

– Il suffit, milord, j'ai juré.

– Et maintenant, madame, tâchez de faire la paix avec Dieu, car vous êtes jugée par les hommes.

Milady laissa tomber sa tête comme si elle se fût sentie écrasée par ce jugement. Lord de Winter sortit en faisant un geste à Felton, qui sortit derrière lui et ferma la porte.

Un instant après on entendait dans le corridor le pas pesant d'un soldat de marine qui faisait sentinelle, sa hache à la ceinture et son mousquet à la main.

Milady demeura pendant quelques minutes dans la même position, car elle songea qu'on l'examinait peut-être par la serrure ; puis lentement elle releva sa tête, qui avait repris une expression formidable de menace et de défi, courut écouter à la porte, regarda par la fenêtre, et, revenant s'enterrer dans un vaste fauteuil, elle songea.

LI
Officier

Le siège de La Rochelle n'en finit pas. Les Rochelais n'ont plus d'espoir qu'en Buckingham. Alors que Richelieu affame la ville en élevant une digue qui barre l'accès du port, Buckingham prépare une offensive d'envergure.

« Un jour où, rongé d'un mortel ennui, sans espérance dans les négociations avec la ville, sans nouvelles d'Angleterre, le cardinal sort sans autre but que de sortir », il surprend les quatre mousquetaires en train de lire une lettre. Interrogé, Athos répond avec sang-froid sans livrer le contenu de la lettre. Le cardinal, furieux, dissimule sa colère derrière un sourire et s'éloigne. Restés seuls, les mousquetaires poursuivent la lecture de leur lettre.

« Mon cher cousin, je crois bien que je me déciderai à partir pour Béthune[1], où ma sœur a fait entrer notre petite servante dans le couvent des Carmélites ; cette pauvre enfant s'est résignée, elle sait qu'elle ne peut vivre autre part sans que le salut de son âme soit en danger. Cependant, si les affaires de notre famille s'arrangent comme nous le désirons, je crois qu'elle courra le risque de se damner[2], et qu'elle reviendra près de ceux qu'elle regrette, d'autant plus qu'elle sait qu'on pense toujours à elle. En attendant, elle n'est pas trop malheureuse : tout ce qu'elle désire c'est une lettre de son prétendu[3]. Je sais bien que ces sortes de denrées[4] passent difficilement par les grilles[5] ; mais, après tout, comme je vous en ai donné des preuves, mon cher cousin, je ne suis pas trop maladroite et je me chargerai de cette commission. Ma sœur vous remercie de votre bon et éternel souvenir. Elle a eu un instant de grande inquiétude ; mais enfin elle est quelque peu rassurée maintenant, ayant envoyé son commis[6] là-bas afin qu'il ne s'y passe rien d'imprévu.

Adieu, mon cher cousin, donnez-nous de vos nouvelles le plus souvent que vous pourrez, c'est-à-dire toutes les fois que vous croirez pouvoir le faire sûrement. Je vous embrasse.

Marie Michon »

D'Artagnan, amoureux de Constance Bonacieux, se réjouit de ces nouvelles déguisées. Pour éviter toute fuite d'informations vers le cardinal, il demande à Grimaud de manger la lettre en échange d'un verre de bon vin.

Pendant ce temps, Son Éminence continuait sa promenade mélancolique en murmurant entre ses moustaches :

« Décidément, il faut que ces quatre hommes soient à moi. »

---

1. **Béthune :** ville du nord de la France.
2. **Se damner :** se perdre.
3. **Prétendu :** amoureux.
4. **Denrées :** nourritures.
5. **Grilles :** les couvents étaient soumis à la clôture, et munis de grilles que les pensionnaires ne pouvaient franchir.
6. **Commis :** agent.

LII
Première journée de captivité

Milady captive réfléchit à sa situation : c'est d'Artagnan le responsable de ses échecs.

Que de haine elle distille[1] ! Là, immobile, et les yeux ardents et fixes dans son appartement désert, comme les éclats de ses rugissements sourds, qui parfois s'échappent avec sa respiration du fond de sa poitrine, accompagnent bien le bruit de la houle[2] qui monte, gronde, mugit et vient se briser, comme un désespoir éternel et impuissant, contre les rochers sur lesquels est bâti ce château sombre et orgueilleux ! Comme, à la lueur des éclairs que sa colère orageuse fait briller dans son esprit, elle conçoit contre Mme Bonacieux, contre Buckingham, et surtout contre d'Artagnan, de magnifiques projets de vengeance, perdus dans les lointains de l'avenir !

Oui, mais pour se venger il faut être libre, et pour être libre, quand on est prisonnier, il faut percer un mur, desceller[3] des barreaux, trouer un plancher ; toutes entreprises que peut mener à bout un homme patient et fort mais devant lesquelles doivent échouer les irritations fébriles[4] d'une femme. D'ailleurs, pour faire tout cela il faut avoir le temps, des mois, des années, et elle... elle a dix ou douze jours, à ce que lui a dit lord de Winter, son fraternel et terrible geôlier[5].

Et cependant, si elle était un homme, elle tenterait tout cela, et peut-être réussirait-elle : pourquoi donc le ciel s'est-il trompé, en mettant cette âme virile dans ce corps frêle[6] et délicat !

---

1. **Distille :** sécrète, laisse couler goutte à goutte. La distillation permet de tirer l'essence d'une chose. Ici Dumas joue sur les deux sens du terme.
2. **Houle :** ondulation qui agite la mer sans déferlement de vagues.
3. **Desceller :** détacher, arracher les barreaux fixés dans la pierre.
4. **Fébriles :** fiévreuses.
5. **Geôlier :** gardien de prison.
6. **Frêle :** fragile.

25 Aussi les premiers moments de la captivité ont été terribles : quelques convulsions[1] de rage qu'elle n'a pu vaincre ont payé sa dette de faiblesse féminine à la nature. Mais peu à peu elle a surmonté les éclats de sa folle colère, les frémissements nerveux qui ont agité son corps ont disparu, et maintenant elle s'est repliée sur 30 elle-même comme un serpent fatigué qui se repose.

– Allons, allons ; j'étais folle de m'emporter ainsi, dit-elle en plongeant dans la glace, qui reflète dans ses yeux son regard brûlant, par lequel elle semble s'interroger elle-même. Pas de violence, la violence est une preuve de faiblesse. D'abord je n'ai 35 jamais réussi par ce moyen : peut-être, si j'usais de ma force contre des femmes, aurais-je chance de les trouver plus faibles encore que moi, et par conséquent de les vaincre ; mais c'est contre des hommes que je lutte, et je ne suis qu'une femme pour eux. Luttons en femme, ma force est dans ma faiblesse.

40 Alors, comme pour se rendre compte à elle-même des changements qu'elle pouvait imposer à sa physionomie[2] si expressive et si mobile, elle lui fit prendre à la fois toutes les expressions, depuis celle de la colère qui crispait ses traits jusqu'à celle du plus doux, du plus affectueux et du plus séduisant sourire. Puis ses cheveux 45 prirent successivement sous ses mains savantes les ondulations qu'elle crut pouvoir aider aux charmes de son visage. Enfin, elle murmura, satisfaite d'elle-même :

« Allons, rien n'est perdu. Je suis toujours belle. »

Il était huit heures du soir à peu près. Milady aperçut un lit ; elle 50 pensa qu'un repos de quelques heures rafraîchirait non seulement sa tête et ses idées, mais encore son teint. Cependant, avant de se coucher, une idée meilleure lui vint. Elle avait entendu parler de souper. Déjà elle était depuis une heure dans cette chambre, on ne pouvait tarder à lui apporter son repas. La prisonnière ne voulut 55 pas perdre de temps, et elle résolut de faire, dès cette même soirée, quelque tentative pour sonder le terrain, en étudiant le caractère des gens auxquels sa garde était confiée.

Une lumière apparut sous la porte ; cette lumière annonçait le retour de ses geôliers. Milady, qui s'était levée, se rejeta vivement

---

1. **Convulsions :** secousses nerveuses.
2. **Physionomie :** apparence, visage.

60 sur son fauteuil, la tête renversée en arrière, ses beaux cheveux dénoués et épars, sa gorge[1] demi nue sous ses dentelles froissées, une main sur son cœur et l'autre pendante.

On ouvrit les verrous, la porte grinça sur ses gonds, des pas retentirent dans la chambre et s'approchèrent.

65 – Posez là cette table, dit une voix que la prisonnière reconnut pour celle de Felton.

L'ordre fut exécuté.

– Vous apporterez des flambeaux et ferez relever la sentinelle, continua Felton.

70 Ce double ordre que donna aux mêmes individus le jeune lieutenant prouva à Milady que ses serviteurs étaient les mêmes hommes que ses gardiens, c'est-à-dire des soldats.

Les ordres de Felton étaient, au reste, exécutés avec une silencieuse rapidité qui donnait une bonne idée de l'état florissant dans 75 lequel il maintenait la discipline.

Enfin, Felton, qui n'avait pas encore regardé Milady, se retourna vers elle.

– Ah ! ah ! dit-il, elle dort, c'est bien : à son réveil elle soupera. Et il fit quelques pas pour sortir.

80 – Mais, mon lieutenant, dit un soldat moins stoïque[2] que son chef, et qui s'était approché de Milady, cette femme ne dort pas.

– Comment, elle ne dort pas ? dit Felton, que fait-elle donc, alors ?

– Elle est évanouie ; son visage est très pâle, et j'ai beau écouter, 85 je n'entends pas sa respiration.

– Vous avez raison, dit Felton après avoir regardé Milady de la place où il se trouvait, sans faire un pas vers elle, allez prévenir lord de Winter que sa prisonnière est évanouie, car je ne sais que faire, le cas n'ayant pas été prévu.

90 Le soldat sortit pour obéir aux ordres de son officier ; Felton s'assit sur un fauteuil qui se trouvait par hasard près de la porte et attendit sans dire une parole, sans faire un geste. Milady possédait ce grand art, tant étudié par les femmes, de voir à travers ses longs cils sans avoir l'air d'ouvrir les paupières : elle aperçut Felton

---

1. **Gorge :** poitrine, seins.
2. **Stoïque :** impassible, insensible.

95 qui lui tournait le dos, elle continua de le regarder pendant dix minutes à peu près, et pendant ces dix minutes, l'impassible gardien ne se retourna pas une seule fois.

Elle songea alors que lord de Winter allait venir et rendre, par sa présence, une nouvelle force à son geôlier : sa première épreuve 100 était perdue, elle en prit son parti en femme qui compte sur ses ressources ; en conséquence elle leva la tête, ouvrit les yeux et soupira faiblement.

À ce soupir, Felton se retourna enfin.

– Ah ! vous voici réveillée, madame ! dit-il, je n'ai donc plus 105 affaire ici ! Si vous avez besoin de quelque chose, vous appellerez.

– Oh ! mon Dieu ! mon Dieu ! que j'ai souffert ! murmura Milady avec cette voix harmonieuse qui, pareille à celle des enchanteresses antiques[1], charmait tous ceux qu'elle voulait perdre.

Et elle prit en se redressant sur son fauteuil une position plus 110 gracieuse et plus abandonnée encore que celle qu'elle avait lorsqu'elle était couchée.

Felton se leva.

– Vous serez servie ainsi trois fois par jour, madame, dit-il : le matin à neuf heures, dans la journée à une heure, et le soir à huit 115 heures. Si cela ne vous convient pas, vous pouvez indiquer vos heures au lieu de celles que je vous propose, et, sur ce point, on se conformera à vos désirs.

– Mais vais-je donc rester toujours seule dans cette grande et triste chambre ? demanda Milady.

120 – Une femme des environs a été prévenue, elle sera demain au château, et viendra toutes les fois que vous désirerez sa présence.

– Je vous rends grâce, monsieur, répondit humblement la prisonnière.

Felton fit un léger salut et se dirigea vers la porte. Au moment 125 où il allait en franchir le seuil, lord de Winter parut dans le corridor, suivi du soldat qui était allé lui porter la nouvelle de l'évanouissement de Milady. Il tenait à la main un flacon de sels[2].

---

1. **Enchanteresses antiques :** allusion aux sirènes de *L'Odyssée* du Grec Homère qui ensorcelaient par leurs chants les navigateurs et les poussaient sur les écueils pour qu'ils y fassent naufrage.
2. **Sels :** sels volatils qu'on faisait respirer pour ranimer une personne évanouie.

– Eh bien ! qu'est-ce ? Et que se passe-t-il donc ici ? dit-il d'une voix railleuse en voyant sa prisonnière debout et Felton prêt à sortir. Cette morte est-elle donc déjà ressuscitée ? Pardieu, Felton, mon enfant, tu n'as donc pas vu qu'on te prenait pour un novice[1] et qu'on te jouait le premier acte d'une comédie dont nous aurons sans doute le plaisir de suivre tous les développements ?

– Je l'ai bien pensé, milord, dit Felton ; mais, enfin, comme la prisonnière est femme, après tout, j'ai voulu avoir les égards que tout homme bien né doit à une femme, sinon pour elle, du moins pour lui-même.

Milady frissonna par tout son corps. Ces paroles de Felton passaient comme une glace par toutes ses veines.

– Ainsi, reprit de Winter en riant, ces beaux cheveux savamment étalés, cette peau blanche et ce langoureux[2] regard ne t'ont pas encore séduit, cœur de pierre ?

– Non, milord, répondit l'impassible jeune homme, et croyez-moi bien, il faut plus que des manèges et des coquetteries de femme pour me corrompre.

– En ce cas, mon brave lieutenant, laissons Milady chercher autre chose et allons souper ; ah ! sois tranquille, elle a l'imagination féconde[3] et le second acte de la comédie ne tardera pas à suivre le premier.

Et à ces mots lord de Winter passa son bras sous celui de Felton et l'emmena en riant.

– Oh ! je trouverai bien ce qu'il te faut, murmura Milady entre ses dents ; sois tranquille, pauvre moine manqué, pauvre soldat converti qui t'es taillé ton uniforme dans un froc[4].

– À propos, reprit de Winter en s'arrêtant sur le seuil de la porte, il ne faut pas, Milady, que cet échec vous ôte l'appétit. Tâtez de ce poulet et de ces poissons que je n'ai pas fait empoisonner, sur l'honneur. Je m'accommode assez de mon cuisinier, et comme il ne doit pas hériter de moi, j'ai en lui pleine et entière

---

1. **Novice :** homme inexpérimenté.
2. **Langoureux :** imitant le dénuement, la faiblesse surtout dans un rapport amoureux.
3. **Féconde :** fertile.
4. **Froc :** habit de moine.

160 confiance. Faites comme moi. Adieu, chère sœur ! À votre prochain évanouissement.

C'était tout ce que pouvait supporter Milady : ses mains se crispèrent sur son fauteuil, ses dents grincèrent sourdement[1], ses yeux suivirent le mouvement de la porte qui se fermait derrière lord de
165 Winter et Felton ; et, lorsqu'elle se vit seule, une nouvelle crise de désespoir la prit ; elle jeta les yeux sur la table, vit briller un couteau, s'élança et le saisit ; mais son désappointement fut cruel : la lame en était ronde et d'argent flexible.

Un éclat de rire retentit derrière la porte mal fermée, et la porte
170 se rouvrit.

– Ah ! ah ! s'écria lord de Winter ; ah ! ah ! ah ! vois-tu bien, mon brave Felton, vois-tu ce que je t'avais dit : ce couteau, c'était pour toi ; mon enfant, elle t'aurait tué ; vois-tu, c'est un de ses travers, de se débarrasser ainsi, d'une façon ou de l'autre, des gens qui la
175 gênent. Si je t'eusse écouté, le couteau eût été pointu et d'acier : alors plus de Felton, elle t'aurait égorgé et, après toi, tout le monde. Vois donc, John, comme elle sait bien tenir son couteau.

En effet, Milady tenait encore l'arme offensive dans sa main crispée, mais ces derniers mots, cette suprême insulte, détendirent ses
180 mains, ses forces et jusqu'à sa volonté.

Le couteau tomba par terre.

– Vous avez raison, milord, dit Felton avec un accent de profond dégoût qui retentit jusqu'au fond du cœur de Milady, vous avez raison et c'est moi qui avais tort.

185 Et tous deux sortirent de nouveau.

Mais cette fois, Milady prêta une oreille plus attentive que la première fois, et elle entendit leurs pas s'éloigner et s'éteindre dans le fond du corridor.

« Je suis perdue, murmura-t-elle, me voilà au pouvoir des gens
190 sur lesquels je n'aurai pas plus de prise que sur des statues de bronze ou de granit ; ils me savent par cœur et sont cuirassés[2] contre toutes mes armes.

« Il est cependant impossible que cela finisse comme ils l'ont décidé. »

---

1. **Sourdement :** sans bruit.
2. **Cuirassés :** armés, « blindés ».

En effet, comme l'indiquait cette dernière réflexion, ce retour instinctif à l'espérance, dans cette âme profonde la crainte et les sentiments faibles ne surnageaient pas longtemps. Milady se mit à table, mangea de plusieurs mets, but un peu de vin d'Espagne, et sentit revenir toute sa résolution.

Avant de se coucher elle avait déjà commenté, analysé, retourné sur toutes leurs faces, examiné sous tous les points, les paroles, les pas, les gestes, les signes et jusqu'au silence de ses geôliers, et de cette étude profonde, habile et savante, il était résulté que Felton était, à tout prendre, le plus vulnérable de ses deux persécuteurs.

Un mot surtout revenait à l'esprit de la prisonnière :

– Si je t'eusse écouté, avait dit lord de Winter à Felton.

Donc Felton avait parlé en sa faveur, puisque lord de Winter n'avait pas voulu écouter Felton.

« Faible ou forte, répétait Milady, cet homme a donc une lueur de pitié dans son âme ; de cette lueur je ferai un incendie qui le dévorera.

« Quant à l'autre, il me connaît, il me craint et sait ce qu'il a à attendre de moi si jamais je m'échappe de ses mains, il est donc inutile de rien tenter sur lui. Mais Felton, c'est autre chose ; c'est un jeune homme naïf, pur et qui semble vertueux ; celui-là, il y a moyen de le perdre. »

Et Milady se coucha et s'endormit le sourire sur les lèvres ; quelqu'un qui l'eût vue dormant eût dit une jeune fille rêvant à la couronne de fleurs qu'elle devait mettre sur son front à la prochaine fête.

LIII
Deuxième journée de captivité

Milady feint d'être malade.

En entrant, le matin, dans la chambre de Milady, on lui avait apporté son déjeuner ; or elle avait pensé qu'on ne tarderait pas à venir enlever la table, et qu'en ce moment elle reverrait Felton.

Milady ne se trompait pas. Felton reparut, et, sans faire attention si Milady avait ou non touché au repas, fit un signe pour qu'on emportât hors de la chambre la table, que l'on apportait ordinairement toute servie.

Felton resta le dernier ; il tenait un livre à la main.

Milady, couchée dans un fauteuil près de la cheminée, belle, pâle et résignée, ressemblait à une vierge sainte attendant le martyre.

Felton s'approcha d'elle et dit :

– Lord de Winter, qui est catholique comme vous, madame, a pensé que la privation des rites et des cérémonies de votre religion peut vous être pénible : il consent donc à ce que vous lisiez chaque jour l'ordinaire de *votre messe*[1], et voici un livre qui en contient le rituel.

À l'air dont Felton déposa ce livre sur la petite table près de laquelle était Milady, au ton dont il prononça ces deux mots *votre messe*, au sourire dédaigneux dont il les accompagna, Milady leva la tête et regarda plus attentivement l'officier.

Alors, à cette coiffure sévère, à ce costume d'une simplicité exagérée, à ce front poli comme le marbre, mais dur et impénétrable comme lui, elle reconnut un de ces sombres puritains[2] qu'elle avait rencontrés si souvent tant à la cour du roi Jacques qu'à celle du roi de France[3], où, malgré le souvenir de la Saint-Barthélemy[4], ils venaient parfois chercher un refuge.

Elle eut donc une de ces inspirations subites comme les gens de génie seuls en reçoivent dans les grandes crises, dans les moments suprêmes qui doivent décider de leur fortune ou de leur vie.

Ces deux mots, *votre messe*, et un simple coup d'œil jeté sur Felton lui avaient en effet révélé toute l'importance de la réponse qu'elle allait faire.

---

1. **L'ordinaire de *votre messe* :** ensemble des prières qui ne varient pas d'une messe à une autre.
2. **Puritains :** disciples de Calvin, désirant pratiquer un christianisme très pur, assorti d'une morale et d'une discipline très strictes.
3. **Tant à la cour du roi Jacques qu'à celle du roi de France :** depuis leur rupture avec le pape, les Anglais étaient anglicans, faisant un compromis entre le catholicisme et le calvinisme.
4. **Saint-Barthélemy :** massacre des protestants qui se déroula à Paris dans la nuit du 23 au 24 août 1572.

Mais, avec cette rapidité d'intelligence qui lui était particulière, cette réponse toute formulée se présenta sur ses lèvres :

– Moi ! dit-elle avec un accent de dédain monté à l'unisson de celui qu'elle avait remarqué dans la voix du jeune officier, moi, monsieur, *ma messe* ! Lord de Winter, le catholique corrompu[1], sait bien que je ne suis pas de sa religion, et c'est un piège qu'il veut me tendre !

– Et de quelle religion êtes-vous donc, madame ? demanda Felton avec un étonnement que, malgré son empire[2] sur lui-même, il ne put cacher entièrement.

– Je le dirai, s'écria Milady avec une exaltation feinte, le jour où j'aurai assez souffert pour ma foi.

Le regard de Felton découvrit à Milady toute l'étendue de l'espace qu'elle venait de s'ouvrir par cette seule parole.

Cependant le jeune officier demeura muet et immobile, son regard seul avait parlé.

– Je suis aux mains de mes ennemis, continua-t-elle avec ce ton d'enthousiasme qu'elle savait familier aux puritains ; eh bien ! que mon Dieu me sauve ou que je périsse pour mon Dieu ! Voilà la réponse que je vous prie de faire à lord de Winter. Et quant à ce livre, ajouta-t-elle en montrant le rituel du bout du doigt, mais sans le toucher, comme si elle eût dû être souillée par cet attouchement, vous pouvez le remporter et vous en servir pour vous-même, car sans doute vous êtes doublement complice de lord de Winter, complice dans sa persécution, complice dans son hérésie[3].

Felton ne répondit rien, prit le livre avec le même sentiment de répugnance qu'il avait déjà manifesté et se retira pensif.

Lord de Winter vint vers les cinq heures du soir ; Milady avait eu le temps pendant toute la journée de se tracer son plan de conduite ; elle le reçut en femme qui a déjà repris tous ses avantages.

---

1. **Corrompu :** dénaturé, perverti.
2. **Son empire :** son contrôle.
3. **Hérésie :** pour les protestants, les catholiques ont fait de mauvais choix dans leurs croyances et leurs rites.

65 – Il paraît, dit le baron en s'asseyant dans un fauteuil en face de celui qu'occupait Milady et en étendant nonchalamment ses pieds sur le foyer, il paraît que nous avons fait une petite apostasie[1] !

– Que voulez-vous dire, monsieur ?

– Je veux dire que depuis la dernière fois que nous nous 70 sommes vus, nous avons changé de religion ; auriez-vous épousé un troisième mari protestant, par hasard ?

– Expliquez-vous, milord, reprit la prisonnière avec majesté, car je vous déclare que j'entends vos paroles, mais que je ne les comprends pas.

75 – Alors, c'est que vous n'avez pas de religion du tout ; j'aime mieux cela, reprit en ricanant lord de Winter.

– Il est certain que cela est plus selon vos principes, reprit froidement Milady.

– Oh ! je vous avoue que cela m'est parfaitement égal.

80 – Oh ! vous n'avoueriez pas cette indifférence religieuse, milord, que vos débauches et vos crimes en feraient foi.

– Hein ! vous parlez de débauches, madame Messaline[2], vous parlez de crimes, lady Macbeth[3] ! Ou j'ai mal entendu, ou vous êtes, pardieu, bien impudente[4].

85 – Vous parlez ainsi parce que vous savez qu'on nous écoute, monsieur, répondit froidement Milady, et que vous voulez intéresser vos geôliers et vos bourreaux contre moi.

– Mes geôliers ! Mes bourreaux ! Ouais, madame, vous le prenez sur un ton poétique, et la comédie d'hier tourne ce soir à la tragé-90 die. Au reste, dans huit jours vous serez où vous devez être et ma tâche sera achevée.

– Tâche infâme ! Tâche impie ! reprit Milady avec l'exaltation de la victime qui provoque son juge.

– Je crois, ma parole d'honneur, dit de Winter en se levant, que 95 la drôlesse devient folle. Allons, allons, calmez-vous, madame la puritaine, ou je vous fais mettre au cachot. Pardieu ! c'est mon vin

1. **Apostasie :** abandon de la foi chrétienne.
2. **Messaline :** épouse de l'empereur romain Claude. Elle fut célèbre pour sa liberté de mœurs (25-48 apr. J.-C.).
3. **Lady Macbeth :** dans le drame de Shakespeare, *Macbeth*, le roi d'Écosse, est assassiné par Macbeth, à l'instigation de sa femme.
4. **Impudente :** effrontée.

d'Espagne qui vous monte à la tête, n'est-ce pas ? Mais, soyez tranquille, cette ivresse-là n'est pas dangereuse et n'aura pas de suites.

Et lord de Winter se retira en jurant, ce qui à cette époque était une habitude toute cavalière.

Felton était en effet derrière la porte et n'avait pas perdu un mot de toute cette scène.

Milady avait deviné juste.

– Oui, va ! va ! dit-elle à son frère, les suites approchent, au contraire, mais tu ne les verras, imbécile, que lorsqu'il ne sera plus temps de les éviter.

Se faisant passer pour protestante, Milady tente de gagner Felton à sa cause en jouant l'extase religieuse.

LIV
Troisième journée de captivité

La résistance de Felton faiblit. L'ordre d'exil de Milady est prêt : la jeune femme sera écrouée sous le nom de Charlotte Backson. L'acte doit être envoyé le lendemain à Buckingham ; il reviendra, le surlendemain, signé de sa main et revêtu de son sceau.

Milady respire : il lui reste quatre jours pour achever de séduire Felton.

LV
Quatrième journée de captivité

Milady simule une intention de suicide qui entame encore davantage les résistances de Felton. Ce dernier lui fait promettre de surseoir à ses intentions jusqu'à la nuit : « Si, lorsque vous m'aurez revu, vous persistez encore, eh bien ! alors, vous serez libre, et moi-même je vous donnerai l'arme que vous m'avez demandée. »

LVI
Cinquième journée de captivité

Comme convenu, Felton se présente chez Milady à minuit. Il lui remet un couteau qui restera sur une table pendant que Milady racontera son histoire. Voici son récit :

Un homme la poursuit vainement de son amour depuis un an, alors qu'elle n'est encore qu'une toute jeune fille. Un soir, il lui fait absorber à son insu « un narcotique puissant » qui la terrasse. Au matin, il lui annonce que, durant son sommeil, il a abusé d'elle. Il lui offre cependant sa fortune contre son amour. Milady le repousse avec horreur. Le lendemain, malgré ses précautions, son séducteur abuse d'elle une seconde fois. Elle décide alors de se venger. Elle cache sous son oreiller un couteau subtilisé au moment du repas, fait mine de boire l'eau empoisonnée de sa carafe et se met au lit, feignant le sommeil. Une ombre s'approche du lit. Milady brandit son couteau... mais le misérable est protégé par une cotte de maille. Devant sa résistance, il se montre disposé à lui rendre sa liberté contre son silence. Mais Milady le menace :

« Oui, car, à peine sortie d'ici, je dirai tout, je dirai la violence dont vous avez usé envers moi, je dirai ma captivité. Je dénoncerai ce palais d'infamie ; vous êtes bien haut placé, milord, mais tremblez ! Au-dessus de vous il y a le roi, au-dessus du roi il y a Dieu. »

Milady interrompt alors son récit pour voir l'effet qu'il produit sur Felton.

LVII
Un moyen de tragédie classique

Milady dévoile enfin le nom de son persécuteur : c'est le duc de Buckingham, ami intime de lord de Winter. Felton est bouleversé par ce récit. Milady alors joue sa dernière carte en se frappant d'un coup de couteau, au moment où son beau-frère entre dans la chambre.

LVIII
Évasion

La blessure de Milady n'est pas grave. Elle ne l'empêche pas de poursuivre son plan. Cependant, lord de Winter a décidé d'écarter Felton de sa prisonnière et d'avancer l'embarquement au lendemain midi, c'est-à-dire au 23 août, dès que l'ordre d'exil aura été signé par Buckingham.

Dans la nuit, alors que l'orage gronde, le visage de Felton apparaît derrière la fenêtre de Milady. Il a organisé son évasion au moyen d'une échelle de corde. Une barque les attend et les emmène. Elle déposera Felton à Portsmouth[1] et Milady sur les côtes françaises. Ils se retrouveront à Béthune, au couvent des Carmélites.

LIX
Ce qui se passait à Portsmouth le 23 août 1628

Felton prit congé de Milady comme un frère qui va faire une simple promenade prend congé de sa sœur en lui baisant la main.

Toute sa personne paraissait dans son état de calme ordinaire : seulement une lueur inaccoutumée brillait dans ses yeux, pareille à un reflet de fièvre ; son front était plus pâle encore que de coutume ; ses dents étaient serrées, et sa parole avait un accent bref et saccadé qui indiquait que quelque chose de sombre s'agitait en lui.

Tant qu'il resta sur la barque qui le conduisait à terre, il demeura le visage tourné du côté de Milady, qui, debout sur le pont, le suivait des yeux. Tous deux étaient assez rassurés sur la crainte d'être poursuivis : on n'entrait jamais dans la chambre de Milady avant neuf heures ; et il fallait trois heures pour venir du château à Londres.

---

1. **Portsmouth :** port de guerre situé au sud de l'Angleterre.

Felton mit pied à terre, gravit la petite crête qui conduisait au
15 haut de la falaise, salua Milady une dernière fois, et prit sa course vers la ville.

Au bout de cent pas, comme le terrain allait en descendant, il ne pouvait plus voir que le mât du sloop[1].

Il courut aussitôt dans la direction de Portsmouth, dont il voyait
20 en face de lui, à un demi-mille[2] à peu près, se dessiner dans la brume du matin les tours et les maisons.

Au-delà de Portsmouth, la mer était couverte de vaisseaux dont on voyait les mâts, pareils à une forêt de peupliers dépouillés par l'hiver, se balancer sous le souffle du vent.

25 Felton, dans sa marche rapide, repassait ce que dix années de méditations ascétiques[3] et un long séjour au milieu des puritains lui avaient fourni d'accusations vraies ou fausses contre le favori de Jacques VI et de Charles Ier.[4]

Lorsqu'il comparait les crimes publics de ce ministre, crimes
30 éclatants, crimes européens, si on pouvait le dire, avec les crimes privés et inconnus dont l'avait chargé Milady, Felton trouvait que le plus coupable des deux hommes que renfermait Buckingham était celui dont le public ne connaissait pas la vie. C'est que son amour si étrange, si nouveau, si ardent, lui faisait voir les accusa-
35 tions infâmes et imaginaires de lady de Winter, comme on voit au travers d'un verre grossissant, à l'état de monstres effroyables, des atomes imperceptibles en réalité auprès d'une fourmi.

La rapidité de sa course allumait encore son sang : l'idée qu'il laissait derrière lui, exposée à une vengeance effroyable, la femme
40 qu'il aimait ou plutôt qu'il adorait comme une sainte, l'émotion passée, sa fatigue présente, tout exaltait encore son âme au-dessus des sentiments humains.

Il entra à Portsmouth vers les huit heures du matin ; toute la population était sur pied ; le tambour battait dans les rues et sur le
45 port ; les troupes d'embarquement descendaient vers la mer.

---

1. **Sloop :** petit navire à un seul mât.
2. **Un demi-mille :** le mille est une ancienne mesure anglaise qui équivaut à 1 609 mètres.
3. **Ascétiques :** austères.
4. **Le favori de Jacques VI et de Charles Ier :** il s'agit de Buckingham.

Felton arriva au palais de l'Amirauté, couvert de poussière et ruisselant de sueur ; son visage, ordinairement si pâle, était pourpre de chaleur et de colère. La sentinelle voulut le repousser ; mais Felton appela le chef du poste, et tirant de sa poche la lettre dont il était porteur :

– Message pressé de la part de lord de Winter, dit-il.

Au nom de lord de Winter, qu'on savait l'un des plus intimes de Sa Grâce, le chef du poste donna l'ordre de laisser passer Felton, qui, du reste, portait lui-même l'uniforme d'officier de marine.

Felton s'élança dans le palais.

Au moment où il entrait dans le vestibule un homme entrait aussi, poudreux, hors d'haleine, laissant à la porte un cheval de poste qui en arrivant tomba sur les deux genoux.

Felton et lui s'adressèrent en même temps à Patrick, le valet de chambre de confiance du duc. Felton nomma le baron de Winter, l'inconnu ne voulut nommer personne, et prétendit que c'était au duc seul qu'il pouvait se faire connaître. Tous deux insistaient pour passer l'un avant l'autre.

Patrick, qui savait que lord de Winter était en affaires de service et en relations d'amitié avec le duc, donna la préférence à celui qui venait en son nom. L'autre fut forcé d'attendre, il fut facile de voir combien il maudissait ce retard.

Le valet de chambre fit traverser à Felton une grande salle dans laquelle attendaient les députés de La Rochelle conduits par le prince de Soubise, et l'introduisit dans un cabinet où Buckingham, sortant du bain, achevait sa toilette, à laquelle, cette fois comme toujours, il accordait une attention extraordinaire.

– Le lieutenant Felton, dit Patrick, de la part de lord de Winter.

– De la part de lord de Winter ! répéta Buckingham, faites entrer.

Felton entra. En ce moment Buckingham jetait sur un canapé une riche robe de chambre brochée[1] d'or, pour endosser un pourpoint de velours bleu tout brodé de perles.

– Pourquoi le baron n'est-il pas venu lui-même ? demanda Buckingham, je l'attendais ce matin.

1. **Brochée :** tissée de manière à former des dessins en relief.

80 – Il m'a chargé de dire à Votre Grâce, répondit Felton, qu'il regrettait fort de ne pas avoir cet honneur, mais qu'il en était empêché par la garde qu'il est obligé de faire au château.

– Oui, oui, dit Buckingham, je sais cela, il a une prisonnière.

– C'est justement de cette prisonnière que je voulais parler à 85 Votre Grâce, reprit Felton.

– Eh bien ! parlez.

– Ce que j'ai à vous dire ne peut être entendu que de vous, milord.

– Laissez-nous, Patrick, dit Buckingham, mais tenez-vous à por-90 tée de la sonnette ; je vous appellerai tout à l'heure.

Patrick sortit.

– Nous sommes seuls, monsieur, dit Buckingham, parlez.

– Milord, dit Felton, le baron de Winter vous a écrit l'autre jour pour vous prier de signer un ordre d'embarquement relatif à une 95 jeune femme nommée Charlotte Backson.

– Oui, monsieur, et je lui ai répondu de m'apporter ou de m'envoyer cet ordre et je le signerais.

– Le voici, milord.

– Donnez, dit le duc.

100 Et, le prenant des mains de Felton, il jeta sur le papier un coup d'œil rapide. Alors, s'apercevant que c'était bien celui qui lui était annoncé, il le posa sur la table, prit une plume et s'apprêta à signer.

– Pardon, milord, dit Felton arrêtant le duc, mais Votre Grâce sait-elle que le nom de Charlotte Backson n'est pas le véritable 105 nom de cette jeune femme ?

– Oui, monsieur, je le sais, répondit le duc en trempant la plume dans l'encrier.

– Alors, Votre Grâce connaît son véritable nom ? demanda Felton d'une voix brève.

110 – Je le connais.

Le duc approcha la plume du papier. Felton pâlit.

– Et, connaissant ce véritable nom, reprit Felton, monseigneur signera tout de même ?

– Sans doute, dit Buckingham et plutôt deux fois qu'une.

115 – Je ne puis croire, continua Felton d'une voix qui devenait de plus en plus brève et saccadée, que Sa Grâce sache qu'il s'agit de lady de Winter...

– Je le sais parfaitement, quoique je sois étonné que vous le sachiez, vous !

120 – Et Votre Grâce signera cet ordre sans remords ?

Buckingham regarda le jeune homme avec hauteur.

– Ah ça ! Monsieur, savez-vous bien, lui dit-il, que vous me faites là d'étranges questions, et que je suis bien simple d'y répondre ?

125 – Répondez-y, monseigneur, dit Felton, la situation est plus grave que vous ne le croyez peut-être.

Buckingham pensa que le jeune homme, venant de la part de lord de Winter, parlait sans doute en son nom et se radoucit.

– Sans remords aucun, dit-il, et le baron sait comme moi que 130 Milady de Winter est une grande coupable, et que c'est presque lui faire grâce que de borner sa peine à l'exportation[1].

Le duc posa sa plume sur le papier.

– Vous ne signerez pas cet ordre, milord ! dit Felton en faisant un pas vers le duc.

135 – Je ne signerai pas cet ordre, dit Buckingham, et pourquoi ?

– Parce que vous descendrez en vous-même, et que vous rendrez justice à Milady.

– On lui rendra justice en l'envoyant à Tyburn, dit Buckingham ; Milady est une infâme.

140 – Monseigneur, Milady est un ange, vous le savez bien, et je vous demande sa liberté.

– Ah çà ! dit Buckingham, êtes-vous fou, de me parler ainsi ?

– Milord, excusez-moi ! je parle comme je puis ; je me contiens. Cependant, milord, songez à ce que vous allez faire, et craignez 145 d'outrepasser la mesure !

– Plaît-il ?... Dieu me pardonne ! s'écria Buckingham, mais je crois qu'il me menace !

– Non, milord, je prie encore, et je vous dis : une goutte d'eau suffit pour faire déborder le vase plein, une faute légère peut atti150 rer le châtiment sur la tête épargnée malgré tant de crimes.

1. **Exportation :** déportation.

– Monsieur Felton, dit Buckingham, vous allez sortir d'ici et vous rendre aux arrêts sur-le-champ.

– Vous allez m'écouter jusqu'au bout, milord. Vous avez séduit cette jeune fille, vous l'avez outragée, souillée ; réparez vos crimes envers elle, laissez-la partir librement, et je n'exigerai pas autre chose de vous.

– Vous n'exigerez pas ? dit Buckingham regardant Felton avec étonnement et appuyant sur chacune des syllabes des trois mots qu'il venait de prononcer.

– Milord, continua Felton s'exaltant à mesure qu'il parlait, milord, prenez garde, toute l'Angleterre est lasse de vos iniquités[1] ; milord, vous avez abusé de la puissance royale que vous avez presque usurpée[2] ; milord, vous êtes en horreur aux hommes et à Dieu ; Dieu vous punira plus tard, mais, moi, je vous punirai aujourd'hui.

– Ah ! ceci est trop fort ! cria Buckingham en faisant un pas vers la porte.

Felton lui barra le passage.

– Je vous le demande humblement, dit-il, signez l'ordre de mise en liberté de lady de Winter ; songez que c'est la femme que vous avez déshonorée.

– Retirez-vous, monsieur, dit Buckingham, ou j'appelle et je vous fais mettre aux fers[3].

– Vous n'appellerez pas, dit Felton en se jetant entre le duc et la sonnette placée sur un guéridon incrusté d'argent ; prenez garde, milord, vous voilà entre les mains de Dieu.

– Dans les mains du diable, vous voulez dire, s'écria Buckingham en élevant la voix pour attirer du monde, sans cependant appeler directement.

– Signez milord, signez la liberté de lady de Winter, dit Felton en poussant un papier vers le duc.

– De force ! Vous moquez-vous ? Holà, Patrick !

– Signez, milord !

– Jamais !

---

1. **Iniquités :** injustices.
2. **Usurpée :** obtenue de façon illégitime.
3. **Mettre aux fers :** enchaîner.

185 – Jamais !

– À moi, cria le duc, et en même temps il sauta sur son épée.

Mais Felton ne lui donna pas le temps de la tirer : il tenait tout ouvert et caché dans son pourpoint le couteau dont s'était frappée Milady ; d'un bond il fut sur le duc.

190 En ce moment Patrick entrait dans la salle en criant :

– Milord, une lettre de France !

– De France ! s'écria Buckingham, oubliant tout en pensant de qui lui venait cette lettre.

Felton profita du moment et lui enfonça dans le flanc le couteau 195 jusqu'au manche.

– Ah ! traître ! cria Buckingham, tu m'as tué…

– Au meurtre ! hurla Patrick.

Felton jeta les yeux autour de lui pour fuir, et, voyant la porte libre, s'élança dans la chambre voisine, qui était celle où atten-200 daient, comme nous l'avons dit, les députés de La Rochelle, la traversa tout en courant et se précipita vers l'escalier ; mais, sur la première marche, il rencontra lord de Winter, qui, le voyant pâle, égaré, livide, taché de sang à la main et à la figure, lui sauta au cou en s'écriant :

205 – Je le savais, je l'avais deviné et j'arrive trop tard d'une minute ! Oh ! malheureux que je suis !

Felton ne fit aucune résistance ; lord de Winter le remit aux mains des gardes, qui le conduisirent, en attendant de nouveaux ordres, sur une petite terrasse dominant la mer, et il s'élança dans 210 le cabinet[1] de Buckingham.

Au cri poussé par le duc, à l'appel de Patrick, l'homme que Felton avait rencontré dans l'antichambre se précipita dans le cabinet.

Il trouva le duc couché sur un sofa, serrant sa blessure dans sa 215 main crispée.

– La Porte, dit le duc d'une voix mourante, La Porte, viens-tu de sa part ?

– Oui, monseigneur, répondit le fidèle serviteur d'Anne d'Autriche, mais trop tard peut-être.

1. **Cabinet :** pièce pour converser ou travailler.

– Silence, La Porte ! on pourrait vous entendre ; Patrick, ne laissez entrer personne : oh, je ne saurai pas ce qu'elle me fait dire ! Mon Dieu ! je me meurs !

Et le duc s'évanouit.

Cependant, lord de Winter, les députés, les chefs de l'expédition, les officiers de la maison de Buckingham, avaient fait irruption dans sa chambre ; partout des cris de désespoir retentissaient. La nouvelle qui emplissait le palais de plaintes et de gémissements en déborda bientôt partout et se répandit par la ville.

Un coup de canon annonça qu'il venait de se passer quelque chose de nouveau et d'inattendu.

Lord de Winter s'arrachait les cheveux.

– Trop tard d'une minute ! s'écriait-il, trop tard d'une minute ! Oh ! mon Dieu ! mon Dieu ! quel malheur !

En effet, on était venu lui dire à sept heures du matin qu'une échelle de corde flottait à une des fenêtres du château ; il avait couru aussitôt à la chambre de Milady, avait trouvé la chambre vide et la fenêtre ouverte, les barreaux sciés, il s'était rappelé la recommandation verbale que lui avait fait transmettre d'Artagnan par son messager, il avait tremblé pour le duc, et, courant à l'écurie, sans prendre le temps de faire seller son cheval, avait sauté sur le premier venu, était accouru ventre à terre, et sautant à bas dans la cour, avait monté précipitamment l'escalier, et, sur le premier degré, avait, comme nous l'avons dit, rencontré Felton.

Cependant le duc n'était pas mort : il revint à lui, rouvrit les yeux, et l'espoir rentra dans tous les cœurs.

– Messieurs, dit-il, laissez-moi seul avec Patrick et La Porte.

« Ah ! c'est vous, de Winter ! Vous m'avez envoyé ce matin un singulier fou, voyez l'état dans lequel il m'a mis !

– Oh ! milord ! s'écria le baron, je ne m'en consolerai jamais.

– Et tu aurais tort, mon cher de Winter, dit Buckingham en lui tendant la main, je ne connais pas d'homme qui mérite d'être regretté pendant toute la vie d'un autre homme ; mais laisse-nous, je t'en prie.

Le baron sortit en sanglotant.

Il ne resta dans le cabinet que le duc blessé, La Porte et Patrick.

On cherchait un médecin, qu'on ne pouvait trouver.

– Vous vivrez, milord, vous vivrez, répétait, à genoux devant le sofa du duc, le messager d'Anne d'Autriche.

– Que m'écrivait-elle ? dit faiblement Buckingham tout ruisselant de sang et domptant, pour parler de celle qu'il aimait, d'atroces douleurs, que m'écrivait-elle ? Lis-moi sa lettre.

– Oh ! milord ! fit La Porte.

– Obéis, La Porte ; ne vois-tu pas que je n'ai pas de temps à perdre ?

La Porte rompit le cachet et plaça le parchemin sous les yeux du duc ; mais Buckingham essaya vainement de distinguer l'écriture.

– Lis donc, dit-il, lis donc, je n'y vois plus ; lis donc ! car bientôt peut-être je n'entendrai plus, et je mourrai sans savoir ce qu'elle m'a écrit.

La Porte ne fit plus de difficulté, et lut :

« Milord,

Parce que j'ai, depuis que je vous connais, souffert par vous et pour vous, je vous conjure, si vous avez souci de mon repos, d'interrompre les grands armements que vous faites contre la France et de cesser une guerre dont on dit tout haut que la religion est la cause visible, et tout bas que votre amour pour moi est la cause cachée. Cette guerre peut non seulement amener pour la France et pour l'Angleterre de grandes catastrophes, mais encore pour vous, Milord, des malheurs dont je ne me consolerais pas.

Veillez sur votre vie, que l'on menace et qui me sera chère du moment où je ne serai pas obligée de voir en vous un ennemi.

Votre affectionnée,

ANNE. »

Buckingham rappela tous les restes de sa vie pour écouter cette lecture ; puis, lorsqu'elle fut finie, comme s'il eût trouvé dans cette lettre un amer désappointement :

– N'avez-vous donc pas autre chose à me dire de vive voix, La Porte ? demanda-t-il.

– Si fait, monseigneur : la reine m'avait chargé de vous dire de veiller sur vous, car elle avait eu avis qu'on voulait vous assassiner.

– Et c'est tout, c'est tout ? reprit Buckingham avec impatience.

– Elle m'avait encore chargé de vous dire qu'elle vous aimait toujours.

– Ah ! fit Buckingham, Dieu soit loué ! ma mort ne sera donc pas
295 pour elle la mort d'un étranger !...

La Porte fondit en larmes.

– Patrick, dit le duc, apportez-moi le coffret où étaient les ferrets de diamants.

Patrick apporta l'objet demandé, que La Porte reconnut pour
300 avoir appartenu à la reine.

– Maintenant le sachet de satin blanc, où son chiffre est brodé en perles.

Patrick obéit encore.

– Tenez, La Porte, dit Buckingham, voici les seuls gages que
305 j'eusse à elle, ce coffret d'argent et ces deux lettres. Vous les rendrez à Sa Majesté ; et pour dernier souvenir... (il chercha autour de lui quelque objet précieux)... vous y joindrez...

Il chercha encore ; mais ses regards obscurcis par la mort ne rencontrèrent que le couteau tombé des mains de Felton, et fumant
310 encore du sang vermeil[1] étendu sur la lame.

– Et vous y joindrez ce couteau, dit le duc en serrant la main de La Porte.

Il put encore mettre le sachet au fond du coffret d'argent, y laissa tomber le couteau en faisant signe à La Porte qu'il ne pou-
315 vait plus parler ; puis, dans une dernière convulsion, que cette fois il n'avait plus la force de combattre, il glissa du sofa sur le parquet.

Patrick poussa un grand cri.

Buckingham voulut sourire une dernière fois ; mais la mort arrêta sa pensée, qui resta gravée sur son front comme un dernier
320 baiser d'amour.

En ce moment le médecin du duc arriva tout effaré ; il était déjà à bord du vaisseau amiral, on avait été obligé d'aller le chercher là.

Il s'approcha du duc, prit sa main, la garda un instant dans la sienne, et la laissa retomber.

325 – Tout est inutile, dit-il, il est mort.

– Mort, mort ! s'écria Patrick.

---

1. **Vermeil :** rouge corail.

À ce cri toute la foule rentra dans la salle, et partout ce ne fut que consternation et que tumulte.

Aussitôt que lord de Winter vit Buckingham expiré, il courut à Felton, que les soldats gardaient toujours sur la terrasse du palais.

– Misérable ! dit-il au jeune homme qui, depuis la mort de Buckingham, avait retrouvé ce calme et ce sang-froid qui ne devaient plus l'abandonner ; misérable ! qu'as-tu fait ?

– Je me suis vengé, dit-il.

– Toi ! dit le baron ; dis que tu as servi d'instrument à cette femme maudite ; mais je te le jure, ce crime sera son dernier crime.

– Je ne sais pas ce que vous voulez dire, reprit tranquillement Felton, et j'ignore de qui vous voulez parler, milord ; j'ai tué M. de Buckingham parce qu'il a refusé deux fois à vous-même de me nommer capitaine : je l'ai puni de son injustice, voilà tout.

De Winter, stupéfait, regardait les gens qui liaient Felton, et ne savait que penser d'une pareille insensibilité.

Une seule chose jetait cependant un nuage sur le front pur de Felton. À chaque bruit qu'il entendait, le naïf puritain croyait reconnaître le pas et la voix de Milady venant se jeter dans ses bras pour s'accuser et se perdre avec lui.

Tout à coup il tressaillit, son regard se fixa sur un point de la mer, que de la terrasse où il se trouvait on dominait tout entière ; avec ce regard d'aigle du marin, il avait reconnu, là où un autre n'aurait vu qu'un goéland se balançant sur les flots, la voile du sloop qui se dirigeait vers les côtes de France.

Il pâlit, porta la main à son cœur, qui se brisait, et comprit toute la trahison.

– Une dernière grâce, milord ! dit-il au baron.

– Laquelle ? demanda celui-ci.

– Quelle heure est-il ?

Le baron tira sa montre.

– Neuf heures moins dix minutes, dit-il.

Milady avait avancé son départ d'une heure et demie ; dès qu'elle avait entendu le coup de canon qui annonçait le fatal événement, elle avait donné l'ordre de lever l'ancre.

La barque voguait sous un ciel bleu à une grande distance de la côte.

– Dieu l'a voulu, dit Felton avec la résignation du fanatique, 365 mais cependant sans pouvoir détacher les yeux de cet esquif à bord duquel il croyait sans doute distinguer le blanc fantôme de celle à qui sa vie allait être sacrifiée.

De Winter suivit son regard, interrogea sa souffrance et devina tout.

370 – Sois puni *seul* d'abord, misérable, dit lord de Winter à Felton, qui se laissait entraîner les yeux tournés vers la mer ; mais je te jure, sur la mémoire de mon frère que j'aimais tant, que ta complice n'est pas sauvée.

Felton baissa la tête sans prononcer une syllabe.

375 Quant à de Winter, il descendit rapidement l'escalier et se rendit au port.

Clefs d'analyse

Chapitres XLIII-LIX

Actions et personnages

1. Résumez en quelques lignes la situation initiale de cette partie.
2. Précisez la mission que le cardinal confie à Milady. Qui l'entend ? Dans quel but le romancier dévoile-t-il ici la suite des péripéties au lecteur ?
3. « Le duc est amoureux comme un fou, ou plutôt comme un niais, reprit Richelieu avec une profonde amertume » (chap. XLIV, l. 111-112) : quelle opinion porte le cardinal sur l'amour ? À quoi de précis fait-il allusion ?
4. Pourquoi le cardinal abandonne-t-il en fin de compte d'Artagnan à son ennemie ?
5. Que veut exprimer Dumas lorsqu'il qualifie Athos « d'enfant perdu » (chap. XLIV, l. 294) ?
6. Quel élément capital nous apprend le chapitre XLV sur les liens entre Milady et Athos ? Le mystère qui entoure les deux personnages en est-il levé ?
7. Qui est Marie Michon (chap. XLVIII) ?
8. « je tiens tout prêts des juges » (chap. L, l. 56) : appréciez l'effet d'anticipation glissé dans le discours de Lord de Winter.
9. Dans les chapitres traitant de la captivité de Milady, comment la jeune femme réussit-elle à manipuler Felton ? Citez les phrases les plus significatives.
10. Patrick, le valet de chambre de Buckingham, est-il aussi responsable de la mort du duc de Buckingham ? Analysez ses deux interventions (chap. LIX).

Langue

11. Commentez le titre du chapitre XLIV : quelle réactions provoque-t-il chez le lecteur ? Quelle fonction remplit-il ?
12. « Franchement et loyalement, répéta Milady avec une indicible expression de duplicité » (chap. XLIV, l. 55-56) : sur quelle figure de style repose cette phrase ? Que révèle-t-elle du caractère de Milady ?
13. Par quelles expressions se dévoile la vraie nature de Milady (chap. XLV) ? Quels mots lui servent pour qualifier Athos ? Quels sentiments lui inspire-t-il ?

14. Relevez les périphrases qui, dans la lettre d'Aramis à Lord de Winter, permettent de ne pas citer de noms (chap. XLVIII). Clarifiez ces allusions.
15. La lettre de Marie Michon (chap. XLVIII) est un mélange d'informations directes et d'allusions. Étudiez de près son expression.
16. Par quelles expressions Dumas illustre-t-il le fanatisme de Felton ?

Genre ou thèmes

17. Comment Dumas décrit-il les lieux extérieurs et intérieurs ? Privilégie-t-il les vues d'ensemble ou les détails significatifs (chap. XLIX) ?
18. Comment Dumas passe-t-il de l'esquisse pour Buckingham au portrait pour Felton (chap. XLIX) ?
19. Étudiez l'enchaînement des faits et l'art de la surprise (chap. XLIX).
20. Analysez le côté convenu des réponses de Felton à Milady. Que peut penser le lecteur de ce nouveau personnage (chap. XLIX) ?

Écriture

21. Transformez la lettre écrite par Aramis à Lord de Winter (chap. XLVIII) en supprimant toutes les allusions.

Pour aller plus loin

22. Lord de Winter annonce à Milady qu'il a le projet de la faire déporter dans les colonies anglaises du sud. Citez quelques colonies dominées par l'Angleterre au XVIIe siècle.

✻ *À retenir*

Milady de Winter fait ici partie des « méchants ». Peu à peu, le lecteur découvre son passé lourd de **meurtrière amorale**. Pourquoi, dans ces conditions, ne la rejette-t-il pas totalement ? C'est que Dumas sait ménager pour ses **personnages**, devenus des **mythes** (Milady certes mais aussi Athos, Aramis, Richelieu), des zones d'ombres qui permettent à chaque lecteur de projeter sur eux une part de sa propre imagination.

LX
En France

Le roi Louis XIII, qui s'ennuie au siège de La Rochelle, décide d'aller « incognito » aux fêtes de Saint-Louis à Saint-Germain. Une escorte de vingt mousquetaires l'accompagne dont Athos, Porthos, Aramis et d'Artagnan, nouveau mousquetaire par faveur du cardinal. Le roi distribue un congé de quatre jours à ses gardes. Les quatre amis pourront ainsi voler au secours de Mme Bonacieux qu'ils feront sortir de son couvent en produisant une autorisation d'Anne d'Autriche :

« La supérieure du couvent de Béthune remettra aux mains de la personne qui lui remettra ce billet la novice qui était entrée dans son couvent sous ma recommandation et sous mon patronage.

Au Louvre, le 10 août 1628.

ANNE. »

Le 25 août, les quatre mousquetaires arrivent à Arras. À l'auberge de la Herse d'Or, d'Artagnan aperçoit l'homme de Meung, qui laisse échapper un papier de son chapeau. Sur ce papier est inscrit : « Armentières ». Les quatre compagnons s'élancent sur la route de Béthune.

LXI
Le couvent des Carmélites de Béthune

Milady débarque à Boulogne d'où elle envoie un message à Richelieu, l'informant de la mort de Buckingham. Elle se rendra la nuit même au couvent des Carmélites de Béthune où elle attendra ses ordres. Reçue par la supérieure du couvent, elle réussit à se faire passer pour une victime du cardinal.

Au soir, une jeune pensionnaire est introduite auprès de Milady. C'est Mme Bonacieux. Les deux femmes font connaissance. Mme Bonacieux annonce fort imprudemment que d'Artagnan doit arriver pour la délivrer quand survient un cavalier. Il désire parler à Milady. « Cet homme, c'est le comte de Rochefort, l'âme damnée de Son Éminence. »

LXII
Deux variétés de démons

Le comte de Rochefort transmet à Milady les instructions du cardinal : elle ne doit pas quitter la région ; elle attendra les ordres de Richelieu à Armentières, ville frontière.

Une heure après, Rochefort partit au grand galop de son cheval, cinq heures après il passait à Arras.

Nos lecteurs savent déjà comment il avait été reconnu par d'Artagnan, et comment cette reconnaissance, en inspirant des craintes aux quatre mousquetaires, avait donné une nouvelle activité à leur voyage.

LXIII
Une goutte d'eau

Après la visite de Rochefort, Milady retrouve Mme Bonacieux à qui elle fait croire que d'Artagnan et ses amis sont retenus au siège de La Rochelle. Elle lui propose de se mettre avec elle à l'abri des persécutions du cardinal tout près de la frontière. En cas de besoin, Mme Bonacieux pourrait lui servir d'otage contre d'Artagnan et ses amis.

Les deux jeunes femmes s'apprêtent à souper ensemble... Lorsque soudain Milady entend sur la route « le roulement lointain d'un galop ». Ce sont les gardes du cardinal, prétend-elle, alors qu'elle a reconnu les mousquetaires. Constance, terrorisée, est clouée sur place par la peur. Milady s'enfuit donc seule, mais, avant, elle lui fait boire un verre de vin empoisonné. Lorsque d'Artagnan pénètre dans la pièce, il est trop tard.

– D'Artagnan, d'Artagnan ! s'écria Mme Bonacieux, où es-tu ? Ne me quitte pas, tu vois bien que je vais mourir.

D'Artagnan lâcha les mains d'Athos, qu'il tenait encore entre ses mains crispées, et courut à elle.

Son visage si beau était tout bouleversé, ses yeux vitreux n'avaient déjà plus de regard, un tremblement convulsif[1] agitait son corps, la sueur coulait sur son front.

– Au nom du ciel ! courez appeler ; Porthos, Aramis, demandez du secours !

– Inutile, dit Athos, inutile, au poison qu'elle verse il n'y a pas de contrepoison.

– Oui, oui, du secours, du secours ! murmura Mme Bonacieux ; du secours !

Puis, rassemblant toutes ses forces, elle prit la tête du jeune homme entre ses deux mains, le regarda un instant comme si toute son âme était passée dans son regard, et, avec un cri sanglotant, elle appuya ses lèvres sur les siennes.

– Constance ! Constance ! s'écria d'Artagnan.

Un soupir s'échappa de la bouche de Mme Bonacieux, effleurant celle de d'Artagnan ; ce soupir, c'était cette âme si chaste et si aimante qui remontait au ciel.

D'Artagnan ne serrait plus qu'un cadavre entre ses bras.

Le jeune homme poussa un cri et tomba près de sa maîtresse[2], aussi pâle et aussi glacé qu'elle.

Porthos pleura, Aramis montra le poing au ciel, Athos fit le signe de la croix.

En ce moment un homme parut sur la porte, presque aussi pâle que ceux qui étaient dans la chambre, et regarda tout autour de lui, vit Mme Bonacieux morte et d'Artagnan évanoui.

Il apparaissait juste à cet instant de stupeur qui suit les grandes catastrophes.

---

1. **Convulsif :** nerveux.
2. **Maîtresse :** la femme qu'il aime.

– Je ne m'étais pas trompé, dit-il, voilà M. d'Artagnan, et vous
45 êtes ses trois amis, MM. Athos, Porthos et Aramis.

Ceux dont les noms venaient d'être prononcés regardaient l'étranger avec étonnement, il leur semblait à tous trois le reconnaître.

– Messieurs, reprit le nouveau venu, vous êtes comme moi à la
50 recherche d'une femme qui, ajouta-t-il avec un sourire terrible, a dû passer par ici, car j'y vois un cadavre !

Les trois amis restèrent muets ; seulement la voix comme le visage leur rappelaient un homme qu'ils avaient déjà vu ; cependant, ils ne pouvaient se souvenir dans quelles circonstances.

55 – Messieurs, continua l'étranger, puisque vous ne voulez pas reconnaître un homme qui probablement vous doit la vie deux fois, il faut bien que je me nomme : je suis lord de Winter, le beau-frère de cette femme.

Les trois amis jetèrent un cri de surprise.

60 Athos se leva et lui tendit la main.

– Soyez le bienvenu, milord, dit-il, vous êtes des nôtres.

– Je suis parti cinq heures après elle de Portsmouth, dit lord de Winter, je suis arrivé trois heures après elle à Boulogne, je l'ai manquée de vingt minutes à Saint-Omer ; enfin, à Lillers, j'ai perdu
65 sa trace. J'allais au hasard, m'informant à tout le monde, quand je vous ai vus passer au galop ; j'ai reconnu M. d'Artagnan. Je vous ai appelés, vous ne m'avez pas répondu ; j'ai voulu vous suivre, mais mon cheval était trop fatigué pour aller du même train que les vôtres. Et cependant il paraît que, malgré la diligence que vous
70 avez faite, vous êtes encore arrivés trop tard !

– Vous voyez, dit Athos en montrant à lord de Winter Mme Bonacieux morte et d'Artagnan que Porthos et Aramis essayaient de rappeler à la vie.

– Sont-ils donc morts tous deux ? demanda froidement lord de
75 Winter.

– Non, heureusement, répondit Athos, M. d'Artagnan n'est qu'évanoui.

– Ah ! tant mieux ! dit lord de Winter.

En effet, en ce moment d'Artagnan rouvrit les yeux.

80 Il s'arracha des bras de Porthos et d'Aramis et se jeta comme un insensé sur le corps de sa maîtresse.

Athos se leva, marcha vers son ami d'un pas lent et solennel, l'embrassa tendrement, et, comme il éclatait en sanglots, il lui dit de sa voix si noble et si persuasive :

85 – Ami, sois homme : les femmes pleurent les morts, les hommes les vengent !

– Oh ! oui, dit d'Artagnan, oui ! si c'est pour la venger, je suis prêt à te suivre !

Athos profita de ce moment de force que l'espoir de la vengeance rendait à son malheureux ami pour faire signe à Porthos et à Aramis d'aller chercher la supérieure.

Les deux amis la rencontrèrent dans le corridor, encore toute troublée et tout éperdue de tant d'événements ; elle appela quelques religieuses, qui, contre toutes les habitudes monastiques, se trouvèrent en présence de cinq hommes[1].

– Madame, dit Athos en passant le bras de d'Artagnan sous le sien, nous abandonnons à vos soins pieux le corps de cette malheureuse femme. Ce fut un ange sur la terre avant d'être un ange au ciel. Traitez-la comme une de vos sœurs ; nous reviendrons un jour prier sur sa tombe.

D'Artagnan cacha sa figure dans la poitrine d'Athos et éclata en sanglots.

– Pleure, dit Athos, pleure, cœur plein d'amour, de jeunesse et de vie ! Hélas ! je voudrais bien pouvoir pleurer comme toi !

Et il entraîna son ami, affectueux comme un père, consolant comme un prêtre, grand comme l'homme qui a beaucoup souffert.

Tous cinq, suivis de leurs valets, tenant leurs chevaux par la bride, s'avancèrent vers la ville de Béthune, dont on apercevait le faubourg, et ils s'arrêtèrent devant la première auberge qu'ils rencontrèrent.

– Mais, dit d'Artagnan, ne poursuivons-nous pas cette femme ?

– Plus tard, dit Athos, j'ai des mesures à prendre.

– Elle nous échappera, reprit le jeune homme, elle nous échappera, Athos, et ce sera ta faute.

---

1. **Contre [...] hommes :** les couvents étaient clos ; les religieuses ne pouvaient rencontrer aucun homme hors clôture.

115 – Je réponds d'elle, dit Athos.

D'Artagnan avait une telle confiance dans la parole de son ami qu'il baissa la tête et entra dans l'auberge sans rien répondre.

Porthos et Aramis se regardait, ne comprenant rien à l'assurance d'Athos.

120 Lord de Winter croyait qu'il parlait ainsi pour engourdir la douleur de d'Artagnan.

– Maintenant, messieurs, dit Athos lorsqu'il se fut assuré qu'il y avait cinq chambres de libres dans l'hôtel, retirons-nous chacun chez soi ; d'Artagnan a besoin d'être seul pour pleurer et vous 125 pour dormir. Je me charge de tout, soyez tranquilles.

– Il me semble cependant, dit lord de Winter, que s'il y a quelque mesure à prendre contre la comtesse, cela me regarde : c'est ma belle-sœur.

– Et moi, dit Athos, c'est ma femme.

130 D'Artagnan tressaillit, car il comprit qu'Athos était sûr de sa vengeance, puisqu'il révélait un pareil secret ; Porthos et Aramis se regardèrent en pâlissant. Lord de Winter pensa qu'Athos était fou.

– Retirez-vous donc, dit Athos, et laissez-moi faire. Vous voyez bien qu'en ma qualité de mari cela me regarde. Seulement, d'Arta-135 gnan, si vous ne l'avez pas perdu, remettez-moi ce papier qui s'est échappé du chapeau de cet homme et sur lequel est écrit le nom de la ville...

– Ah ! dit d'Artagnan, je comprends, ce nom écrit de sa main...

– Tu vois bien, dit Athos, qu'il y a un Dieu dans le ciel !

LXIV
L'homme au manteau rouge

Athos prend la direction des événements : les quatre valets partiront chacun par une route différente pour Armentières, à la poursuite de Milady. Athos attendra les nouvelles à Béthune. Vers dix heures du soir, après avoir interrogé plusieurs personnes qu'il semble 5 *terrifier par ses questions, il arrive devant une petite maison isolée.*

Trois fois Athos frappa sans qu'on lui répondît. Au troisième coup cependant des pas intérieurs se rapprochèrent ; enfin la porte s'entrebâilla, et un homme de haute taille, au teint pâle, aux cheveux et à la barbe noirs, parut.

10 Athos et lui échangèrent quelques mots à voix basse, puis l'homme à la haute taille fit signe au mousquetaire qu'il pouvait entrer. Athos profita à l'instant même de la permission, et la porte se referma derrière lui.

L'homme qu'Athos était venu chercher si loin et qu'il avait 15 trouvé avec tant de peine le fit entrer dans son laboratoire, où il était occupé à retenir avec des fils de fer les os cliquetants d'un squelette. Tout le corps était déjà rajusté[1] : la tête seule était posée sur une table.

Tout le reste de l'ameublement indiquait que celui chez lequel 20 on se trouvait s'occupait de sciences naturelles : il y avait des bocaux pleins de serpents, étiquetés selon les espèces ; des lézards desséchés reluisaient comme des émeraudes taillées dans de grands cadres de bois noir ; enfin, des bottes d'herbes sauvages, odoriférantes[2] et sans doute douées de vertus inconnues au vul- 25 gaire des hommes[3], étaient attachées au plafond et descendaient dans les angles de l'appartement.

Du reste, pas de famille, pas de serviteurs ; l'homme à la haute taille habitait seul cette maison.

Athos jeta un coup d'œil froid et indifférent sur tous les objets 30 que nous venons de décrire, et, sur l'invitation de celui qu'il venait chercher, il s'assit près de lui.

Alors il lui expliqua la cause de sa visite et le service qu'il réclamait de lui ; mais à peine eut-il exposé sa demande, que l'inconnu, qui était resté debout devant le mousquetaire, recula de terreur 35 et refusa. Alors Athos tira de sa poche un petit papier sur lequel étaient écrites deux lignes accompagnées d'une signature et d'un sceau, et le présenta à celui qui donnait trop prématurément ces signes de répugnance. L'homme à la grande taille eut à peine lu

1. **Rajusté :** reconstitué, chaque os remis en bonne place.
2. **Odoriférantes :** qui dégagent une odeur.
3. **Au vulgaire des hommes :** au commun des hommes.

ces deux lignes, vu la signature et reconnu le sceau[1], qu'il s'inclina
40 en signe qu'il n'avait plus aucune objection à faire, et qu'il était prêt à obéir.

Athos n'en demanda pas davantage ; il se leva, salua, sortit, reprit en s'en allant le chemin qu'il avait suivi pour venir, rentra dans l'hôtel et s'enferma chez lui.

45 *Planchet, de retour d'Armentières, a repéré l'hôtel où s'est arrêtée Milady.*

À huit heures du soir, Athos donna l'ordre de seller les chevaux, et fit prévenir lord de Winter et ses amis qu'ils eussent à se préparer pour l'expédition.

50 En un instant tous cinq furent prêts. Chacun visita[2] ses armes et les mit en état. Athos descendit le premier et trouva d'Artagnan déjà à cheval et s'impatientant.

– Patience, dit Athos, il nous manque encore quelqu'un.

Les quatre cavaliers regardèrent autour d'eux avec étonne-
55 ment, car ils cherchaient inutilement dans leur esprit quel était ce quelqu'un qui pouvait leur manquer.

En ce moment Planchet amena le cheval d'Athos, le mousquetaire sauta légèrement en selle.

– Attendez-moi, dit-il, je reviens.

60 Et il partit au galop.

Un quart d'heure après, il revint effectivement accompagné d'un homme masqué et enveloppé d'un grand manteau rouge.

Lord de Winter et les trois mousquetaires s'interrogèrent du regard. Nul d'entre eux ne put renseigner les autres, car tous igno-
65 raient ce qu'était cet homme. Cependant ils pensèrent que cela devait être ainsi, puisque la chose se faisait par l'ordre d'Athos.

À neuf heures, guidée par Planchet, la petite cavalcade[3] se mit en route, prenant le chemin qu'avait suivi la voiture[4].

---

1. **Sceau :** cachet officiel.
2. **Visita :** inspecta.
3. **Cavalcade :** groupe de cavaliers.
4. **La voiture :** le carrosse de Milady.

C'était un triste aspect que celui de ces six hommes courant en silence, plongés chacun dans sa pensée, mornes comme le désespoir, sombres comme le châtiment.

LXV
Le jugement

C'était une nuit orageuse et sombre, de gros nuages couraient au ciel, voilant la clarté des étoiles ; la lune ne devait se lever qu'à minuit.

Parfois, à la lueur d'un éclair qui brillait à l'horizon, on apercevait la route qui se déroulait blanche et solitaire ; puis, l'éclair éteint, tout rentrait dans l'obscurité.

À chaque instant, Athos invitait d'Artagnan, toujours à la tête de la petite troupe, à reprendre son rang qu'au bout d'un instant il abandonnait de nouveau ; il n'avait qu'une pensée, c'était d'aller en avant, et il allait.

On traversa en silence le village de Festubert, où était resté le domestique blessé[1], puis on longea le bois de Richebourg ; arrivés à Herlies, Planchet, qui dirigeait toujours la colonne, prit à gauche.

Plusieurs fois, lord de Winter, soit Porthos, soit Aramis, avaient essayé d'adresser la parole à l'homme au manteau rouge ; mais à chaque interrogation qui lui avait été faite, il s'était incliné sans répondre. Les voyageurs avaient alors compris qu'il y avait quelque raison pour que l'inconnu gardât le silence, et ils avaient cessé de lui adresser la parole.

D'ailleurs, l'orage grossissait, les éclairs se succédaient rapidement, le tonnerre commençait à gronder, et le vent, précurseur de l'ouragan, sifflait dans la plaine, agitant les plumes[2] des cavaliers.

La cavalcade prit le grand trot.

---

1. **Le domestique blessé :** laquais de Rochefort que d'Artagnan a blessé à son arrivée au couvent des Carmélites. Il a accompagné Milady dans sa fuite mais, perdant trop de sang, il a dû rester à Festubert.
2. **Plumes :** les chapeaux étaient ornés de plumes.

Un peu au-delà de Fromelles, l'orage éclata ; on déploya les manteaux ; il restait encore trois lieues[1] à faire : on les fit sous des torrents de pluie.

D'Artagnan avait ôté son feutre[2] et n'avait pas mis son manteau ; il trouvait plaisir à laisser ruisseler l'eau sur son front brûlant et sur son corps agité de frissons fiévreux.

Au moment où la petite troupe avait dépassé Goskal et allait arriver à la poste[3], un homme, abrité sous un arbre, se détacha du tronc avec lequel il était resté confondu dans l'obscurité, et s'avança jusqu'au milieu de la route, mettant son doigt sur ses lèvres.

Athos reconnut Grimaud.

– Qu'y a-t-il donc ? s'écria d'Artagnan, aurait-elle quitté Armentières ?

Grimaud fit de sa tête un signe affirmatif. D'Artagnan grinça des dents.

– Silence, d'Artagnan ! dit Athos, c'est moi qui me suis chargé de tout, c'est donc à moi d'interroger Grimaud.

– Où est-elle ? demanda Athos.

Grimaud étendit la main dans la direction de la Lys.

– Loin d'ici ? demanda Athos.

Grimaud présenta à son maître son index plié.

– Seule ? demanda Athos.

Grimaud fit signe que oui.

– Messieurs, dit Athos, elle est seule à une demi-lieue d'ici, dans la direction de la rivière.

– C'est bien, dit d'Artagnan, conduis-nous, Grimaud.

Grimaud prit à travers champs, et servit de guide à la cavalcade.

Au bout de cinq cents pas à peu près, on trouva un ruisseau, que l'on traversa à gué[4].

À la lueur d'un éclair, on aperçut le village d'Erquinghem.

– Est-ce là ? demanda d'Artagnan.

Grimaud secoua la tête en signe de négation.

1. **Trois lieues :** une douzaine de kilomètres.
2. **Feutre :** chapeau.
3. **Poste :** relais de chevaux.
4. **À gué :** niveau bas des eaux d'une rivière que l'on peut traverser à pied.

– Silence donc ! dit Athos.

Et la troupe continua son chemin.

Un autre éclair brilla ; Grimaud étendit le bras, et à la lueur bleuâtre du serpent de feu on distingua une petite maison isolée, au bord de la rivière, à cent pas d'un bac.

Une fenêtre était éclairée.

– Nous y sommes, dit Athos.

En ce moment, un homme couché dans le fossé se leva, c'était Mousqueton ; il montra du doigt la fenêtre éclairée.

– Elle est là, dit-il.

– Et Bazin ? demanda Athos.

– Tandis que je gardais la fenêtre, il gardait la porte.

– Bien, dit Athos, vous êtes tous de fidèles serviteurs.

Athos sauta à bas de son cheval, dont il remit la bride aux mains de Grimaud, et s'avança vers la fenêtre après avoir fait signe au reste de la troupe de tourner du côté de la porte.

La petite maison était entourée d'une haie vive[1], de deux ou trois pieds de haut. Athos franchit la haie, parvint jusqu'à la fenêtre privée de contrevents[2], mais dont les demi-rideaux étaient exactement tirés.

Il monta sur le rebord de pierre, afin que son œil pût dépasser la hauteur des rideaux.

À la lueur d'une lampe, il vit une femme enveloppée d'une mante de couleur sombre, assise sur un escabeau, près d'un feu mourant : ses coudes étaient posés sur une mauvaise table, et elle appuyait sa tête dans ses deux mains blanches comme l'ivoire.

On ne pouvait distinguer son visage, mais un sourire sinistre passa sur les lèvres d'Athos, il n'y avait pas à s'y tromper, c'était bien celle qu'il cherchait.

En ce moment un cheval hennit : Milady releva la tête, vit, collé à la vitre, le visage pâle d'Athos, et poussa un cri.

Athos comprit qu'il était reconnu, poussa la fenêtre du genou et de la main, la fenêtre céda, les carreaux se rompirent.

---

1. **Haie vive :** bordure formée d'arbustes touffus.
2. **Contrevents :** volets extérieurs.

Et Athos, pareil au spectre[1] de la vengeance, sauta dans la chambre.

Milady courut à la porte et l'ouvrit ; plus pâle et plus menaçant encore qu'Athos, d'Artagnan était sur le seuil.

Milady recula en poussant un cri. D'Artagnan croyant qu'elle avait quelque moyen de fuir et craignant qu'elle ne leur échappât, tira un pistolet de sa ceinture ; mais Athos leva la main.

– Remets cette arme à sa place, d'Artagnan, dit-il, il importe que cette femme soit jugée et non assassinée. Attends encore un instant, d'Artagnan, et tu seras satisfait. Entrez, messieurs.

D'Artagnan obéit, car Athos avait la voix solennelle et le geste puissant d'un juge envoyé par le Seigneur lui-même[2]. Aussi, derrière d'Artagnan, entrèrent Porthos, Aramis, lord de Winter et l'homme au manteau rouge.

Les quatre valets gardaient la porte et la fenêtre.

Milady était tombée sur sa chaise les mains étendues, comme pour conjurer[3] cette terrible apparition ; en apercevant son beau-frère, elle jeta un cri terrible.

– Que demandez-vous ? s'écria Milady.

– Nous demandons, dit Athos, Anne de Breuil, qui s'est appelée d'abord la comtesse de La Fère, puis lady de Winter, baronne de Sheffield.

– C'est moi, c'est moi ! murmura-t-elle au comble de la terreur, que me voulez-vous ?

– Nous voulons vous juger selon vos crimes, dit Athos : vous serez libre de vous défendre, justifiez-vous si vous pouvez. Monsieur d'Artagnan, à vous d'accuser le premier.

D'Artagnan s'avança.

– Devant Dieu et devant les hommes, dit-il, j'accuse cette femme d'avoir empoisonné Constance Bonacieux, morte hier soir.

Il se retourna vers Porthos et vers Aramis.

– Nous attestons, dirent d'un seul mouvement les deux mousquetaires.

D'Artagnan continua.

---

1. **Spectre :** fantôme.
2. **Le Seigneur lui-même :** Dieu lui-même.
3. **Conjurer :** écarter.

– Devant Dieu et devant les hommes, j'accuse cette femme
125 d'avoir voulu m'empoisonner moi-même, dans du vin qu'elle m'avait envoyé de Villeroy, avec une fausse lettre, comme si le vin venait de mes amis ; Dieu m'a sauvé ; mais un homme est mort à ma place, qui s'appelait Brisemont.

– Nous attestons[1], dirent de la même voix Porthos et Aramis.

130 – Devant Dieu et devant les hommes, j'accuse cette femme de m'avoir poussé au meurtre du baron de Wardes ; et, comme personne n'est là pour attester la vérité de cette accusation, je l'atteste, moi.

« J'ai dit.

135 Et d'Artagnan passa de l'autre côté de la chambre avec Porthos et Aramis.

– À vous, milord ! dit Athos.

Le baron s'approcha à son tour.

– Devant Dieu et devant les hommes, dit-il, j'accuse cette femme
140 d'avoir fait assassiner le duc de Buckingham.

– Le duc de Buckingham assassiné ? s'écrièrent d'un seul cri tous les assistants.

– Oui, dit le baron, assassiné ! Sur la lettre d'avis que vous m'aviez écrite, j'avais fait arrêter cette femme, et je l'avais donnée
145 en garde à un loyal serviteur ; elle a corrompu cet homme, elle lui a mis le poignard dans la main, elle lui a fait tuer le duc, et dans ce moment peut-être Felton paye de sa tête le crime de cette furie.

Un frémissement courut parmi les juges à la révélation de ces crimes encore inconnus.

150 – Ce n'est pas tout, reprit lord de Winter ; mon frère, qui vous avait faite son héritière, est mort en trois heures d'une étrange maladie qui laisse des taches livides sur tout le corps. Ma sœur, comment votre mari est-il mort ?

– Horreur ! s'écrièrent Porthos et Aramis.

155 – Assassin de Buckingham, assassin de Felton, assassin de mon frère, je demande justice contre vous, et je déclare que si on ne me la fait pas, je me la ferai.

Et lord de Winter alla se ranger près de d'Artagnan, laissant la place libre à un autre accusateur.

---

1. **Nous attestons :** nous en témoignons.

160 Milady laissa tomber son front dans ses deux mains et essaya de rappeler ses idées confondues[1] par un vertige mortel.

– À mon tour, dit Athos, tremblant lui-même comme le lion tremble à l'aspect du serpent, à mon tour. J'épousai cette femme quand elle était jeune fille, je l'épousai malgré toute ma famille ; je 165 lui donnai mon bien, je lui donnai mon nom ; et un jour je m'aperçus que cette femme était flétrie : cette femme était marquée d'une fleur de lys sur l'épaule gauche.

– Oh ! dit Milady en se levant, je défie de retrouver le tribunal qui a prononcé sur moi cette sentence infâme. Je défie de retrou170 ver celui qui l'a exécutée.

– Silence, dit une voix. À ceci, c'est à moi de répondre !

Et l'homme au manteau rouge s'approcha à son tour.

– Quel est cet homme, quel est cet homme ? s'écria Milady suffoquée par la terreur et dont les cheveux se dénouèrent et se dressè175 rent sur sa tête livide comme s'ils eussent été vivants.

Tous les yeux se tournèrent sur cet homme, car à tous, excepté à Athos, il était inconnu. Encore Athos le regardait-il avec autant de stupéfaction que les autres, car il ignorait comment il pouvait se trouver mêlé en quelque chose à l'horrible drame qui se dénouait 180 en ce moment.

Après s'être approché de Milady, d'un pas lent et solennel, de manière que la table seule le séparât d'elle, l'inconnu ôta son masque.

Milady regarda quelque temps avec une terreur croissante ce 185 visage pâle encadré de cheveux et de favoris[2] noirs, dont la seule expression était une impassibilité glacée ; puis tout à coup :

– Oh ! non, non, dit-elle en se levant et en reculant jusqu'au mur ; non, non, c'est une apparition infernale ! ce n'est pas lui ! À moi ! à moi ! s'écria-t-elle d'une voix rauque en se retournant vers 190 la muraille, comme si elle eût pu s'y ouvrir un passage avec ses mains.

– Mais qui êtes-vous donc ? s'écrièrent tous les témoins de cette scène.

1. **Confondues :** devenues impossibles à démêler.
2. **Favoris :** touffes de barbe de chaque côté des joues.

– Demandez-le à cette femme, dit l'homme au manteau rouge,
195 car vous voyez bien qu'elle m'a reconnu, elle.

– Le bourreau[1] de Lille, le bourreau de Lille ! s'écria Milady en proie à une terreur insensée et se cramponnant des mains à la muraille pour ne pas tomber.

Tout le monde s'écarta, et l'homme au manteau rouge resta seul
200 debout au milieu de la salle.

– Oh ! grâce ! grâce ! pardon ! s'écria la misérable en tombant à genoux.

L'inconnu laissa le silence se rétablir.

– Je vous le disais bien, qu'elle m'avait reconnu ! reprit-il. Oui, je
205 suis le bourreau de la ville de Lille, et voici mon histoire.

Tous les yeux étaient fixés sur cet homme dont on attendait les paroles avec une avide anxiété.

– Cette jeune femme était autrefois une jeune fille aussi belle qu'elle est belle aujourd'hui. Elle était religieuse au couvent des
210 Bénédictines de Templemars[2]. Un jeune prêtre au cœur simple et croyant desservait l'église de ce couvent ; elle entreprit de le séduire et y réussit, elle eût séduit un saint.

« Leurs vœux[3] à tous deux étaient sacrés, irrévocables ; leur liaison ne pouvait durer longtemps sans les perdre tous deux. Elle
215 obtint de lui qu'ils quitteraient le pays ; mais pour quitter le pays, pour fuir ensemble, pour gagner une autre partie de la France, où ils pussent vivre tranquilles parce qu'ils seraient inconnus, il fallait de l'argent ; ni l'un ni l'autre n'en avait. Le prêtre vola les vases sacrés, les vendit ; mais comme ils s'apprêtaient à partir ensemble,
220 ils furent arrêtés tous deux.

« Huit jours après, elle avait séduit le fils du geôlier et s'était sauvée. Le jeune prêtre fut condamné à dix ans de fers et à la flétrissure. J'étais le bourreau de la ville de Lille, comme dit cette femme. Je fus obligé de marquer le coupable, et le coupable, messieurs,
225 c'était mon frère !

---

1. **Bourreau :** personnage chargé d'exécuter les sentences de mort officielles.
2. **Templemars :** village situé à 8 kilomètres de Lille.
3. **Vœux :** vœux prononcés lors de l'entrée en religion, consistant en la chasteté, la pauvreté et l'obéissance.

« Je jurai alors que cette femme qui l'avait perdu, qui était plus que sa complice, puisqu'elle l'avait poussé au crime, partagerait au moins le châtiment. Je me doutai du lieu où elle était cachée, je la poursuivis, je l'atteignis, je la garrottai[1] et lui imprimai la même flétrissure[2] que j'avais imprimée à mon frère.

« Le lendemain de mon retour à Lille, mon frère parvint à s'échapper à son tour, on m'accusa de complicité, et l'on me condamna à rester en prison à sa place tant qu'il ne se serait pas constitué prisonnier. Mon pauvre frère ignorait ce jugement ; il avait rejoint cette femme ; ils avaient fui ensemble dans le Berry ; et là, il avait obtenu une petite cure[3]. Cette femme passait pour sa sœur.

« Le seigneur de la terre sur laquelle était située l'église du curé vit cette prétendue sœur et en devint amoureux, amoureux au point qu'il lui proposa de l'épouser. Alors elle quitta celui qu'elle avait perdu pour celui qu'elle devait perdre, et devint la comtesse de La Fère...

Tous les yeux se tournèrent vers Athos, dont c'était le véritable nom, et qui fit signe de la tête que tout ce qu'avait dit le bourreau était vrai.

– Alors, reprit celui-ci, fou, désespéré, décidé à se débarrasser d'une existence à laquelle elle avait tout enlevé, honneur et bonheur, mon pauvre frère revint à Lille, et apprenant l'arrêt[4] qui m'avait condamné à sa place, se constitua prisonnier et se pendit le même soir au soupirail de son cachot.

« Au reste, c'est une justice à leur rendre, ceux qui m'avaient condamné me tinrent parole. À peine l'identité du cadavre fut-elle constatée qu'on me rendit ma liberté.

« Voilà le crime dont je l'accuse, voilà la cause pour laquelle je l'ai marquée.

– Monsieur d'Artagnan, dit Athos, quelle est la peine que vous réclamez contre cette femme ?

---

1. **Je la garrottai :** je l'attachai étroitement.
2. **Flétrissure :** marque de déshonneur, d'infamie, c'est-à-dire la fleur de lys sur l'épaule.
3. **Cure :** paroisse.
4. **Arrêt :** décision de justice.

– La peine de mort, répondit d'Artagnan.

– Milord de Winter, continua Athos, quelle est la peine que vous réclamez contre cette femme ?

– La peine de mort, reprit lord de Winter.

– Messieurs Porthos et Aramis, reprit Athos, vous qui êtes ses juges, quelle est la peine que vous portez contre cette femme ?

– La peine de mort, répondirent d'une voix sourde[1] les deux mousquetaires.

Milady poussa un hurlement affreux, et fit quelques pas vers ses juges en se traînant sur ses genoux.

Athos étendit la main vers elle.

– Anne de Breuil, comtesse de La Fère, Milady de Winter, dit-il, vos crimes ont lassé les hommes sur la terre et Dieu dans le ciel. Si vous avez quelque prière, dites-la, car vous êtes condamnée et vous allez mourir.

À ces paroles, qui ne lui laissaient aucun espoir, Milady se releva de toute sa hauteur et voulut parler, mais les forces lui manquèrent ; elle sentit qu'une main puissante et implacable la saisissait par les cheveux et l'entraînait aussi irrévocablement que la fatalité entraîne l'homme : elle ne tenta donc pas même de faire résistance et sortit de la chaumière.

Lord de Winter, d'Artagnan, Athos, Porthos et Aramis sortirent derrière elle. Les valets suivirent leurs maîtres et la chambre resta solitaire avec sa fenêtre brisée, sa porte ouverte et sa lampe fumeuse qui brûlait tristement sur la table.

LXVI
L'exécution

Il était minuit à peu près ; la lune, échancrée[2] par sa décroissance et ensanglantée[3] par les dernières traces de l'orage, se levait derrière la petite ville d'Armentières, qui détachait sur sa lueur

---

1. **Sourde :** grave et basse.
2. **Échancrée :** creusée.
3. **Ensanglantée :** rougie.

blafarde la silhouette sombre de ses maisons et le squelette de son haut clocher découpé à jour. En face, la Lys[1] roulait ses eaux pareilles à une rivière d'étain fondu ; tandis que sur l'autre rive on voyait la masse noire des arbres se profiler sur un ciel orageux envahi par de gros nuages cuivrés qui faisaient une espèce de crépuscule au milieu de la nuit. À gauche s'élevait un vieux moulin abandonné, aux ailes immobiles, dans les ruines duquel une chouette faisait entendre son cri aigu, périodique[2] et monotone. Çà et là dans la plaine, à droite et à gauche du chemin que suivait le lugubre cortège, apparaissaient quelques arbres bas et trapus, qui semblaient des nains difformes accroupis pour guetter les hommes à cette heure sinistre.

De temps en temps un large éclair ouvrait l'horizon dans toute sa largeur, serpentait au-dessus de la masse noire des arbres et venait comme un effrayant cimeterre[3] couper le ciel et l'eau en deux parties. Pas un souffle de vent ne passait dans l'atmosphère alourdie. Un silence de mort écrasait toute la nature ; le sol était humide et glissant de la pluie qui venait de tomber, et les herbes ranimées jetaient leur parfum avec plus d'énergie.

Deux valets traînaient Milady, qu'ils tenaient chacun par un bras ; le bourreau marchait derrière, et lord de Winter, d'Artagnan, Athos, Porthos et Aramis marchaient derrière le bourreau.

Planchet et Bazin venaient les derniers.

Les deux valets conduisaient Milady du côté de la rivière. Sa bouche était muette ; mais ses yeux parlaient avec leur inexprimable éloquence, suppliant tour à tour chacun de ceux qu'elle regardait.

Comme elle se trouvait de quelques pas en avant, elle dit aux valets :

– Mille pistoles à chacun de vous si vous protégez ma fuite ; mais si vous me livrez à vos maîtres, j'ai ici près des vengeurs qui vous feront payer cher ma mort.

Grimaud hésitait. Mousqueton tremblait de tous ses membres.

---

1. **La Lys :** rivière marquant la frontière entre la France et la Belgique.
2. **Périodique :** régulier.
3. **Cimeterre :** sabre oriental à lame large et recourbée.

Athos, qui avait entendu la voix de Milady, s'approcha vivement, lord de Winter en fit autant.

– Renvoyez ces valets, dit-il, elle leur a parlé, ils ne sont plus sûrs.

On appela Planchet et Bazin, qui prirent la place de Grimaud et de Mousqueton.

Arrivés au bord de l'eau, le bourreau s'approcha de Milady et lui lia les pieds et les mains.

Alors elle rompit le silence pour s'écrier :

– Vous êtes des lâches, vous êtes des misérables assassins, vous vous mettez à dix pour égorger une femme ; prenez garde, si je ne suis secourue, je serai vengée.

– Vous n'êtes pas une femme, dit froidement Athos, vous n'appartenez pas à l'espèce humaine, vous êtes un démon échappé de l'enfer et que nous allons y faire rentrer.

– Ah ! messieurs les hommes vertueux ! dit Milady, faites attention que celui qui touchera un cheveu de ma tête est à son tour un assassin.

– Le bourreau peut tuer, sans être pour cela un assassin, madame, dit l'homme au manteau rouge en frappant sur sa large épée ; c'est le dernier juge, voilà tout : *Nachrichter*, comme disent nos voisins les Allemands.

Et, comme il la liait en disant ces paroles, Milady poussa deux ou trois cris sauvages, qui firent un effet sombre et étrange en s'envolant dans la nuit et en se perdant dans les profondeurs du bois.

– Mais si je suis coupable, si j'ai commis les crimes dont vous m'accusez, hurlait Milady, conduisez-moi devant un tribunal ; vous n'êtes pas des juges, vous, pour me condamner.

– Je vous avais proposé Tyburn, dit lord de Winter, pourquoi n'avez-vous pas voulu ?

– Parce que je ne veux pas mourir ! s'écria Milady en se débattant, parce que je suis trop jeune pour mourir !

– La femme que vous avez empoisonnée à Béthune était plus jeune encore que vous, madame, et cependant elle est morte, dit d'Artagnan.

– J'entrerai dans un cloître, je me ferai religieuse, dit Milady.

– Vous étiez dans un cloître, dit le bourreau, et vous en êtes sortie pour perdre mon frère.

75 Milady poussa un cri d'effroi, et tomba sur ses genoux.

Le bourreau la souleva sous les bras, et voulut l'emporter vers le bateau.

– Oh ! mon Dieu ! s'écria-t-elle, mon Dieu ! allez-vous donc me noyer !

80 Ces cris avaient quelque chose de si déchirant, que d'Artagnan, qui d'abord était le plus acharné à la poursuite de Milady, se laissa aller sur une souche, et pencha la tête, se bouchant les oreilles avec les paumes de ses mains ; et cependant, malgré cela, il l'entendait encore menacer et crier.

85 D'Artagnan était le plus jeune de tous ces hommes, le cœur lui manqua.

– Oh ! je ne puis voir cet affreux spectacle ! Je ne puis consentir à ce que cette femme meure ainsi !

Milady avait entendu ces quelques mots, et elle s'était reprise à
90 une lueur d'espérance.

– D'Artagnan ! d'Artagnan ! cria-t-elle, souviens-toi que je t'ai aimé !

Le jeune homme se leva et fit un pas vers elle.

Mais Athos, brusquement, tira son épée, se mit sur son chemin.

95 – Si vous faites un pas de plus, d'Artagnan, dit-il, nous croiserons le fer ensemble.

D'Artagnan tomba à genoux et pria.

– Allons, continua Athos, bourreau, fais ton devoir.

– Volontiers, monseigneur, dit le bourreau, car aussi vrai que je
100 suis bon catholique, je crois fermement être juste en accomplissant ma fonction sur cette femme.

– C'est bien.

Athos fit un pas vers Milady.

– Je vous pardonne, dit-il, le mal que vous m'avez fait ; je vous
105 pardonne mon avenir brisé, mon honneur perdu, mon amour souillé et mon salut à jamais compromis par le désespoir où vous m'avez jeté. Mourez en paix.

Lord de Winter s'avança à son tour.

– Je vous pardonne, dit-il, l'empoisonnement de mon frère, l'assassinat de Sa Grâce lord Buckingham ; je vous pardonne la mort du pauvre Felton, je vous pardonne vos tentatives sur ma personne. Mourez en paix.

– Et moi, dit d'Artagnan, pardonnez-moi, madame, d'avoir, par une fourberie indigne d'un gentilhomme, provoqué votre colère ; et, en échange, je vous pardonne le meurtre de ma pauvre amie et vos vengeances cruelles pour moi, je vous pardonne et je pleure sur vous. Mourez en paix.

– *I am lost !* murmura en anglais Milady. *I must die*.[1]

Alors elle se releva d'elle-même, jeta tout autour d'elle un de ces regards clairs qui semblaient jaillir d'un œil de flamme.

Elle ne vit rien.

Elle écouta et n'entendit rien.

Elle n'avait autour d'elle que des ennemis.

– Où vais-je mourir ? dit-elle.

– Sur l'autre rive, répondit le bourreau.

Alors il la fit entrer dans la barque, et, comme il allait y mettre le pied, Athos lui remit une somme d'argent.

– Tenez, dit-il, voici le prix de l'exécution ; que l'on voie bien que nous agissons en juges.

– C'est bien, dit le bourreau ; et que maintenant, à son tour, cette femme sache que je n'accomplis pas mon métier, mais mon devoir.

Et il jeta l'argent dans la rivière.

Le bateau s'éloigna vers la rive gauche de la Lys, emportant la coupable et l'exécuteur ; tous les autres demeurèrent sur la rive droite, où ils étaient tombés à genoux.

Le bateau glissait lentement le long de la corde du bac, sous le reflet d'un nuage pâle qui surplombait l'eau en ce moment.

On le vit aborder sur l'autre rive ; les personnages se dessinaient en noir sur l'horizon rougeâtre.

Milady, pendant le trajet, était parvenue à détacher la corde qui liait ses pieds : en arrivant sur le rivage, elle sauta légèrement à terre et prit la fuite.

---

1. ***I am lost ! [...] I must die :*** Je suis perdue [...] je dois mourir.

Mais le sol était humide ; en arrivant au haut du talus, elle glissa et tomba sur ses genoux.

Une idée superstitieuse la frappa sans doute ; elle comprit que le ciel lui refusait son secours et resta dans l'attitude où elle se trouvait, la tête inclinée et les mains jointes.

Alors on vit, de l'autre rive, le bourreau lever lentement ses deux bras, un rayon de lune se refléta sur la lame de sa large épée, les deux bras retombèrent ; on entendit le sifflement du cimeterre et le cri de la victime, puis une masse tronquée s'affaissa sous le coup.

Alors le bourreau détacha son manteau rouge, l'étendit à terre, y coucha le corps, y jeta la tête, la noua par les quatre coins, le chargea sur son épaule et remonta dans le bateau.

Arrivé au milieu de la Lys, il arrêta la barque, et suspendant son fardeau au-dessus de la rivière :

– Laissez passer la justice de Dieu ! cria-t-il à haute voix.

Et il laissa tomber le cadavre au plus profond de l'eau, qui se referma sur lui.

Trois jours après, les quatre mousquetaires rentraient à Paris ; ils étaient restés dans les limites de leur congé, et le même soir ils allèrent faire leur visite accoutumée à M. de Tréville.

– Eh bien ! messieurs, leur demanda le brave capitaine, vous êtes-vous bien amusés dans votre excursion ?

– Prodigieusement, répondit Athos, les dents serrées.

Clefs d'analyse

Actions et personnages

1. Mme Bonacieux a-t-elle été uniquement utile à l'action ou bien Dumas a-t-il réussi à lui insuffler de la vie (chap. LXIII) ? Êtes-vous touché par sa mort ?
2. Quel sentiment dominant va devenir le vrai moteur de l'action à partir de cette scène ?
3. Commentez les dernières répliques d'Athos (opportunité du moment, ton adopté, détails de l'expression). Quel effet provoquent-elles sur les assistants ? sur les lecteurs ?
4. Quels personnages ont des raisons d'en vouloir directement à Milady ? Se ressemblent-ils ?
5. Pourquoi Athos prend-il le commandement des opérations (chap. LXIV) ? D'Artagnan devient-il à partir de ce moment simple figurant ?
6. Comment Athos fait-il changer d'avis « l'homme à la grande taille » (chap. LXIV, l. 38) ?
7. À partir des éléments nouveaux donnés dans le chapitre LXV, reconstruisez en quelques lignes la « carrière » de Milady.
8. Au chapitre LXVI, quels éléments du décor accentuent le tragique ?
9. Le jugement de Milady vous semble-t-il équitable ? Argumentez votre réponse.

Langue

10. « Ami, sois homme [...] je suis prêt à te suivre » (chap. LXIII, l. 85-88) : justifiez le passage du vouvoiement au tutoiement entre Athos et d'Artagnan. Quel effet produit-il sur le récit ?
11. En quoi le style souligne-t-il l'aspect totalement visuel de la première partie du chapitre LXIV ?
12. Relevez les termes permettant de mieux cerner l'identité de l'homme qu'Athos est venu chercher.
13. Commentez la dernière phrase du chapitre LXV. De quelles autres phrases du même chapitre pouvez-vous la rapprocher ?
14. Au début du chapitre LXVI, étudiez l'effet produit par les métaphores « ensanglanté » (l. 2), « squelette » (l. 4) et la comparaison « comme un effrayant cimeterre » (l. 18) ?

15. Relevez les termes qui permettent de se représenter Milady proche de son exécution.
16. Commentez, sur le plan du style, la dernière phrase du chapitre.

Genre ou thèmes

17. « Nos lecteurs savent déjà comment il avait été reconnu par d'Artagnan » (chap. LXII, l. 6-7)) : quelle présence directe au cœur du récit révèle cette phrase ?
18. Relevez les éléments qui confèrent son caractère pathétique à la mort de Constance Bonacieux (chap. LXIII). Quels sentiments Dumas cherche-t-il à susciter chez le lecteur ?
19. Le récit du bourreau constitue une digression dans le récit (chap. LXV). Quelle est son utilité dramatique ?

Écriture

20. Lors du procès de Milady, racontez, à la manière du procureur à charge, l'empoisonnement de Mme Bonacieux par Milady.

Pour aller plus loin

21. « Ami, sois un homme : les femmes pleurent les morts, les hommes les vengent » (chap LXIII, l. 85-86) : quelle conception de la différence des sexes et du rôle de chacun d'eux dans la société du XVIIe siècle ressort des paroles d'Athos ?
22. L'exécution de Milady se fait de l'autre côté du fleuve : documentez-vous sur l'Achéron, le fleuve des Enfers chez les Grecs, et sa symbolique appliquée à cet épisode.

✻ *À retenir*

Le **registre pathétique** permet à l'auteur d'émouvoir son lecteur. Ses thèmes, exprimés par les champs lexicaux de la **souffrance**, de la **séparation** et de la mort, sont destinés à frapper les esprits. Il recourt ainsi au **vocabulaire affectif**, à des **descriptions réalistes**, met en scène des personnages qui inspirent **pitié** ou **répulsion**, fait référence à des **forces supérieures**.

LXVII
Un messager du cardinal

Le 6 septembre, le roi, escorté de ses mousquetaires, retourne à La Rochelle et apprend avec joie l'assassinat de Buckingham. Sur la route, d'Artagnan reconnaît l'homme de Meung, qui n'est autre que le chevalier de Rochefort, l'homme de confiance du cardinal : il a ordre d'arrêter d'Artagnan et de le ramener auprès de Son Éminence. L'audience a lieu à Surgères.

D'Artagnan resta seul en face du cardinal ; c'était sa seconde entrevue avec Richelieu, et il avoua depuis qu'il avait été bien convaincu que ce serait la dernière.

Richelieu resta debout, appuyé contre la cheminée, une table était dressée entre lui et d'Artagnan.

– Monsieur, dit le cardinal, vous avez été arrêté par mes ordres.

– On me l'a dit, monseigneur.

– Savez-vous pourquoi ?

– Non, monseigneur ; car la seule chose pour laquelle je pourrais être arrêté est encore inconnue de Son Éminence.

Richelieu regarda fixement le jeune homme.

– Oh ! Oh ! dit-il, que veut dire cela ?

– Si monseigneur veut m'apprendre d'abord les crimes qu'on m'impute, je lui dirai ensuite les faits que j'ai accomplis.

– On vous impute des crimes[1] qui ont fait choir[2] des têtes plus hautes que la vôtre, monsieur ! dit le cardinal.

– Lesquels, monseigneur ? demanda d'Artagnan avec un calme qui étonna le cardinal lui-même.

– On vous impute d'avoir correspondu avec les ennemis du royaume, on vous impute d'avoir surpris les secrets de l'État, on vous impute d'avoir essayé de faire avorter[3] les plans de votre général.

---

1. **On vous impute des crimes :** on vous accuse des crimes.
2. **Choir :** tomber.
3. **Avorter :** échouer.

– Et qui m'impute cela, monseigneur ? dit d'Artagnan, qui se
30 doutait que l'accusation venait de Milady : une femme flétrie par la justice du pays, une femme qui a épousé un homme en France et un autre en Angleterre, une femme qui a empoisonné son second mari et qui a tenté de m'empoisonner moi-même !

– Que dites-vous donc là ? monsieur, s'écria le cardinal étonné,
35 et de quelle femme parlez-vous ainsi ?

– De milady de Winter, répondit d'Artagnan ; oui, de milady de Winter, dont, sans doute, Votre Éminence ignorait tous les crimes lorsqu'elle l'a honorée de sa confiance.

– Monsieur, dit le cardinal, si milady de Winter a commis les
40 crimes que vous dites, elle sera punie.

– Elle l'est, monseigneur.

– Et qui l'a punie ?

– Nous.

– Elle est en prison ?

45 – Elle est morte.

– Morte ! répéta le cardinal, qui ne pouvait croire à ce qu'il entendait, morte ! n'avez-vous pas dit qu'elle était morte ?

– Trois fois elle avait essayé de me tuer, et je lui avais pardonné ; mais elle a tué la femme que j'aimais. Alors, mes amis et moi, nous
50 l'avons prise, jugée et condamnée.

D'Artagnan alors raconta l'empoisonnement de Mme Bonacieux dans le couvent des Carmélites de Béthune, le jugement dans la maison isolée, l'exécution sur les bords de la Lys.

Un frisson courut par tout le corps du cardinal, qui cependant
55 ne frissonnait pas facilement.

Mais tout à coup, comme subissant l'influence d'une pensée muette, la physionomie du cardinal, sombre jusqu'alors, s'éclaircit peu à peu et arriva à la plus parfaite sérénité.

– Ainsi, dit-il avec une voix dont la douceur contrastait avec la
60 sévérité de ses paroles, vous vous êtes constitués juges, sans penser que ceux qui n'ont pas mission de punir et qui punissent sont des assassins !

– Monseigneur, je vous jure que je n'ai pas eu un instant l'intention de défendre ma tête contre vous. Je subirai le châtiment que

65 Votre Éminence voudra bien m'infliger. Je ne tiens pas assez à la vie pour craindre la mort.

– Oui, je le sais, vous êtes un homme de cœur[1], monsieur, dit le cardinal avec une voix presque affectueuse ; je puis donc vous dire d'avance que vous serez jugé, condamné même.

70 – Un autre pourrait répondre à Votre Éminence qu'il a sa grâce dans sa poche ; moi je me contenterai de vous dire : ordonnez, monseigneur, je suis prêt.

– Votre grâce ? dit Richelieu surpris.

– Oui, monsieur, dit d'Artagnan.

75 – Et signée de qui ? Du roi ?

Et le cardinal prononça ces mots avec une singulière expression de mépris.

– Non, de Votre Éminence.

– De moi ? Vous êtes fou, monsieur ?

80 – Monseigneur reconnaîtra sans doute son écriture.

Et d'Artagnan présenta au cardinal le précieux papier qu'Athos avait arraché à Milady, et qu'il avait donné à d'Artagnan pour lui servir de sauvegarde.

Son Éminence prit le papier et lut d'une voix lente et en 85 appuyant sur chaque syllabe :

« C'est par mon ordre et pour le bien de l'État que le porteur du présent a fait ce qu'il a fait.

3 décembre 1627.

RICHELIEU. »

90 Le cardinal, après avoir lu ces deux lignes, tomba dans une rêverie profonde, mais il ne rendit pas le papier à d'Artagnan.

« Il médite de quel genre de supplice il me fera mourir, se dit tout bas d'Artagnan ; eh bien, ma foi ! il verra comment meurt un gentilhomme. »

95 Le jeune mousquetaire était en excellente disposition pour trépasser héroïquement.

Richelieu pensait toujours, roulait et déroulait le papier dans ses mains. Enfin il leva la tête, fixa son regard d'aigle sur cette physionomie loyale, ouverte, intelligente, lut sur ce visage sillonné de

1. **Homme de cœur :** homme courageux.

larmes toutes les souffrances qu'il avait endurées depuis un mois, et songea pour la troisième ou quatrième fois combien cet enfant de vingt et un ans avait d'avenir, et quelles ressources son activité, son courage et son esprit pouvaient offrir à un bon maître.

D'un autre côté, les crimes, la puissance, le génie infernal de Milady l'avaient plus d'une fois épouvanté. Il sentait comme une joie secrète d'être à jamais débarrassé de ce complice dangereux.

Il déchira lentement le papier que d'Artagnan lui avait si généreusement remis.

« Je suis perdu », dit en lui-même d'Artagnan.

Et il s'inclina profondément devant le cardinal en homme qui dit : « Seigneur, que votre volonté soit faite ! »

Le cardinal s'approcha de la table, et, sans s'asseoir, écrivit quelques lignes sur un parchemin dont les deux tiers étaient déjà remplis et y apposa son sceau.

« Ceci est ma condamnation, se dit d'Artagnan ; il m'épargne l'ennui de la Bastille et les lenteurs d'un jugement. C'est encore fort aimable à lui. »

– Tenez, monsieur, dit le cardinal au jeune homme, je vous ai pris un blanc-seing[1] et je vous en rends un autre. Le nom manque sur ce brevet[2] : vous l'écrirez vous-même.

D'Artagnan prit le papier en hésitant et jeta les yeux dessus.

C'était une lieutenance[3] dans les mousquetaires.

D'Artagnan tomba aux pieds du cardinal.

– Monseigneur, dit-il, ma vie est à vous ; disposez-en désormais ; mais cette faveur que vous m'accordez, je ne la mérite pas : j'ai trois amis qui sont plus méritants et plus dignes…

– Vous êtes un brave garçon, d'Artagnan, interrompit le cardinal en lui frappant familièrement sur l'épaule, charmé qu'il était d'avoir vaincu cette nature rebelle. Faites de ce brevet ce qu'il vous plaira. Seulement rappelez-vous que, quoique le nom soit en blanc, c'est à vous que je le donne.

---

1. **Blanc-seing :** acte qui confère un titre, une dignité.
2. **Brevet :** document portant une signature et donnant à son possesseur l'opportunité d'écrire ce qu'il veut.
3. **Lieutenance :** grade de lieutenant.

– Je ne l'oublierai jamais, répondit d'Artagnan, Votre Éminence peut en être certaine.

Le cardinal se retourna et dit à haute voix :

– Rochefort !

Le chevalier, qui sans doute était derrière la porte, entra aussitôt.

– Rochefort, dit le cardinal, vous voyez M. d'Artagnan ; je le reçois au nombre de mes amis ; ainsi donc que l'on s'embrasse et que l'on soit sage si l'on tient à conserver sa tête.

Rochefort et d'Artagnan s'embrassèrent du bout des lèvres ; mais le cardinal était là, qui les observait de son œil vigilant.

Ils sortirent de la chambre en même temps.

– Nous nous retrouverons, n'est-ce pas, monsieur ?

– Quand il vous plaira, fit d'Artagnan.

– L'occasion viendra, répondit Rochefort.

– Hein ? fit Richelieu en ouvrant la porte.

Les deux hommes se sourirent, se serrèrent la main et saluèrent Son Éminence.

– Nous commencions à nous impatienter, dit Athos.

– Me voilà, mes amis ! répondit d'Artagnan, non seulement libre, mais en faveur.

– Vous nous conterez cela ?

– Dès ce soir.

En effet, dès le soir même d'Artagnan se rendit au logis d'Athos, qu'il trouva en train de vider sa bouteille de vin d'Espagne, occupation qu'il accomplissait religieusement tous les soirs.

Il lui raconta ce qui s'était passé entre le cardinal et lui, et tirant le brevet de sa poche :

– Tenez, mon cher Athos, voilà, dit-il, qui vous revient tout naturellement.

Athos sourit de son doux et charmant sourire.

– Ami, dit-il, pour Athos c'est trop ; pour le comte de La Fère, c'est trop peu. Gardez ce brevet, il est à vous ; hélas ! mon Dieu ! vous l'avez acheté assez cher.

D'Artagnan sortit de la chambre d'Athos, et entra dans celle de Porthos.

Il le trouva vêtu d'un magnifique habit, couvert de broderies splendides, et se mirant dans une glace.

– Ah, ah ! dit Porthos, c'est vous, cher ami ! Comment trouvez-
170 vous que ce vêtement me va ?

– À merveille, dit d'Artagnan, mais je viens vous proposer un habit qui vous ira mieux encore.

– Lequel ? demanda Porthos.

– Celui de lieutenant aux mousquetaires.

175 D'Artagnan raconta à Porthos son entrevue avec le cardinal, et tirant le brevet de sa poche :

– Tenez, mon cher, dit-il, écrivez votre nom là-dessus, et soyez bon chef pour moi.

Porthos jeta les yeux sur le brevet, et le rendit à d'Artagnan, au
180 grand étonnement du jeune homme.

– Oui, dit-il, cela me flatterait beaucoup, mais je n'aurais pas assez longtemps à jouir de cette faveur. Pendant notre expédition de Béthune, le mari de ma duchesse est mort ; de sorte que, mon cher, le coffre du défunt me tendant les bras, j'épouse la veuve.
185 Tenez, j'essayais mon habit de noces ; gardez la lieutenance, mon cher, gardez.

Et il rendit le brevet à d'Artagnan.

Le jeune homme entra chez Aramis.

Il le trouva agenouillé devant un prie-Dieu, le front appuyé
190 contre son livre d'heures[1] ouvert.

Il lui raconta son entrevue avec le cardinal, et tirant pour la troisième fois son brevet de sa poche :

– Vous, notre ami, notre lumière, notre protecteur invisible, dit-il, acceptez ce brevet ; vous l'avez mérité plus que personne,
195 par votre sagesse et vos conseils toujours suivis de si heureux résultats.

– Hélas ! cher ami ! dit Aramis, nos dernières aventures m'ont dégoûté tout à fait de la vie d'homme d'épée. Cette fois, mon parti est pris irrévocablement : après le siège j'entre chez les Lazaristes[2].
200 Gardez ce brevet, d'Artagnan, le métier des armes vous convient, vous serez un brave et aventureux capitaine.

---

1. **Livre d'heures :** livre religieux renfermant les prières de l'office divin.
2. **Lazaristes :** religieux appartenant à un ordre fondé en 1625 par saint Vincent de Paul.

D'Artagnan, l'œil humide de reconnaissance et brillant de joie, revint à Athos, qu'il trouva toujours attablé et mirant[1] son dernier verre de malaga[2] à la lueur de la lampe.

205 – Eh bien ! dit-il, eux aussi m'ont refusé.

– C'est que personne, cher ami, n'en était plus digne que vous.

Il prit une plume, écrivit sur le brevet le nom de d'Artagnan, et le lui remit.

– Je n'aurai donc plus d'amis, dit le jeune homme ; hélas ! plus 210 rien, que d'amers souvenirs...

Et il laissa tomber sa tête entre ses deux mains, tandis que deux larmes roulaient le long de ses joues.

– Vous êtes jeune, vous, répondit Athos, et vos souvenirs amers ont le temps de se changer en doux souvenirs !

Épilogue

La Rochelle, privée du secours de la flotte anglaise et de la division promise par Buckingham, se rendit après un siège d'un an. Le 28 octobre 1628, on signa la capitulation.

Le roi fit son entrée à Paris le 23 décembre de la même année. 5 On lui fit un triomphe comme s'il revenait de vaincre l'ennemi et non des Français. Il entra par le faubourg Saint-Jacques sous des arcs de verdure.

D'Artagnan prit possession de son grade. Porthos quitta le service et épousa, dans le courant de l'année suivante, 10 Mme Coquenard ; le coffre tant convoité contenait huit cent mille livres.

Mousqueton eut une livrée[3] magnifique, et de plus la satisfaction, qu'il avait ambitionnée toute sa vie, de monter derrière un carrosse doré.

15 Aramis, après un voyage en Lorraine, disparut tout à coup et cessa d'écrire à ses amis. On apprit plus tard, par

1. **Mirant :** contemplant.
2. **Malaga :** vin liquoreux espagnol.
3. **Livrée :** habit aux couleurs de son maître.

Mme de Chevreuse, qui le dit à deux ou trois de ses amants, qu'il avait pris l'habit[1] dans un couvent de Nancy.

Bazin devint frère lai[2].

Athos resta mousquetaire sous les ordres de d'Artagnan jusqu'en 1633, époque à laquelle, à la suite d'un voyage qu'il fit en Touraine, il quitta aussi le service sous prétexte qu'il venait de recueillir un petit héritage en Roussillon.

Grimaud suivit Athos.

D'Artagnan se battit trois fois avec Rochefort et le blessa trois fois.

– Je vous tuerai probablement à la quatrième, lui dit-il en lui tendant la main pour le relever.

– Il vaut donc mieux, pour vous et pour moi, que nous en restions là, répondit le blessé. Corbleu ! je suis plus votre ami que vous ne pensez, car dès la première rencontre j'aurais pu, en disant un mot au cardinal, vous faire couper le cou.

Ils s'embrassèrent cette fois, mais de bon cœur et sans arrière-pensée.

Planchet obtint de Rochefort le grade de sergent dans les gardes.

M. Bonacieux vivait fort tranquille, ignorant parfaitement ce qu'était devenue sa femme et ne s'en inquiétant guère. Un jour, il eut l'imprudence de se rappeler au souvenir du cardinal ; le cardinal lui fit répondre qu'il allait pourvoir à[3] ce qu'il ne manquât jamais de rien désormais.

En effet, le lendemain, M. Bonacieux, étant sorti à sept heures du soir de chez lui pour se rendre au Louvre, ne reparut plus rue des Fossoyeurs ; l'avis de ceux qui parurent les mieux informés fut qu'il était nourri et logé dans quelque château royal aux frais de sa généreuse Éminence.

---

1. **Il avait pris l'habit :** il était entré en religion.
2. **Frère lai :** frère servant.
3. **Pourvoir à :** veiller à.

Clefs d'analyse

Chapitres LXVII-Épilogue

Actions et personnages

1. D'Artagnan face à Richelieu : par quels indices Dumas suggère-t-il dès le début de l'entrevue le danger que court le jeune homme ?
2. Comment d'Artagnan manie-t-il d'emblée l'art du paradoxe ?
3. Quels crimes le cardinal reproche-t-il au mousquetaire ?
4. Par quelle accusation d'Artagnan riposte-t-il ?
5. Pourquoi la physionomie du cardinal s'éclaircit-elle peu à peu après le récit de d'Artagnan ?
6. Pourquoi donne-t-il le brevet de lieutenant au jeune homme ? Obéit-il à un sentiment d'admiration ou à un subtil jeu politique, d'après vous ?
7. Les mousquetaires empruntent des chemins divers à l'issue du roman. Pensez-vous qu'ils aient évolué depuis le début de leurs aventures ?
8. D'Artagnan pleure ses amis à la fin du chapitre LXVII. Dans quelle autre circonstance a-t-il pleuré ? Qu'en concluez-vous sur son caractère ?
9. Comment comprenez-vous la dernière phrase d'Athos ? Qui parle derrière ce personnage ?
10. Dans l'épilogue, les valets sont fidèles à leur maître. Leur attitude est-elle conforme à l'esprit du roman ?
11. La réconciliation de Rochefort et de d'Artagnan est-elle artificielle ?

Langue

12. Quel effet produit la répétition du verbe « imputer » dans les paroles du cardinal (chap. LXVII, l. 21 ; 25 ; 26 ; 27) ?
13. Tristesse et joie sont étroitement liées dans le dernier chapitre. Trouvez quelques exemples de l'expression de ces deux sentiments.
14. Par quels procédés de style Dumas ménage-t-il le suspense dans cette scène ?
15. « vos souvenirs amers ont le temps de se changer en doux souvenirs » (chap. LXVII, l. 213-214) : quelle figure de style rend cette réplique poétique ?

Genre ou thèmes

16. Repérez quelques passages comiques qui permettent de rompre avec la gravité de la situation dans le dernier chapitre. Sur quels sujets portent-ils ?
17. Qu'est-ce qu'un épilogue ? Quelle est sa fonction dans le roman ? Est-il utile ?
18. Avez-vous été sensible au cadre historique du roman ? Donnez votre définition du roman historique.
19. Quels aspects de ce roman vous ont le plus touché ? Pourquoi ?

Écriture

20. Imaginez le dialogue de réconciliation entre d'Artagnan et Rochefort.
21. Athos revoit d'Artagnan quelques années plus tard. Imaginez un dialogue d'une quinzaine de lignes.

Pour aller plus loin

22. Recherchez d'autres romans historiques. Précisez l'époque où ils se déroulent et l'époque où ils ont été écrits. Que présuppose l'écriture d'un roman historique pour l'auteur ? pour le lecteur ?

* *À retenir*

Un **dénouement** bien conçu pour un romancier du XIXe siècle ne doit pas laisser le lecteur sur sa faim. Les aventures doivent trouver leur **achèvement**, les héros le **répit**. Idéalement, le dénouement doit **résulter de la logique de l'action**, ce qui est le cas ici : la société a chassé le mal pour un temps ; l'ordre – un moment menacé par les intrigues politiques – est retrouvé.

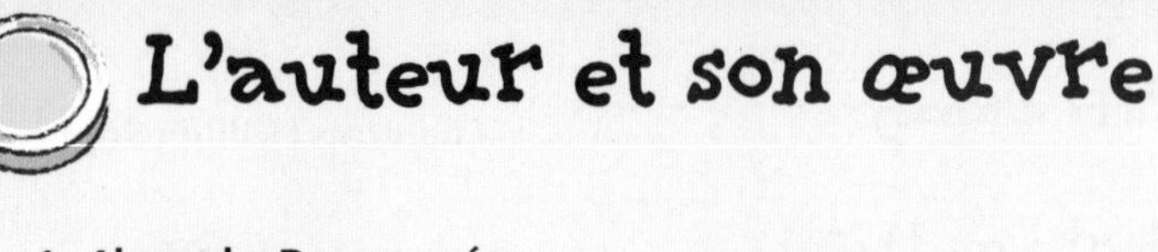

L'auteur et son œuvre

1. **Alexandre Dumas a vécu :**
   ☐ de 1702 à 1775 ☐ de 1802 à 1870
   ☐ de 1815 à 1855 ☐ de 1840 à 1910

2. **Durant sa vie, Alexandre Dumas a pu rencontrer :**
   ☐ Alfred de Musset ☐ Alphonse Daudet
   ☐ Molière ☐ Jean-Jacques Rousseau
   ☐ Rabelais ☐ Vercors
   ☐ Victor Hugo

3. **Cochez la/les bonne(s) case(s). Alexandre Dumas a écrit :**
   ☐ des critiques littéraires ☐ des opéras ☐ des poésies
   ☐ des romans ☐ des pièces de théâtre

4. **Cochez la/les bonne(s) case(s). Sous quel règne Alexandre Dumas a-t-il vécu ?**
   ☐ Louis-Philippe ☐ Henri IV ☐ Louis XIII
   ☐ Louis XIV ☐ Louis XVIII ☐ Henri II
   ☐ Napoléon III ☐ Charles X ☐ Napoléon Ier

5. **Compléter le texte à l'aide de la liste suivante : *Maquet, Talma, Villers-Cotterêts, Henri III, Paris, Louis XIII.***

6. Alexandre Dumas est né à .... Il s'est installé à .... en 1823. Dans ses *Mémoires*, il relate qu'il a connu sa première grande émotion à la Comédie-Française lorsqu'il a vu jouer le grand tragédien .... En 1829, sa pièce qui concernait le roi .... et sa cour a été son premier grand succès public. *Les Trois Mousquetaires* qu'il publie en 1844 mais qui se déroule sous le règne de .... vont lui assurer une renommée internationale. C'est un écrivain très prolifique qui revendique l'écriture de 1 200 œuvres, écrites pour la plupart avec des collaborateurs, le plus célèbre étant Auguste ....

Le genre de l'œuvre

1. **Cochez la/les bonne(s) case(s).** ***Les Trois Mousquetaires*** **est un roman :**
   ☐ autobiographique ☐ d'aventures ☐ de cape et d'épée
   ☐ historique ☐ psychologique
2. **Parmi ces écrivains, lesquels auraient pu directement influer sur l'écriture d'Alexandre Dumas ?**
   ☐ Alfred de Vigny ☐ Émile Zola ☐ Mme de La Fayette
   ☐ Maupassant ☐ Walter Scott
3. ***Les Trois Mousquetaires*** **est divisé en :**
   ☐ tomes ☐ chapitres ☐ parties ☐ livres
4. **Choisissez ce qui caractérise le mieux le contenu des** ***Trois Mousquetaires*** **:**
   ☐ les intrigues de la cour ☐ l'analyse des personnages
   ☐ les descriptions ☐ l'action
   ☐ les aventures amoureuses
5. **Quels éléments appartiennent plus particulièrement au genre des** ***Trois Mousquetaires*** **?**
   ☐ les affaires financières ☐ les capes et les épées
   ☐ les discours politiques ☐ les duels
   ☐ les guerres ☐ les poursuites
   ☐ les réflexions morales ☐ les rêveries
   ☐ les situations burlesques ☐ les situations mari-épouse-amant
6. **À quoi sert la Préface ?**
   ☐ à présenter les personnages
   ☐ à exposer les intentions de l'auteur
   ☐ à préciser les sources de l'œuvre
7. **À quoi sert l'épilogue ?**
   ☐ à ne pas laisser le lecteur sur des interrogations
   ☐ à préciser le destin de chacun des héros
   ☐ à préparer la suite des aventures des héros

L'action

1. **L'action des *Trois Mousquetaires* se déroule sous le règne de :**
   ☐ Charlemagne ☐ Henri III ☐ Henri IV ☐ Louis XIII
   ☐ Louis XIV ☐ Louis XV ☐ Louis XVI

2. **Le début du siège de la Rochelle a lieu :**
   ☐ avant l'assassinat du duc de Buckingham
   ☐ après l'évasion de Milady de Winter
   ☐ après le bal où la reine porte ses ferrets

3. **Parmi ces péripéties, cochez celles qui n'appartiennent pas aux *Trois Mousquetaires* :**
   ☐ l'arrivée à Portsmouth ☐ l'assassinat du duc de Buckingham
   ☐ l'exécution de Milady ☐ l'emprisonnement au château d'If
   ☐ le grand bal royal ☐ la fabrication de deux ferrets de rubis
   ☐ la mort de Richelieu ☐ la fuite d'Anne d'Autriche en Angleterre

4. **Combien de ferrets possède la reine Anne d'Autriche : 8, 9, 10, 11, 12, 13, 14, 15 ou 16 ? Pour chaque proposition, choisissez un nombre :**
   ☐ lors du bal royal ☐ avant que ne commence l'histoire
   ☐ après le bal royal ☐ avant le retour des mousquetaires d'Angleterre

5. **Comment Milady réussit-elle à tromper Felton lors de son emprisonnement ?**
   ☐ en faisant mine d'être profondément religieuse
   ☐ en lui donnant de l'argent pour les pauvres
   ☐ en lui promettant de se marier avec lui
   ☐ en pleurant et s'arrachant les cheveux
   ☐ en lui rappelant qu'elle fait partie de sa famille

6. **Combien de personnes Milady a-t-elle tuées ou fait-elle tuer pendant toute l'action des *Trois Mousquetaires* ?**
   ☐ 1 personne ☐ 2 personnes ☐ 3 personnes ☐ 4 personnes

Les personnages

1. **Reliez les personnages selon leur groupe d'appartenance :** *Anne d'Autriche – Aramis – Athos – Buckingham – Constance Bonacieux – D'Artagnan – Felton – Ketty – Lord de Winter – Louis XIII – M. Bonacieux – M. de Tréville – Milady – Portos – Richelieu – Rochefort.*

Le camp des mousquetaires	Le camp de Richelieu

2. **Reliez chaque maître à son valet :**

a. Aramis ☐ Grimaud
b. Athos ☐ Planchet
c. D'Artagnan ☐ Mousqueton
d. Porthos ☐ Bazin

3. **Quel personnage est décrit dans la phrase suivante : « À la lueur d'une lampe, il vit une femme enveloppée d'une mante de couleur sombre, assise sur un escabeau, près d'un feu mourant » ?**

☐ Anne d'Autriche ☐ Constance Bonacieux
☐ Ketty ☐ Milady ☐ Mme Coquenard

4. **Reliez chaque personnage avec la phrase qui le concerne :**

a. « cette femme aux yeux de flamme » ☐ Aramis
b. « l'homme de Meung » ☐ Buckingham
c. « Monsieur l'abbé » ☐ d'Artagnan
d. « Monsieur le Gascon » ☐ le cardinal de Richelieu

e. « qui souriait d'un sourire diabolique » ☐ Milady
f. « Votre Grâce » ☐ Rochefort

5. **Qui porte le plus lourd secret parmi les mousquetaires ?**
☐ Aramis ☐ Athos
☐ D'Artagnan ☐ M. de Tréville ☐ Porthos

6. **Que porte Milady sur l'épaule gauche ?**
☐ la devise : « un pour tous, tous pour un »
☐ un aigle aux ailes déployées
☐ un portrait du cardinal de Richelieu
☐ une fleur de lys
☐ une tête de mort

7. **Comment s'appelle en réalité Milady de Winter ?**
☐ Angélique d'Estrées ☐ Anne de Saint-Foy
☐ Charlotte Backson ☐ Karen O'Neil ☐ Virginia Woolf

L'écriture

1. **Précisez la nature des interventions du narrateur en reliant les deux parties du tableau :**

a. réflexions sur les sentiments des personnages	☐ « Plus d'une fois, le roi avait été humilié par le cardinal. »
	☐ « Mais, s'écria Anne d'Autriche, lassée de ses vagues attaques… »
b. commentaire sur le récit lui-même	☐ « Heureusement, comme nous l'avons dit… »
	☐ « Nous avons déjà dit avec quelle rapidité… »
	☐ « Les jeunes éclatèrent de rire, et comme on le pense bien, l'affaire n'eut pas d'autre suite. »
c. réflexion morale	☐ « Un vieux proverbe dit : «Tel maître, tel valet» ».
d. prise à témoin ou à partie du lecteur	☐ « Quant à Aramis, dont nous croyons avoir suffisamment exposé le caractère… »
	☐ « Planchet eut bien voulu entendre la conversation… »

2. **Quel est le serment des quatre mousquetaires ?**
☐ « Tous pour un, un pour tous, c'est notre but. »
☐ « Tous pour un, un pour tous, c'est notre devise. »
☐ « Tous pour un, un pour tous, c'est notre devoir. »
☐ « Tous pour un, un pour tous, c'est notre volonté. »

3. **Faites correspondre les procédés d'écriture avec les phrases qui les illustrent :**

a. anaphore
b. comparaison
c. énumération
d. métaphore
e. opposition
f. répétition

☐ « Sur un mot d'elle, je trahirai mon pays, je trahirais mon roi, je trahirai mon Dieu. »
☐ « Il espérait tirer quelque lumière de cette conversation. »
☐ « J'ai été un fou [...] de croire [...] que le marbre s'échaufferait. »
☐ « Celle qu'il aimait déjà comme une maîtresse... »
☐ « C'était un Berrichon de trente-cinq à quarante ans, doux, paisible, grassouillet. »

4. **Distinguez la description (D) du portrait (P) :**

a. C'était une charmante femme de vingt-cinq à vingt-six ans, brune avec des yeux bleus, ayant un nez légèrement retroussé, des dents admirables, un teint marbré de rose et d'opale. ☐ D ☐ P

b. Parfois, à la lueur d'un éclair qui brillait à l'horizon, on apercevait la route qui se déroulait blanche et solitaire ; puis l'éclair éteint, tout rentrait dans l'obscurité. ☐ D ☐ P

c. Elle avait un chapeau de feutre avec des plumes bleues, un surtout en velours gris perle rattaché par des agrafes de diamants, et une jupe de satin bleu toute brodée d'argent. ☐ D ☐ P

d. Quoique Athos eût à peine trente ans et fût d'une grande beauté de corps et d'esprit, personne ne lui connaissait de maîtresse. Jamais il ne parlait de femmes. ☐ D ☐ P

e. C'était une de ces belles et rares journées d'hiver où l'Angleterre se souvient qu'il y a un soleil. ☐ D ☐ P

Distinguez le style direct (SD) du style indirect (SI) dans les phrases suivantes :

a. D'Artagnan raconte qu'à sa première visite à M. de Tréville, le capitaine des mousquetaires du roi, il rencontra dans son antichambre trois jeunes gens servant dans l'illustre corps où il sollicitait l'honneur d'être reçu, et ayant nom Athos, Porthos et Aramis. ☐ SD ☐ SI

b. Madame, lui dit-il, pourquoi donc, s'il vous plaît, n'avez-vous pas vos ferrets de diamants, quand vous savez qu'il m'eût été agréable de les voir ? ☐ SD ☐ SI

c. Nous voulons vous juger selon vos crimes, dit Athos. ☐ SD ☐ SI

d. Je jurai alors que cette femme qui l'avait perdu, qui était plus que sa complice, puisqu'elle l'avait poussé au crime, partagerait au moins le châtiment. ☐ SD ☐ SI

e. Monsieur d'Artagnan, dit Athos, quelle est la peine que vous réclamez contre cette femme ? ☐ SD ☐ SI

— Vous vous trompez tous, messieurs, répondit gravement Athos; vous mangez du cheval. — Page 126.

Les Trois Mousquetaires.
Gravure d'après une illustration de Jean-Adolphe Beaucé
(1818-1875).

Thèmes et prolongements

Les inséparables

Pris individuellement, les mousquetaires auraient-il connu le même bonheur dans la postérité ? Sans doute pas. Car au-delà de leurs personnalités, c'est l'unité du groupe qui séduit. En effet, si Alexandre Dumas donne à d'Artagnan, Athos, Aramis et Porthos un physique et un caractère pleins d'originalité, c'est l'esprit de clan des quatre amis qui fascine le lecteur.

Quatre hommes d'exception

En individualisant fortement chacun des quatre héros, Dumas est sûr de s'attacher différentes catégories de lecteurs : les romantiques adorent Athos, cet homme supérieur, brisé par un destin contraire ; les curieux s'intéressent à Aramis, ex-séminariste « tout confit de mystères » qui poursuit dans l'ombre des amours romanesques avec Mme de Chevreuse ; les bons vivants adorent Porthos, le géant « vaniteux et indiscret », grand coureur de jupons ; enfin chacun est conquis par d'Artagnan dont la fougue naturelle inspire la plus vive sympathie. Ces quatre héros ont cependant un point commun : ils appartiennent à l'élite sociale de leur siècle et forment par leur naissance, une caste à part. Comme d'Artagnan, issus de la « vieille noblesse », Athos, Aramis et Porthos sont des aristocrates : « sous ces noms de guerre, chacun des jeunes gens cachait son nom de gentilhomme, Athos surtout, qui sentait son grand seigneur d'une lieue ».

Les mousquetaires : un corps d'élite

Avant d'intégrer d'Artagnan dans leur communauté, les trois mousquetaires sont déjà constitués en tribu : « Ne savez-vous pas qu'on ne nous voit jamais l'un sans l'autre, et qu'on nous appelle, dans les mousquetaires et dans les gardes, à la cour et à la ville, Athos, Porthos et Aramis ou les trois inséparables ? » Comment expliquer une telle entente ? D'abord par un esprit de corps : les trois amis font partie des mousquetaires, compagnie d'élite au service du roi. Chacun y rivalise d'excellence, affichant son mérite et son dévouement en toute occasion.

Mais « les inséparables » sont surtout liés par une affection sincère et une complicité absolue qui s'expriment par le désir d'être ensemble le plus souvent possible. Une fois que d'Artagnan a fait ses preuves, le groupe s'agrandit dans l'enthousiasme : « L'amitié qui unissait ces quatre hommes, et le besoin de se voir trois ou quatre fois par jour, soit pour duel, soit pour affaires, soit pour plaisir, les faisaient sans cesse courir l'un après l'autre comme des ombres ; et l'on rencontrait toujours les inséparables se cherchant du Luxembourg à la place Saint-Sulpice, ou de la rue du Vieux-Colombier au Luxembourg. »

« Tous pour un, un pour tous »

La devise « Tous pour un, un pour tous » perpétue l'idéal chevaleresque des chevaliers de la Table ronde et flatte le vieux rêve humain de la famille si vivant encore dans l'imaginaire collectif. Les inséparables forment dans le roman une sorte de légion que cimente un serment d'assistance mutuelle. Dévoués à une cause commune – sauver la reine dans l'affaire des ferrets –, les quatre compagnons accomplissent l'exploit de rapporter dans des délais impossibles les précieux bijoux qui calmeront la colère du roi. Et c'est dans un remarquable esprit de solidarité que s'organise l'équipée des quatre amis sur la route de Londres et que s'accomplit leur magnifique exploit.

La même fraternité se manifeste dans leurs affaires galantes : c'est ainsi que d'Artagnan redonne espoir à Aramis prêt à entrer dans les ordres par désespoir amoureux (« Viens, mon ami, viens que je t'embrasse ; le bonheur m'étouffe ! ») et qu'Athos console d'Artagnan, désespéré après l'enlèvement de Constance Bonacieux (« instruisez-moi, soutenez-moi »), puis après la mort de la jeune femme (« et il accompagna son ami, affectueux comme un père, consolant comme un prêtre »). C'est ainsi, surtout, que les quatre compagnons votent d'une seule voix la mort de Milady et que le « lugubre cortège » des justiciers accomplit la vengeance du comte de La Fère.

✣ Le romanesque

Destiné d'abord à la presse, le roman des *Trois Mousquetaires* vise à satisfaire la soif de romanesque d'un public populaire qui veut rêver, trembler, admirer et haïr. Avide de fiction, le lecteur de roman-feuilleton aime les situations dramatiques extravagantes, les actions héroïques, les amours secrètes ; il se projette dans les entreprises généreuses du redresseur de tort autant que dans les manœuvres malfaisantes du jaloux ; il souffre avec les victimes, punit et se venge par la main du justicier.

Amour et politique

Habilement combinés, l'amour et la politique dominent l'intrigue des *Trois Mousquetaires*. La passion secrète du duc de Buckingham, Anglais ennemi de la France, avec Anne d'Autriche, reine et épouse de Louis XIII, s'impose comme le thème fondateur du roman. C'est autour de cet amour interdit et secret que se construit le nœud de l'action avec l'épisode des ferrets.

La présence du duc incognito à Paris puis le tête-à-tête sentimental entre les deux amants, dans la plus pure tradition du roman d'amour, donne lieu à une scène d'un romanesque exacerbé ; la passion de Buckingham se traduit par des déclarations exaltées où l'expression du sentiment se conjugue avec un cynisme politique du plus bel effet : « Des milliers d'hommes, il est vrai, auront payé mon bonheur de leur vie ; mais que m'importe à moi, pourvu que je vous revoie ! »

Comme le duc, Richelieu donne à ses sentiments personnels la priorité sur ses devoirs d'homme d'État : par dépit amoureux, le plus puissant serviteur de Louis XIII, qui tient entre ses mains la destinée du pays, tente de confondre la reine en l'obligeant à porter les ferrets au bal organisé à la cour, sachant que lesdits ferrets ont été offerts à son rival !

Des personnages dramatiques

Par leurs caractères et par leurs passions, les personnages des *Trois Mousquetaires* annoncent dans le récit des péripéties puissamment romanesques. Ainsi la personnalité du beau Buckingham programme-t-elle ce personnage pour l'aventure : « Un des côtés saillants de son caractère était la recherche de l'aventure et l'amour romanesque. » Athos, héros romantique, bouleverse les âmes sensibles par son passé tourmenté. Mais c'est à sa haine de Milady et à sa soif de vengeance que l'on doit les scènes les plus ténébreuses du roman : le jugement et l'exécution de la coupable. Quant à d'Artagnan, son tempérament impulsif et son goût du risque produisent au fil du récit toute une série de scènes d'action qui donnent au roman son rythme endiablé et sa puissance dramatique : duels, poursuites, courses contre la montre, chevauchées pleines d'embûches, usurpation d'identité, séduction de l'ennemi… Enfin, Richelieu et Milady, dans leur fonction d'opposants, participent à l'intensité dramatique de l'action : génie malfaisant, le cardinal organise l'assassinat de Buckingham ; agent du mal, la redoutable femme fatale séduit d'Artagnan puis cherche à l'empoisonner avec un vin d'Anjou ; elle utilise ses charmes pour sortir de la prison-forteresse où l'a enfermée Lord de Winter, l'ami du duc, et détourne le protestant Felton de ses devoirs pour en faire l'assassin du ministre anglais !

Doubles identités et déguisements

Dans la panoplie du romanesque, Alexandre Dumas utilise à fond la double identité et le déguisement : derrière Athos le mousquetaire se cache l'aristocratique comte de La Fère ; Milady-Charlotte Backson, ex-Anne de Breuil devenue successivement comtesse de La Fère, baronne de Scheffield et lady Clarick, est une intrigante condamnée par la justice. D'Artagnan, pour la séduire, emprunte l'identité du comte de Wardes. Le même d'Artagnan surprend, aux abords du Louvre, Constance Bonacieux accompagnant le duc de Buckingham déguisé en mousquetaire. Aramis poursuit des amours romanesques avec une femme mystérieuse qui se manifeste sous deux noms : Marie Michon et Mme de Chevreuse. Par ces jeux de camouflage, Dumas inscrit le quiproquo, l'ambiguïté et le mystère dans l'action, à travers des scènes de mystifications ou de révélations tout à fait romanesques.

✥ Les femmes dans *Les Trois Mousquetaires*

Les femmes ne font-elles que passer dans la vie des mousquetaires ? Pas vraiment. Face aux quatre aventuriers, on trouve quatre femmes aux caractères et aux origines sociales bien différenciés : la reine Anne d'Autriche, Milady de Winter, Constance Bonacieux et madame Coquenard. Ne seraient-elles que des faire-valoir ?

Anne d'Autriche, la reine amoureuse

Tout en haut de la pyramide sociale, on trouve une femme sacrifiée à la raison d'État, Anne d'Autriche. Si elle reste dans les coulisses de l'action, elle en tire cependant des ficelles essentielles. De son physique, on ne connaît que peu de choses sinon que sa beauté exemplaire éclipse toutes les autres femmes, qu'elle tient son rang en toutes circonstances et s'accommode comme elle peut d'un mari autoritaire, Louis XIII, d'un amoureux éconduit, Richelieu, et d'un amant absent, Buckingham. Figure romantique, effacée, elle agit dans l'ombre, bravant les interdits, prenant les risques de la haute trahison, ce qui force jusqu'à l'admiration de l'auteur qui fait dire à Buckingham : « Sur un mot d'elle, je trahirais mon pays, je trahirais mon roi, je trahirais mon Dieu. »

Milady de Winter, l'aventurière

Femme caméléon – croisement osé de beauté, d'intelligence, de cupidité et de cruauté – à l'identité multiple – Charlotte Backson, Anne de Breuil, comtesse de La Fère, Milady de Winter –, Milady est l'archétype de la femme fatale du roman français, sans doute l'un des personnages les plus forts de Dumas. Vénéneuse, voleuse, criminelle, elle survit au déshonneur de la fleur de lys, à la mort que croit lui donner Athos, à l'emprisonnement de Portsmouth jusqu'à cette terrible décapitation au bord de la Lys, près de cette masure où seule, masque baissé, elle attendait encore d'assouvir une vengeance ancienne. Anti-héroïne des *Trois Mousquetaires*, Milady force notre intérêt par sa dureté affichée : « Les femmes comme moi ne pleurent pas » (ch. XXXVI). Dotée d'une terrible histoire –parents assassinés, placement contre son gré au couvent – elle n'a d'autres atouts pour conquérir sa liberté que sa volonté et ses charmes : « Pourquoi donc le ciel s'était-il trompé en mettant cette âme virile dans ce corps frêle et délicat », lâche Dumas. Et plus loin Milady de déclarer : « Luttons en femme, ma force est dans ma faiblesse. » D'où ce choix du chemin du « mal ». Milady donne son énergie au roman par son double statut de criminelle et de victime.

Constance Bonacieux

Les autres personnages féminins, s'ils restent intéressants, sont plus conventionnels. Constance Bonacieux, la belle et fraîche lingère de la reine, mariée à un médiocre opportuniste, attire l'amour de d'Artagnan qui, pour elle, s'engage à défendre l'honneur de la souveraine. Cela dit, le personnage est fade. Fonctionnel dans la première partie – elle assure le lien entre la reine et Buckingham –, son rôle reste secondaire dans la seconde partie : son enfermement dans le couvent de Béthune en constitue une péripétie. Aussi ses rencontres avec d'Artagnan sont-elles plus virtuelles que réelles. Leurs retrouvailles coïncident avec sa mort : d'Artagnan rejoint alors la légion des héros malheureux et seuls.

Madame Coquenard

La femme du procureur est d'une tout autre étoffe. Contrepoids modeste au monde de la noblesse, son univers est celui de la bourgeoisie enrichie que Dumas caricature ici par son avarice. Elle incarne le cocasse par son nom, le burlesque, assumant un intermède boulevardier dans un roman d'aventure où la mort guette à chaque pas. Ce qu'elle guette pour sa part – elle qui ne possède rien en propre –, c'est la cassette de son mari et les émois qu'elle espère connaître du sémillant Porthos par ses libéralités. Son rôle est anecdotique. Il s'inscrit dans la tradition du feuilleton, marquant une pause comique dans l'action principale, tout en faisant découvrir du mousquetaire un aspect peu chevaleresque.

L'art du dialogue dans *Les Trois Mousquetaires*

Qui parle de Dumas pense immédiatement à ses qualités de dialoguiste hors pair. Quels sont donc les secrets de ce virtuose du langage qui sait animer des personnages hauts en couleurs, mettre dans leur bouche des réparties qui font mouche, faire vivre des situations qui appellent d'être servies par toute la palette des paroles rapportées, mêler le dramatique au burlesque ?

Le dialogue : un défi romanesque

Dumas, c'est avant tout, une imagination servie par une technique sûre. « Qu'on le veuille ou non, ce romancier "populaire" a été le roi du dialogue. Son style dégage de la chaleur et de la lumière. Tous ses personnages, il a su les rendre vivants [...]. À la plupart d'entre eux, il a prêté sa verve inépuisable, et son esprit toujours simple, naturel, éblouissant, jamais amer », écrit le critique Henri Alméras (*Alexandre Dumas* et *Les Trois Mousquetaires*, 1929). Une opinion que nous pouvons tous partager. Derrière le narrateur, l'homme, le mythe, s'entend à chaque syllabe : un Dumas tout en énergie, virevoltant dans la vie comme ses personnages au fil des pages. En outre, avant d'être romancier, Dumas est homme de théâtre, y ayant connu le succès dès 1829 dans la mouvance des romantiques. D'où une production romanesque tout imprégnée d'une forte culture théâtrale.

Une technique variée

Selon Henri Clouart : « Tout a été dit sur les dialogues d'Alexandre Dumas. Ils bondissent comme sur les planches d'un théâtre. [...] Le plus souvent, entre deux ou plusieurs dialogueurs, il y en a un qui mène le jeu ou la dispute, qui a le monopole de la verve. [...] Quel abattage, quelle patte ! » (*Alexandre Dumas*, 1955).
Oui mais comment le fait-il ? pourrait-on ajouter : une chose est l'intention et l'effet voulu, l'autre l'écriture. Et c'est là que la technique de l'auteur intervient. Dumas utilise toutes les ficelles de son métier pour donner vie à son récit, rapporter ou faire allusion aux paroles des uns et des autres.

Discours direct, indirect, indirect libre, narrativisé, tout est bon pour donner une diversité attirante à l'œuvre ; tout est bon aussi pour l'allonger car n'oublions pas que Dumas est payé à la ligne. Si les descriptions sont réduites au minimum et les analyses psychologiques à l'essentiel – ce qui le distingue des écrivains de son temps – « le texte est constitué pour moitié au moins de dialogues, des dialogues serrés qui répugnent aux longs développements et tirades ; un monologue intérieur de-ci de-là... », écrit Simone Bertière (*Dumas et les mousquetaires*, 2009). Un dialogue qui éclate par des répliques qui font mouche : « D'Artagnan ! d'Artagnan ! cria-t-elle, souviens-toi que je t'ai aimé ! » (Milady, chap. LXVI) ; « Prodigieusement » (Athos, chap. LXVI) ; « Vous êtes jeunes, vous, et vos souvenirs amers ont le temps de se changer en doux souvenirs » (Athos, chap. LXVII) ; « Laissez passer la justice de Dieu » (le bourreau de Béthune, chap. LXVI)...

Du roman au théâtre

Dumas n'exprime cependant pas tout : il suggère aussi. Par exemple, lorsqu'il écrit : « Planchet [...] eût bien voulu entendre la conversation ; mais le bourgeois déclara à d'Artagnan que ce qu'il avait à lui dire étant important et confidentiel, il désirait demeurer en tête à tête avec lui » (chap. VIII), il utilise le discours indirect, puis évoque un prochain discours narrativisé, ce qui frustre le lecteur qui, comme Planchet, ne connaîtra pas les détails des confidences. Notons enfin ces monologues intérieurs qui s'enchâssent dans le récit sans en avoir l'air, type même du discours indirect libre où la voix de l'auteur se mêle jusqu'à se fondre à celle du personnage, ici Milady : « Oui, mais pour se venger il faut être libre, et pour être libre, quand on est prisonnier, il faut percer un mur » (chap. LII).
Dumas n'aura donc pas de peine pour transformer bientôt son roman en pièce de théâtre. À l'automne 1845, il produit, pour l'Ambigu-Comique, un drame en cinq actes et treize tableaux, dont un prologue. Son découpage est tout fait ; pour la scène, il privilégiera l'aventure anglaise.

Textes et images

✣ Portraits de grands personnages

Dans les Mémoires ou dans les romans historiques, le portrait des grands personnages qui ont traversé l'Histoire fait exister, au-delà des siècles, les figures du passé, souvent sous la forme de l'éloge et du blâme. Par la magie de l'écriture, les visages et les corps, les caractères et les goûts prennent vie ; les rois et les reines parlent, les citoyens célèbres s'animent, affichant derrière l'image publique tous les secrets intimes de la personne.

Documents :

❶ Extrait des *Mémoires* de Saint-Simon (1739-1752 ; publiées en 1829).

❷ Extrait des *Mémoires d'outre-tombe* de Chateaubriand (1848-1850), partie I, livre 5.

❸ Extrait de *Quatrevingt-treize* de Victor Hugo (1874).

❹ Portrait de Louis XIV, roi de France, par Hyacinthe Rigaud (1701).

❺ *Le Premier Consul franchissant les Alpes au col du Grand-Saint-Bernard,* tableau de Jacques-Louis David (1800).

❻ Photo du général de Gaulle diffusant un discours au micro de la BBC à Londres (1940).

❶ PORTRAIT DE LA DAUPHINE

Douce, timide, mais adroite, bonne jusqu'à craindre de faire la moindre peine à personne, et, toute légère et vive qu'elle était, très capable de vues et de suite de la plus longue haleine, la contrainte jusqu'à la gêne, dont elle sentait tout le poids, semblait ne lui rien coûter. La complaisance lui était naturelle, coulait de source ; elle en avait jusque pour sa cour.

Régulièrement laide, les joues pendantes, le front trop avancé, un nez qui ne disait rien, de grosses lèvres mordantes, des cheveux et des sourcils châtain brun fort bien plantés, des yeux les plus parlants et les plus beaux du monde, peu de dents et toutes pourries dont elle parlait et se moquait la première, le plus beau teint et la plus belle peau, peu de gorge[1] mais admirable, le cou long avec un soupçon de goître[2] qui ne lui seyait[3] point mal, un port de tête galant, gracieux, majestueux et le regard de même, le sourire le plus expressif, une taille longue, ronde, menue ; aisée, parfaitement coupée, une marche de déesse sur les nuées ; elle plaisait au dernier point. Les grâces naissaient d'elles-mêmes de tous ses pas, de toutes ses manières et de ses discours les plus communs. Un air simple et naturel toujours, naïf assez souvent, mais assaisonné d'esprit, charmait, avec cette aisance qui était en elle, jusqu'à la communiquer à tout ce qui l'approchait.

Elle voulait plaire même aux personnes les plus inutiles et les plus médiocres, sans qu'elle parût le rechercher. On était tenté de la croire toute et uniquement à celles avec qui elle se trouvait. Sa gaieté jeune, vive, active, animait tout, et sa légèreté de nymphe la portait partout comme un tourbillon qui remplit plusieurs lieux à la fois, et qui y donne le mouvement et la vie. Elle ornait tous les spectacles, était l'âme des fêtes, des plaisirs, des bals, et y ravissait par les grâces, la justesse et la perfection de sa danse.

2 Portrait de Mirabeau

La nature semblait avoir moulé sa tête pour l'empire ou pour le gibet, taillé ses bras pour étreindre une nation ou pour enlever une femme. Quand il secouait sa crinière en regardant le peuple, il l'arrêtait ; quand il levait sa patte et montrait ses ongles, la plèbe[4] courait furieuse. Au milieu de l'effroyable désordre d'une séance, je l'ai vu à la tribune, sombre, laid et immobile : il rappelait le chaos de Milton[5], impassible et sans forme au centre de sa confusion. Mirabeau tenait de son père et de son oncle qui, comme Saint-Simon, écrivaient à la diable[6] des pages immortelles. On lui fournissait des discours pour la tribune : il en prenait ce que son esprit

1. **Gorge :** poitrine.
2. **Goître :** grosseur sous le cou.
3. **Seyait :** allait.
4. **La plèbe :** les masses populaires.
5. **Le chaos de Milton :** allusion au *Paradis perdu*, poème héroïque du poète anglais John Milton (1608-1674) que Chateaubriand a traduit en français.
6. **À la diable :** à la hâte, sans soin.

pouvait amalgamer[1] à sa propre substance. S'il les adoptait en entier, il les débitait mal ; on s'apercevait qu'ils n'étaient pas de lui par des mots qu'il y mêlait d'aventure, et qui le révélaient. Il tirait son énergie de ses vices ; ces vices ne naissaient pas d'un tempérament frigide, ils portaient sur des passions profondes, brûlantes, orageuses. [...]

Mirabeau était né généreux, sensible à l'amitié, facile à pardonner les offenses. Malgré son immoralité, il n'avait pu fausser sa conscience ; il n'était corrompu que pour lui, son esprit droit et ferme ne faisait pas du meurtre une sublimité de l'intelligence. Il n'avait aucune admiration pour des abattoirs et des voiries[2].

Cependant, Mirabeau ne manquait pas d'orgueil ; il se vantait outrageusement bien qu'il se fût constitué marchand de drap pour être élu par le tiers-état[3] (l'ordre de la noblesse ayant eu l'honorable folie de le rejeter), il était épris de sa naissance : oiseau hagard, dont le nid fut entre quatre tourelles, dit son père. Il n'oubliait pas qu'il avait paru à la cour monté dans les carrosses et chassé avec le roi. Il exigeait qu'on le qualifiât du titre de comte. Il tenait à ses couleurs[4], et couvrit ses gens de livrée[5] quand tout le monde la quitta [...]. Le fond des sentiments de Mirabeau était monarchique. Il a prononcé ces belles paroles : « J'ai voulu guérir les Français de la superstition de la monarchie et y substituer son culte. » Dans une lettre, destinée à être mise sous les yeux de Louis XVI, il écrivait : « Je ne voudrais pas avoir travaillé seulement à une vaste destruction. » C'est cependant ce qui lui est arrivé : « le ciel, pour nous punir de nos talents mal employés, nous donne le repentir de nos succès. »

Mirabeau remuait l'opinion avec deux leviers : d'un côté, il prenait son point d'appui dans les masses dont il s'était constitué le défenseur en les méprisant ; de l'autre, quoique traître à son ordre[6], il

1. **Amalgamer :** mêler.
2. **Voiries :** débris d'animaux morts, ordures.
3. **Le tiers-état :** le peuple, sous l'Ancien Régime.
4. **Couleurs :** couleurs héraldiques utilisées dans les blasons de la noblesse.
5. **Couvrit ses gens de livrée :** imposa à ses domestiques de porter l'uniforme de sa maison.
6. **Son ordre :** ses nobles origines.

en soutenait la sympathie par des affinités de caste[1] et des intérêts communs.

❸ Le premier de ces trois hommes était pâle, jeune, grave, avec les lèvres minces et le regard froid. Il avait dans la joue un tic nerveux qui devait le gêner pour sourire. Il était poudré, ganté, brossé, boutonné ; son habit bleu clair ne faisait pas un pli. Il avait une culotte de nankin[2], des bas blancs, une haute cravate, un jabot plissé, des souliers à boucles d'argent. Les deux autres hommes étaient, l'un, une espèce de géant, l'autre, une espèce de nain. Le grand, débraillé dans un vaste habit de drap écarlate, le col nu dans une cravate dénouée tombant plus bas que le jabot, la veste ouverte avec des boutons arrachés, était botté de bottes à revers et avait les cheveux tout hérissés, quoiqu'on y vît un reste de coiffure et d'apprêt ; il y avait de la crinière dans sa perruque. Il avait la petite vérole[3] sur la face, une ride de colère entre les sourcils, le pli de la bonté au coin de la bouche, les lèvres épaisses, les dents grandes, un poing de portefaix, l'œil éclatant. Le petit était un homme jaune qui, assis, semblait difforme ; il avait la tête renversée en arrière, les yeux injectés de sang, des plaques livides sur le visage, un mouchoir noué sur ses cheveux gras et plats, pas de front, une bouche énorme et terrible. Il avait un pantalon à pied, des pantoufles, un gilet qui semblait avoir été de satin blanc, et par-dessus ce gilet une roupe[4] dans les plis de laquelle une ligne dure et droite laissait deviner un poignard.

Le premier de ces hommes s'appelait Robespierre, le second Danton, le troisième, Marat.

Ils étaient seuls dans cette salle. Il y avait devant Danton un verre et une bouteille de vin couverte de poussière, rappelant la chope de bière de Luther, devant Marat une tasse de café, devant Robespierre des papiers.

---

1. **Affinités de caste :** sympathie que lui inspirait sa communauté d'origine, c'est-à-dire l'aristocratie.
2. **Nankin :** taffetas dont l'aspect jaunâtre ou chamois était dû à la qualité du coton employé.
3. **Petite vérole :** grave maladie qui laisse des cicatrices profondes sur la peau.
4. **Roupe :** sorte de blouse en drap fendue par-devant.

Textes et images

Auprès des papiers on voyait un de ces lourds encriers de plomb, ronds et striés, que se rappellent ceux qui étaient écoliers au commencement de ce siècle. Une plume était jetée à côté de l'écritoire. Sur les papiers était posé un gros cachet de cuivre sur lequel on lisait Palloy fecit[1] et qui figurait un petit modèle exact de la Bastille.

Une carte de France était étalée au milieu de la table.

4

Pour approfondir

1. **Palloy fecit :** l'entrepreneur Pierre-François Palloy (1754-1835) fut chargé de démolir la prison de la Bastille prise le 14 juillet 1789.

5

Étude des textes

Savoir lire

1. À quelle époque appartient chacun des personnages évoqués dans les textes ? Quelle était leur position sociale ? Aidez-vous d'un dictionnaire des noms propres ou d'Internet.
2. Relevez, dans le portait de la Dauphine, quelques termes appréciatifs révélant la sympathie de Saint-Simon pour cette grande dame.
3. Montrez la complexité du personnage de Mirabeau après avoir relevé quelques expressions soulignant ses contradictions.
4. Sur quel aspect se concentre le portrait des trois révolutionnaires dans le texte de Victor Hugo ? À quoi tient la puissance expressive de ce texte ?

Savoir faire

5. Trouvez, sur Internet ou dans un livre d'histoire, une peinture représentant Mirabeau puis relevez, dans le texte de Chateaubriand, une phrase ou une expression pouvant servir de légende à l'image.

6. À la manière de Saint-Simon, évoquez, dans un portrait élogieux, une femme qui a joué un rôle important dans l'histoire de France. Vous pourrez, si vous le souhaitez, limiter votre description au physique tel qu'il apparaît sur des tableaux d'époque.
7. Parmi toutes les figures célèbres de l'histoire de France, laquelle vous intéresse le plus ? Défendez votre choix à l'aide d'arguments fondés sur la personnalité et les accomplissements de ce grand personnage.

Étude des images

Savoir analyser

1. En vous aidant des vêtements et des objets, dites à quel siècle renvoie chaque portrait.
2. Lequel de ces trois portraits est le plus naturel ? Le plus formel ? Lequel suggère un homme d'action ? Précisez les indices sur lesquels vous appuyez votre réponse.
3. Montrez comment l'art du peintre, dans le document 5, suggère que Napoléon est un conquérant. Étudiez notamment le mouvement général du tableau et la mise en scène du personnage.

Savoir faire

4. En vous aidant d'Internet, d'une encyclopédie ou d'un dictionnaire des noms propres, dites comment les trois grands personnages présentés dans ce corpus d'images ont marqué leur époque.
5. En vous fondant sur votre réponse à la question 4, expliquez lequel de ces trois personnages historiques éveille en vous le plus d'admiration.
6. Retrouvez sur Internet ou dans un livre d'histoire l'appel du 18 juin 1940 par le Général de Gaulle. À qui s'adresse-t-il ? Quel sentiment éveille-t-il ?

Écrire l'histoire

Depuis toujours, l'histoire de France, source d'anecdotes et réservoir de grands faits qui ont changé le destin des nations, inspire les écrivains : chansons de gestes, épopées, Mémoires, tragédies et tragicomédies, poèmes et romans s'emparent de cette matière inépuisable pour donner à la postérité des œuvres inoubliables où se mêlent souvent la vérité et la légende, la réalité et la fiction.

Documents :

1. Extrait de *La Princesse de Clèves* de Mme de Lafayette (1678).
2. Extrait du *Siècle de Louis XIV* de Voltaire (1751).
3. Extrait du *Chevalier de Maison-Rouge* d'Alexandre Dumas (1845-1846).
4. Photo du film *La Princesse de Clèves* de Jean Delannoy, Jean Delannoy (1961).
5. Tableau *Marie-Antoinette de Lorraine-Habsbourg, reine de France et ses enfants* de Élisabeth Louise Vigée-Lebrun (1789).
6. Tableau *La Liberté guidant le peuple* d'Eugène Delacroix (1830).

❶ Elle passa tout le jour des fiançailles chez elle à se parer, pour se trouver le soir au bal et au festin royal qui se faisait au Louvre. Lorsqu'elle arriva, l'on admira sa beauté et sa parure[1] ; le bal commença et, comme elle dansait avec M. de Guise, il se fit un assez grand bruit vers la porte de la salle, comme de quelqu'un qui entrait et à qui on faisait place. Mme de Clèves acheva de danser, et pendant qu'elle cherchait des yeux quelqu'un qu'elle avait dessein de prendre, le roi lui cria de prendre celui qui arrivait. Elle se tourna et vit un homme qu'elle crut d'abord ne pouvoir être que

1. **Parure :** toilette.

M. de Nemours, qui passait par-dessus quelques sièges pour arriver où l'on dansait. Ce prince était fait d'une sorte qu'il était difficile de n'être pas surprise de le voir quand on ne l'avait jamais vu, surtout ce soir-là, où le soin qu'il avait pris de se parer augmentait encore l'air brillant qui était dans sa personne ; mais il était difficile aussi de voir Mme de Clèves pour la première fois sans avoir un grand étonnement.

M. de Nemours fut tellement surpris de sa beauté que, lorsqu'il fut proche d'elle, et qu'elle lui fit la révérence, il ne put s'empêcher de donner des marques de son admiration. Quand ils commencèrent à danser, il s'éleva dans la salle un murmure de louanges.

❷ Quelques mois après la mort de ce ministre (Mazarin), il arriva un événement qui n'a point d'exemple ; et ce qui est non moins étrange, c'est que tous les historiens l'ont ignoré. On envoya dans le plus grand secret, au château de l'île Sainte-Marguerite, dans la mer de Provence, un prisonnier inconnu, d'une taille au-dessus de l'ordinaire, jeune et de la figure la plus belle et la plus noble. Ce prisonnier, dans la route, portait un masque dont la mentonnière avait des ressorts d'acier, qui lui laissaient la liberté de manger avec le masque sur son visage. On avait ordre de le tuer s'il se découvrait. Il resta dans l'île jusqu'à ce qu'un officier de confiance, nommé Saint-Mars, gouverneur de Pignerol, ayant été fait gouverneur de la Bastille, l'an 1690, l'alla prendre à l'île Sainte-Marguerite, et le conduisit à la Bastille, toujours masqué.

Le marquis de Louvois alla le voir dans cette île avant la translation[1], et lui parla debout et avec une considération qui tenait du respect. Cet inconnu fut mené à la Bastille, où il fut logé aussi bien qu'on peut l'être dans ce château. On ne lui refusait rien de ce qu'il demandait. Son plus grand goût était pour le linge d'une finesse extraordinaire, et pour les dentelles. Il jouait de la guitare. On lui faisait la plus grande chère[2], et le gouverneur s'asseyait rarement devant lui. Un vieux médecin de la Bastille, qui avait souvent traité cet homme singulier dans ses maladies, a dit qu'il n'avait jamais

---

1. **Translation :** transfert.
2. **On lui faisait la plus grande chère :** on lui faisait manger les mets les plus exquis.

vu son visage, quoiqu'il eût souvent examiné sa langue et le reste de son corps. « Il était admirablement bien fait, disait ce médecin : sa peau était un peu brune : il intéressait par le seul ton de sa voix, ne se plaignant jamais de son état, et ne laissant point entrevoir ce qu'il pouvait être. »

Cet inconnu mourut en 1703, et fut enterré la nuit à la paroisse de Saint-Paul. Ce qui redouble l'étonnement, c'est que, quand on l'envoya dans l'île de Sainte-Marguerite, il ne disparut dans l'Europe aucun homme considérable. Ce prisonnier l'était sans doute, car voici ce qui arriva les premiers jours qu'il était dans l'île.

Le gouverneur mettait lui-même les plats sur la table, et ensuite se retirait après l'avoir enfermé. Un jour le prisonnier écrivit avec un couteau sur une assiette d'argent, et jeta l'assiette par la fenêtre, vers un bateau qui était au rivage, presque au pied de la tour. Un pêcheur, à qui ce bateau appartenait, ramassa l'assiette, et la rapporta au gouverneur. Celui-ci étonné demanda au pêcheur : « Avez-vous lu ce qui est écrit sur cette assiette, et quelqu'un l'a-t-il vue entre vos mains ? – Je ne sais pas lire, répondit le pêcheur. Je viens de la trouver, personne ne l'a vue. » Ce paysan fut retenu jusqu'à ce que le gouverneur fût bien informé qu'il n'avait jamais lu, et que l'assiette n'avait été vue de personne. « Allez, lui dit-il, vous êtes bien heureux de ne savoir pas lire. »

❸ Bientôt on aperçut le fauteuil du concierge, fauteuil plus vénérable aux yeux des prisonniers que ne l'est aux yeux des courtisans le trône d'un roi, car le concierge d'une prison est le dispensateur des grâces, et toute grâce est importante pour un prisonnier ; souvent la moindre faveur change son ciel sombre en un firmament lumineux.

Le concierge Richard, installé dans son fauteuil, que, bien convaincu de son importance, il n'avait pas quitté malgré le bruit des grilles et le roulement de la voiture qui lui annonçait un nouvel hôte, le concierge Richard prit son tabac, regarda la prisonnière, ouvrit un registre fort gros, et chercha une plume dans le petit encrier de bois noir où l'encre, pétrifiée sur les bords, conservait encore au milieu un peu de bourbeuse humidité, comme, au milieu du cratère d'un volcan, il reste toujours un peu de matière en fusion.

— Citoyen concierge, dit le chef de l'escorte, fais-nous l'écrou[1] et vivement, car on nous attend avec impatience à la Commune[2].

— Oh ! ce ne sera pas long, dit le concierge en versant dans son encrier quelques gouttes de vin qui restaient au fond d'un verre ; on a la main faite à cela, Dieu merci ! Tes noms et prénoms, citoyenne ?

Et, trempant sa plume dans l'encre improvisée, il s'apprêta à écrire au bas de la page, déjà pleine aux sept huitièmes, l'écrou de la nouvelle venue ; tandis que, debout derrière son fauteuil, la citoyenne Richard, femme aux regards bienveillants, contemplait, avec un étonnement presque respectueux, cette femme à l'aspect à la fois si triste, si noble et si fier, que son mari interrogeait.

— Marie-Antoinette-Jeanne-Josèphe de Lorraine, répondit la prisonnière, archiduchesse d'Autriche, reine de France.

— Reine de France ? répéta le concierge en se soulevant étonné sur le bras de son fauteuil.

— Reine de France, répéta la prisonnière du même ton.

— Autrement dit, veuve Capet, dit le chef de l'escorte.

— Sous lequel de ces deux noms dois-je l'inscrire ? demanda le concierge.

— Sous celui des deux que tu voudras, pourvu que tu l'inscrives vite, dit le chef de l'escorte.

Le concierge retomba sur son fauteuil, et, avec un léger tremblement, il écrivit sur son registre les prénoms, le nom et le titre que s'était donnés la prisonnière, inscriptions dont l'encre apparaît encore rougeâtre aujourd'hui sur ce registre, dont les rats de la conciergerie révolutionnaire ont grignoté la feuille à l'endroit le plus précieux.

La femme Richard se tenait toujours debout derrière le fauteuil de son mari ; seulement, un sentiment de religieuse commisération lui avait fait joindre les mains.

— Votre âge ? continua le concierge.

— Trente-sept ans et neuf mois, répondit la reine.

---

1. **L'écrou :** procès-verbal constatant qu'une personne a été remise à un directeur de prison et indiquant notamment le nom du détenu, la date et les motifs de son incarcération.
2. **La Commune :** gouvernement révolutionnaire parisien (1792).

Richard se remit à écrire, puis détailla le signalement, et termina par les formules et les notes particulières.

— Bien, dit-il, c'est fait.

— Où conduit-on la prisonnière ? demanda le chef de l'escorte.

Richard prit une seconde prise de tabac et regarda sa femme.

— Dame ! dit celle-ci, nous n'étions pas prévenus, de sorte que nous ne savons guère…

— Cherche ! dit le brigadier.

— Il y a la chambre du conseil, reprit la femme.

— Hum ! c'est bien grand, murmura Richard.

— Tant mieux ! si elle est grande, on pourra plus facilement y placer des gardes.

— Va pour la chambre du conseil, dit Richard ; mais elle est inhabitable pour le moment, car il n'y a pas de lit.

— C'est vrai, répondit la femme, je n'y avais pas songé.

— Bah ! dit un des gendarmes, on y mettra un lit demain, et demain sera bientôt venu.

— D'ailleurs, la citoyenne peut passer cette nuit, dans notre chambre ; n'est-ce pas, notre homme ? dit la femme Richard.

— Eh bien, et nous, donc ? dit le concierge.

— Nous ne nous coucherons pas ; comme l'a dit le citoyen gendarme, une nuit est bientôt passée.

— Alors, dit Richard, conduisez la citoyenne dans ma chambre.

— Pendant ce temps-là, vous préparerez notre reçu, n'est-ce pas ?

— Vous le trouverez en revenant. La femme Richard prit une chandelle qui brûlait sur la table, et marcha la première.

Marie-Antoinette la suivit sans mot dire, calme et pâle, comme toujours ; deux guichetiers, auxquels la femme Richard fit un signe, fermèrent la marche. On montra à la reine un lit auquel la femme Richard s'empressa de mettre des draps blancs. Les guichetiers s'installèrent aux issues ; puis la porte fut refermée à double tour, et Marie-Antoinette se trouva seule.

4

6

Étude des textes

Savoir lire

1. À quels indices voit-on que ces trois récits rapportent des faits historiques ? Dans quelle société transportent-ils le lecteur ?
2. Quels détails du récit de Voltaire montrent que le prisonnier au masque de fer est une personnalité de haut rang ?
3. Par quels procédés Alexandre Dumas donne-t-il à l'arrivée en prison de la reine Marie-Antoinette une force dramatique extraordinaire ? Qu'ajoute-t-il à la simple mention des faits ?

Savoir faire

4. Trouvez un résumé du roman de Madame de Lafayette et racontez, en quelques lignes, les suites de cette rencontre du duc de Nemours et de Madame de Clèves un soir de bal à la cour.
5. Recherchez des informations sur le mystérieux prisonnier « Le Masque de fer ». Quel acteur américain fameux joue le rôle du prisonnier dans le film du réalisateur Randall Wallace sorti en 2000 ?
6. En quelle année a eu lieu la Révolution française ? Quel sort a été réservé à Louis XVI et à Marie-Antoinette ? Recueillez des informations sur Internet ou au centre de documentation de votre collège.
7. Donnez une suite au récit d'Alexandre Dumas. Vous décrirez le décor de la chambre à partir du point de vue de la reine en tenant compte de sa tristesse et de son angoisse.

Étude des images

Savoir analyser

1. À quels détails voit-on que ces trois images renvoient à une page de l'histoire de France ?
2. Quelle image de reine et de mère se dégage du portrait de Marie-Antoinette (document 5) ? Précisez vos indices. Quels sentiments ce portrait cherche-t-il à éveiller ?
3. Comment la violence révolutionnaire est-elle mise en scène dans le tableau de Delacroix (document 6) ?

Savoir faire

4. Montrez que la phrase du texte 2 « Lorsqu'elle arriva, l'on admira sa beauté et sa parure » coïncide exactement avec la photo du film présentée dans le document 4.
5. Comparez le portrait de Marie-Antoinette avec le récit de son arrivée en prison (texte 3) : quelles réflexions, quelles émotions éveille cette comparaison ?
6. Citez au moins deux films mettant en scène des moment importants de l'histoire de France ou du monde.

Vers le brevet

Sujet 1 : *Les Trois Mousquetaires*, de : « Un jeune homme » (p. 24, l. 28) à : « vivez heureusement et longtemps » (p. 25, l. 72).

Questions

I. Les conseils d'un père

1. « Quiconque » :
   a) À quelle catégorie grammaticale appartient ce mot ?
   b) Quelle fonction occupe-t-il dans la phrase ?
2. « Vous êtes jeune, vous devez être brave par deux raisons » :
   a) Quel rapport de sens percevez-vous entre les deux propositions indépendantes qui constituent cette phrase ?
   b) Sans changer le sens, transformez la construction par subordination puis faites l'analyse logique de la phrase ainsi obtenue.
3. « Votre mère y ajoutera la recette d'un certain baume » :
   a) Que représente le mot « y » dans cette phrase ? À quelle catégorie grammaticale appartient-il ?
   b) Pour quelle raison stylistique l'auteur utilise-t-il ce terme ?
4. « Pour vous et pour les vôtres – par les vôtres, j'entends vos parents et vos amis – ne supportez jamais rien que de M. le cardinal et du roi. C'est par son courage, entendez-vous bien [...] qu'un gentilhomme fait son chemin aujourd'hui » :
   a) Remplacez le verbe « entendre » par un terme synonyme (verbe ou locution verbale).
   b) Mettez le nom « gentilhomme » au pluriel : faites une remarque sur la difficulté de cette opération.
5. « Ne craignez pas les occasions » :
   a) Conjuguez ce verbe au présent de l'indicatif, puis à l'imparfait.

b) Citez au moins un autre verbe français présentant les mêmes difficultés de conjugaison.

II. Un jeune homme

1. « traçons son portrait d'un seul trait de plume : figurez-vous don Quichotte » :
   a) Précisez le temps et le mode des verbes.
   b) Qui s'exprime dans le verbe « traçons » ? À qui s'adresse le verbe « figurez-vous » ?
2. « infaillible » :
   a) Donnez la définition de cet adjectif.
   b) Décomposez-le en précisant le sens du radical, du préfixe et du suffixe.
   c) Proposez un terme synonyme qui puisse convenir exactement à la phrase du texte.
   d) Proposez son antonyme appartenant à la même famille et utilisez-le dans une phrase expressive.
3. Sur quelle figure de style est construite la phrase « trop grand pour un adolescent, trop petit pour un homme fait » ?

III. La France du XVIIe siècle

1. « À la cour » :
   a) Proposez trois homonymes de « cour ». Pourquoi ne faut-il pas les confondre ?
   b) Utilisez ces homonymes dans trois phrases qui feront ressortir leur sens.
2. « si vous faites campagne avec lui » :
   a) Quel est le sens de « campagne » dans l'expression « faire campagne » ?
   b) À quel champ lexical appartient ce terme ?
   c) Relevez, dans la suite de l'extrait, trois termes appartenant au même champ lexical.
3. « ce pur patois de Béarn » : qu'est-ce qu'un patois ?
4. « C'est par son courage, entendez-vous bien, par son courage seul, qu'un gentilhomme fait son chemin aujourd'hui » :
   a) Quelle est la fonction du groupe nominal « par son courage » ?

b) Créez une phrase de construction passive dans laquelle « par » introduira un complément d'agent.

Réécriture

1. « Visage long et brun » ; « la pommette des joues saillante, signe d'astuce » ; « les muscles maxillaires énormément développés » : transformez ces trois phrases nominales en trois phrases verbales. Vous vous interdirez d'utiliser les verbes « être » et « avoir ».
2. « Votre mère y ajoutera la recette d'un certain baume[1] qu'elle tient d'une bohémienne, et qui a une vertu miraculeuse pour guérir toute blessure qui n'atteint pas le cœur » : transformez cette phrase en remplaçant le premier « qui » par le pronom relatif « dont ». Vous apporterez au texte les transformations nécessaires à sa correction grammaticale.

Rédaction

Pendant le discours de son père, d'Artagnan regarde cette figure familière qu'il va quitter pour partir à l'aventure. Brossez le portrait de M. d'Artagnan père à partir du point de vue du fils. Vous tiendrez compte de la situation et des émotions du jeune homme.

Petite méthode pour la rédaction

- L'écriture du portrait se fait à partir d'un point de vue particulier : ici, à partir du regard de d'Artagnan, jeune homme de bonne famille qui part à l'aventure avec la bénédiction de son père.
- Le portrait répondra à deux objectifs précis : mettre en image le père de d'Artagnan et faire percevoir au lecteur les émotions du jeune homme.
- Techniquement, le portrait ne se limitera pas à énumérer les traits du visage et du corps ; il mettra en évidence une personnalité. Il faut donc évoquer – outre la taille, les formes, les couleurs, les volumes – la physionomie, l'expression (visage, yeux, attitude générale).

1. **Baume :** pommade ou médicament fabriqué à l'aide de végétaux.

Sujet 2 : texte 2, p. 287, *Mémoires d'outre-tombe*, Chateaubriand.

Questions

I. Une force de la nature

1. a) Quelle figure de style emploie l'auteur dans la phrase : « Quand il secouait sa crinière en regardant le peuple, il l'arrêtait ; quand il levait sa patte et montrait ses ongles, la plèbe[1] courait furieuse. »

   b) Quelle impression veut-il ainsi donner ?

2. a) « ils portaient sur des passions profondes, brûlantes, orageuses » : nommez les deux figures de style employées ici.

   b) Quelle idée mettent-elles en valeur ?

II. Un révolutionnaire

1. « Au milieu de l'effroyable désordre d'une séance, je l'ai vu à la tribune, sombre, laid et immobile. »

   a) Dans quel genre littéraire l'expression « je l'ai vu » inscrit-elle le texte ?

   b) Donnez la définition de ce genre.

2. « On lui fournissait des discours pour la tribune : il en prenait ce que son esprit pouvait amalgamer[2] à sa propre substance » :

   a) Qu'est-ce qu'une « tribune » ?

   b) Précisez la catégorie grammaticale de « en ».

3. « S'il les adoptait en entier, il les débitait mal » :

   a) Donnez la nature et la fonction de la proposition introduite par « si ».

---

1. **La plèbe :** les masses populaires.
2. **Amalgamer :** mêler.

b) Substituez à cette proposition une proposition circonstancielle de temps.

c) Remplacez « débitait » par un synonyme.

4. « immoralité » :

a) Expliquez la signification de ce mot.

b) Quelle différence faites-vous entre « l'immoralité » et « l'amoralité » ?

5. Qu'est-ce que « la monarchie » ? À quel régime s'oppose-t-elle ?

III. Un homme paradoxal

1. « Malgré son immoralité, il n'avait pu fausser sa conscience » :

a) Quelle nuance de sens traduit la préposition « malgré » ? Proposez un terme synonyme.

b) Transformez le groupe souligné en gras en une proposition subordonnée circonstancielle qui traduira la même nuance.

c) Précisez le temps et le mode du verbe dans la phrase ainsi transformée.

2. « corrompu » :

a) Donnez le verbe et le nom appartenant à la famille de ce mot.

b) Trouvez un antonyme dans la suite de la phrase.

3. « Dans une lettre, destinée à être mise sous les yeux de Louis XVI, il écrivait : «Je ne voudrais pas avoir travaillé seulement à une vaste destruction» » : passez du discours direct au discours indirect.

4. « quoique traître à son ordre » :

a) À quelle catégorie grammaticale appartient le mot « quoique » ? Quelle est sa valeur ?

b) Quelle différence faites-vous avec « quoi que » ?

c) Composez deux phrases, l'une avec « quoique », l'autre avec « quoi que ».

Réécriture

« Il tirait son énergie de ses vices ; ces vices ne naissaient pas d'un tempérament frigide, ils portaient sur des passions profondes, brûlantes, orageuses » : à partir de ces trois phrases simples, construisez une phrase complexe où l'on trouvera deux propositions subordonnées relatives.

Rédaction

Ancien noble, Mirabeau est devenu une grande figure de la révolution française en 1789. En partant de son exemple tel qu'il est évoqué dans le texte de Chateaubriand, dites quelles sont les qualités nécessaires pour réussir en politique.

Petite méthode pour la rédaction

- Ceci est un sujet de réflexion.
- Il vous faut explorer un domaine que vous connaissez essentiellement à partir du cours d'histoire, de la télévision et des journaux. Puisez dans ces ressources pour trouver des idées.
- Appuyez-vous aussi sur l'exemple de Mirabeau : Chateaubriand montre la force mentale et physique du révolutionnaire, son talent d'orateur, son ambition, son opportunisme.
- Ne vous contentez pas d'énumérer les qualités nécessaires à l'homme politique : expliquez de quelle manière elles peuvent influencer son entourage, ses adversaires, la nation, et comment elles conduisent à la réussite.

Autres sujets d'entraînement

Sujet 1 : texte 1, p. 294, *La Princesse de Clèves*, madame de Lafayette.

1. a) Donnez la définition du verbe « se parer ».
   b) Conjuguez ce verbe au passé composé. À quelle difficulté doit-on prêter attention ?
2. « Lorsqu'elle arriva, l'on admira sa beauté et sa parure » :
   a) Faites l'analyse logique de cette phrase.
   b) Transformez cette construction active en construction passive.
3. « comme elle dansait avec M. de Guise » :
   a) Quelle est la nature et la fonction de « comme » dans cette phrase ?
   b) Remplacez ce terme par une conjonction qui traduira la même nuance de sens.
4. « il se fit un assez grand bruit vers la porte de la salle » :
   a) Pourquoi peut-on parler ici d'une phrase « impersonnelle » ?
   b) Relevez, dans la suite du texte, une autre phrase impersonnelle.
   c) Transformez ces deux phrases en phrases personnelles.
4. « quelqu'un qu'elle avait dessein de prendre » :
   a) Remplacez le mot « dessein » par un terme synonyme.
   b) Proposez un homonyme de « dessein » et justifiez l'intérêt de cet exercice.
5. « Elle se tourna et vit un homme qu'elle crut d'abord ne pouvoir être que M. de Nemours, qui passait par-dessus quelques sièges » : à quelle catégorie grammaticale appartiennent les deux « que » et « qui » ?
6. a) Justifiez l'emploi de l'imparfait dans le portrait de M. de Nemours.
   b) Expliquez l'alternance, dans le récit, du passé simple et de l'imparfait.

7. « Mais il était difficile aussi de voir Mme de Clèves pour la première fois sans avoir un grand étonnement » : remplacez le verbe « avoir » par un verbe qui traduira avec expressivité l'idée de l'auteur.

Sujet 2 : texte 3, p. 296, *Le Chevalier de Maison-Rouge*, Alexandre Dumas.

1. a) Donnez le sens de l'adjectif « vénérable ». À partir de quel verbe est-il construit ?
   b) Utilisez ces deux termes dans deux phrases expressives.
2. a) Donnez le sens de chacun des deux mots « religieuse commisération ».
   b) Expliquez le sens global de cette expression.
3. « Citoyen concierge, dit le chef de l'escorte... Tes noms et prénoms, citoyenne ? » : transformez ce passage au discours indirect. Vous ajouterez les verbes de parole nécessaires à la correction des phrases.
4. « Reine de France ? répéta le concierge en se soulevant étonné sur le bras de son fauteuil. » Que faut-il comprendre à la lecture de l'expression « sur le bras de son fauteuil » ?
5. « Il écrivit sur son registre les prénoms, le nom et le titre que s'était donnés la prisonnière » : en vous fondant sur l'analyse de la phrase, justifiez l'accord au masculin pluriel du participe passé « donnés ».
6. « Il écrivit... inscriptions **dont** l'encre apparaît encore rougeâtre aujourd'hui sur ce registre, **dont** les rats de la conciergerie révolutionnaire ont grignoté la feuille à l'endroit le plus précieux » : sans changer le sens, récrivez cette phrase de façon à supprimer le deuxième « dont ».
7. a) Quel sens faut-il attribuer au premier mot de la phrase : « Va pour la chambre du conseil, dit Richard ».
   b) À quel niveau de langage appartient cette expression ?
   c) Que devinons-nous alors du personnage qui prononce cette phrase ?

Outils de lecture

Action : dans un récit, suite des événements qui constituent l'intrigue.

Anticipation : procédé par lequel on interrompt la narration pour évoquer des événements devant se produire plus tard.

Antithèse : figure de style qui oppose deux mots ou groupes de mots en produisant un fort effet de contraste.

Aventure : événement dramatique mettant le héros face à un obstacle qu'il doit surmonter en prenant des risques.

Comparaison : figure de style construite autour d'un terme de comparaison (comme, tel, semblable à…) consistant à faire apparaître une correspondance entre deux idées, deux objets, deux faits, deux personnes…

Dénouement : fin d'un récit, moment où l'action se dénoue.

Description : énoncé qui nomme, précise les caractères et les qualités d'une personne, d'un objet ou d'un lieu ; qui crée un décor ou une atmosphère.

Dialogue : ensemble de répliques échangées entre deux ou plusieurs personnages.

Dramatique (registre) : qui éveille des sentiments puissants (peur, surprise) par des procédés de dramatisation (ex. : le coup de théâtre).

Durée de l'histoire : période pendant laquelle se déroule l'action.

Épilogue : dans un roman, conclusion apportée à une histoire.

Épisode : division d'un roman, présentant une aventure particulière dans l'ensemble de l'intrigue.

Fiction : création imaginaire. S'oppose à la réalité.

Figure de style : procédé d'expression qui permet d'évoquer une situation ou un personnage sous une forme très expressive. Ex. : antithèse, comparaison, métaphore.

Héros : personnage principal d'un roman ; il domine l'action et accomplit des exploits.

Histoire : événements et aventures qui constituent la matière d'un récit.

Intérêt documentaire : intérêt qu'éveillent les indices d'époque dans le récit.

Intérêt dramatique : intérêt qu'éveille l'action chez le lecteur.

Intrigue : enchaînement des faits dans un récit.

Métaphore : représentation d'un être, d'un objet ou d'un événement par un terme analogique.

Narrateur : dans le récit, celui qui raconte l'histoire.

Paroles rapportées : paroles insérées dans un récit. **Discours direct :** les paroles sont rapportées telles qu'elles sont prononcées. **Discours indirect :** les paroles sont insérées dans une proposition subordonnée.

Péripétie : événement imprévu, incident qui intervient dans le déroulement d'une action pour marquer un changement.

Personnage historique : personnage ayant réellement existé dans les faits.

Portrait : description d'un personnage, peinture de ses traits physiques, de son caractère, de ses mouvements, de ses gestes, de sa manière de s'exprimer.

Préface : texte placé en tête d'un ouvrage, le présentant et le recommandant aux lecteurs.

Réalisme : mise en scène de la réalité sous une forme concrète, à partir de petits faits vrais, avec une précision parfois brutale.

Récit : 1. acte de raconter. 2. énoncé qui raconte une histoire.

Retour en arrière (flash-back) : procédé par lequel on interrompt la narration pour raconter des événements antérieurs.

Roman d'aventure : récit dramatique qui privilégie l'action et multiplie les péripéties.

Roman-feuilleton : roman publié en épisodes successifs dans un journal.

Roman historique : roman dont l'action et les personnages sont empruntés à l'histoire.

Roman populaire : roman destiné au grand public, rédigé dans une langue très accessible, qui présente une intrigue simple et pleine de rebondissements, qui met en scène des personnages-types.

Temps de l'écriture : moment où l'auteur rédige son roman.

Temps de l'histoire : époque à laquelle se déroulent les événements racontés.

Bibliographie et filmographie

Principales éditions des *Trois Mousquetaires* :

Les Trois Mousquetaires, édition présentée et annotée par Gilbert Sigaux. Éd. Gallimard, coll. « Pléiade », 1962.

▶ Avec une préface, une chronologie de la vie et des œuvres d'Alexandre Dumas. Excellent appareil critique.

Les Trois Mousquetaires, Éd. Livre de Poche, 1973.

▶ Avec une notice très complète sur les personnages.

Les Trois Mousquetaires, série de quatre albums, texte de Jean-David Morvan et Michel Dufranne, dessins de Rubén. Éd. Delcourt, 2007-2010.

▶ Remarquable adaptation du roman pour la bande dessinée. Répond à une volonté de popularisation des classiques.

Quelques œuvres d'Alexandre Dumas :

Vingt Ans après (1845). Éd. Livre de Poche, 1989.

▶ Suite des *Trois Mousquetaires,* sous le règne de Mazarin. Avec de nouveaux personnages dont Raoul, vicomte de Bragelonne et fils d'Athos ; et Mordaunt, fils de Milady.

Le Vicomte de Bragelonne (1845). Éd. Livre de Poche, 2010.

▶ Suite de *Vingt Ans après* et dernier volet de la trilogie des Mousquetaires. Mort des héros et disparition de leur monde chevaleresque.

Le Comte de Monte-Cristo (1848-1850). Éd. Livre de Poche, 1995.

▶ Histoire d'une trahison et d'un trésor fabuleux qui enrichit la victime pour servir son implacable vengeance. Edmond Dantès, figure inoubliable du justicier.

Le Collier de la reine (1849-1850). Éd. Gallimard, coll. « Folio », 2002.

▶ Histoire fondée sur la fameuse affaire du Collier. Peint la noblesse décadente de la cour de Louis XVI et Marie-Antoinette.

Études sur Dumas et sur *Les Trois Mousquetaires* :

Histoire d'une collaboration, Alexandre Dumas et Auguste Maquet, Gustave Simon. Éd. G. Crès et Cie, 1919.

▶ Met en évidence le mode de collaboration de Dumas et de Maquet. Riche en documents authentiques (lettres).

Alexandre Dumas, le génie de la vie, Claude Schopp. Éd. Fayard, Paris, 1997.

▶ Biographie riche et originale qui montre l'incroyable puissance créatrice de Dumas.

Dumas et les Mousquetaires, Histoire d'un chef-d'œuvre, Simone Bertière. Éd. de Fallois, 2010.

▶ Dévoile les coulisses de la création de l'œuvre.

Dumas, le génie du récit, dossier du *Magazine littéraire* n° 494, février 2010.

▶ Regards contemporains sur la personne de Dumas, sur l'écrivain et sur son œuvre.

Filmographie :

Les Trois Mousquetaires, d'André Hunebelle, scénario de Michel Audiard. France, 1953.

▶ Un classique parmi les nombreuses adaptations du roman.

D'Artagnan, de Claude Barma. France, 1969.

▶ Feuilleton télévisé qui raconte les aventures des *Trois Mousquetaires*, de *Vingt Ans après* et du *Vicomte de Bragelonne*. Avec Dominique Paturel (d'Artagnan) et François Chaumette (Athos).

The Three Musketeers, de Richard Lester. USA, 1973.

▶ Avec une très belle distribution : Michael York (d'Artagnan) et Faye Dunaway (Milady).

D'Artagnan et les Trois Mousquetaires, de Pierre Aknine. France, 2004.

▶ Téléfilm, avec Vincent Elbaz et Emmanuelle Béart.

De tre musketerer, de Janis Cimermanis. Danemark, 2006.

▶ Film d'animation.

L'Autre Dumas, de Safy Nebbou. France, 2010.

▶ Met en scène le couple Dumas-Maquet. Avec Gérard Depardieu dans le rôle de l'écrivain.

Site internet : http://www.dumaspere.com/.

▶ Site de référence des Amis d'Alexandre Dumas.

Signature autographe d'Alexandre Dumas.

Alexandre Dumas.
Lithographie de Charles Motte (1785-1836).

Uniforme de mousquetaire.
Gravure (1650).

The three musketeers (1921),
film muet de Federico Nobile, dit Fred Niblo.
Avec Douglas Fairbanks.

Crédits photographiques

Couverture	**Dessin Alain Boyer**
18	Ph. Coll. Archives Larbor
277	Ph. © Archives Larbor
290	Ph. © Archives Larbor
291	Ph. Hubert Josse © Archives Larbor
292	Ph. Coll. Archives Larbor
299	Prod. : Enalpa Film, PCM, Silver Films. Ph. Marcel Dole / Coll. Archives Larbor
300	Ph. © Archives Nathan
301	Ph. © Archives Larbor
316	Ph. O. Ploton © Archives Larbor
317	Ph. Coll. Archives Larbor
318	Ph. Coll. Archives Larousse
319	Douglas Fairbanks Pictures. Ph. Coll. Archives Larbor

Photocomposition : JOUVE Saran
Impression : La Tipografica Varese Srl (Italie)
Dépôt légal : Janvier 2011 - 304453/04
N° Projet : 11034409 - Octobre 2016